スバラシク得点できる数学 II・B(・C)

共通テスト 数学 II・B(・C)
過去問題集

2025年度版
快速! 解答

馬場敬之（けいし）

マセマ出版社

◆ はじめに ◆

みなさん，こんにちは。**マセマの馬場 敬之（ばば けいし）**です。**共通テスト数学Ⅱ・B(・C)**の過去問について，これから練習していきましょう。

共通テストというのは，本来は**1**次試験であり，**2**次試験を受験するにたるだけの基本的な実力を持っているか，否かを判定するためのテストであるはずなのです。しかし，このところ，**2**次試験を課さずに，共通テストのみで合否を判定する大学が増えてきたせいもあるのでしょうが，この共通テストも，**2**次試験化し，単なる単答式の問題から，思考力や論理力を問うような問題が出題されるようになってきました。

それでは，この共通テスト数学**Ⅱ・B(・C)**の特徴を列挙しておきましょう。

(1) まず，一般に，共通テスト数学**Ⅱ・B(・C)**では，異常に冗長な長文問題が出題されます。さらに，ヒントを与えるためにということで，花子や太郎という謎のキャラクターまでも登場させて，この冗長度に拍車をかけています。

(2) また，各問いの前半は，解きやすい基本問題が配置されているのですが，後半になると，**2**次試験レベルの問題も出題されており，短い制限時間内に完答することが難しくなっています。

(3) そして，マークシート形式の試験にも関わらず，論理的な論証問題が出題されることが多く，これもよく練習していないと，受験生は試験場で途方に暮れることになると思います。さらに，後半の問題では，たとえ解法が分かっても，計算が繁雑なため，時間内に結果が出せない場合もあります。(これは作問者が，難易度のレベル設定がよく分かっていないのではないか，と思われます。)

このように**奇妙な特徴を持つ共通テスト**ですが，それでは打つ手は何もないのか？というと，そうではありません。事実，**マセマ**で学習した受験生が**平均点よりもかなり高得点**で乗り切っていることが，報告されているからです。それは，共通テストも結局は数学のテストであり，対策さえ間違えなければ，実力のある人が，平均点より高い得点になるのは，当然と言えるのです。

それでは，共通テストを高得点で乗り切るためのポイントを**2**つ示しておきましょう。

ポイント1 まず，**各設問毎に設定した時間を必ず守って解く**ことです。与えられた時間内で，長文の問題であれば，冗長な部分は読み飛ばして，問題の本質をつかみ，できるだけ問題を解き進めて深堀りし，できなかったところは最後は勘でもいいから，解答欄を埋めることです。そして，時間になると，**頭をサッと切り替えて**次の易しい問題に移り，同様のことを繰り返せばいいのです。

ここで，決してやってはいけないことは，後半の解きづらい問題や，計算の繁雑な問題にこだわって時間を消耗してしまうことです。

制限時間を守って解く習慣は，本書の共通テストの過去問を解くことにより，実践的に身に付けていきましょう。

ポイント2 では次に，実力をどのように付けるか？それは，共通テスト用の参考書「**快速！解答 共通テスト数学Ⅱ・B(・C)**」と本書(「**共通テスト 数学Ⅱ・B(・C)過去問題集**」)，および，「**元気が出る数学Ⅱ・B**」と「**元気に伸びる数学Ⅱ・B**」で学習することです。学習法としては，まず各問題を自力で解く練習を**3**周行いましょう。そして，それ以降は，(解答&解説)を隠して問題文だけを読んで，解答を頭の中で組立てる，いわゆる，頭の中でのシミュレーションを**2, 3**周は行いましょう。この脳内シミュレーションにより，頭の回転が良くなり，問題を見ただけで，解答の前半くらいは浮かぶようになるので，共通テストでも威力を発揮することになります。これで，平均点より，**20**点くらい高い得点が得られるはずです。

さらに，制限時間内で，(★★★)の**2**次試験レベルの問題に対しても，より深堀りできるようになりたい方は，「**合格数学Ⅱ・B**」や「**実力アップ数学Ⅱ・B問題集**」まで練習しましょう。これは，本格的な**2**次試験対策用のものですが，難度が上がってきている共通テスト対策にも有効です。

このように，マセマで学習すれば，共通テストも平均点より高得点で乗り切れます。

頑張る皆さんを，マセマ一同心より応援しています!!

マセマ代表　馬場 敬之(けいし)

◆ 目　次 ◆

2020年度　共通テスト数学II・B(・C)過去問題

[時間] 60分　　[満点] 100点

問題・配点と所要時間・出題

問　題	配点と所要時間	出題	選択方法
第1問 [1]	13点 (8分)	三角関数	必答
[2]	17点 (10分)	指数・対数関数	必答
第2問	30点 (18分)	微分・積分	必答
第3問	20点 (12分)	数列	いずれか2題選択
第4問	20点 (12分)	ベクトル	
第5問	20点 (12分)	確率分布と統計的推測	

第 1 問（必答問題）（配点 30 点）（所要時間 [1] 8分　[2] 10分）

[1] k を実数定数とする。$0 \leqq \theta \leqq \pi$ における次の三角方程式

$\sin\theta + \sqrt{3}\cos\theta = k$……①

の実数解の個数を調べる。

①を変形して，

$\boxed{ア}\sin\left(\theta + \dfrac{\pi}{\boxed{イ}}\right) = k$…②となる。よって，

①の相異なる実数解の個数は，

（ⅰ）$k < -\sqrt{\boxed{ウ}}$，$\boxed{エ} < k$ のとき，0 個であり，

（ⅱ）$k = \boxed{オ}$，$-\sqrt{\boxed{カ}} \leqq k < \sqrt{\boxed{キ}}$ のとき，1 個であり，

（ⅲ）$\sqrt{\boxed{ク}} \leqq k < \boxed{ケ}$ のとき，2 個である。

さらに，$\sqrt{\boxed{ク}} \leqq k < \boxed{ケ}$ のとき，異なる 2 実数解を θ_1，θ_2 $(\theta_1 < \theta_2)$

とおくと，$\theta_1 + \theta_2 = \dfrac{\pi}{\boxed{コ}}$ である。

[2] 関数 $f(x) = 4^{x-1} + 4^{-x} - 2a(2^{x-1} + 2^{-x}) + 3$…① （$a$：定数）

の最小値を求める。$t = 2^{x-1} + 2^{-x}$…②とおくと，

相加平均・相乗平均の式より，$t \geqq \sqrt{\boxed{サ}}$ である。

また，$4^{x-1} + 4^{-x} = t^2 - \boxed{シ}$ …③である。

②，③を①に代入して，これを t の関数 $g(t)$ とおくと，

$g(t) = (t - \boxed{ス} \cdot a)^2 + \boxed{セ} - a^2$…④ $\left(t \geqq \sqrt{\boxed{サ}}\right)$ である。

以上より，

（ⅰ）$a \leqq \sqrt{\boxed{ソ}}$ のとき，$t = \sqrt{\boxed{タ}}$ で，$g(t)$，すなわち $f(x)$ は最小になる。

　∴最小値 $g\left(\sqrt{\boxed{タ}}\right) = \boxed{チ} - 2\sqrt{\boxed{ツ}}a$ である。

　このときの x の値は，$\dfrac{1}{\boxed{テ}}$ である。

（ⅱ）$\sqrt{\boxed{ソ}} < a$ のとき，$t = \boxed{ス}\,a$ で，$g(t)$，すなわち $f(x)$ は最小になる。

　∴最小値 $g(\boxed{ス}a) = \boxed{セ} - a^2$ である。

　このときの x の値は，$\log_2\left(a \pm \sqrt{a^2 - \boxed{ト}}\right)$ である。

第 2 問 (必答問題) (配点 30 点) (所要時間18分)

2 次関数 $y=x^2$ で表される放物線を C とおく。また，2 つの円 A_1，A_2 を

$$\begin{cases} \text{円 } A_1 : x^2+(y-1)^2=1 \\ \text{円 } A_2 : x^2+(y-a)^2=1 \quad (a>0) \end{cases}$$ とおく。

(1) C と A_1 の共有点の座標は (0, ア)，(イ, ウ)，(エオ, カ) であり，円 A_1 の周および内部で，かつ $y \leqq x^2$ をみたす図形の面積は

$\dfrac{\text{キ}\pi-\text{ク}}{6}$ である。

(2) C と A_2 が 2 つの共有点をもち，かつその点で共通の接線をもつとき，

$a=\dfrac{\text{ケ}}{\text{コ}}$ であり，2 つの接点の座標は

$\left(\dfrac{\sqrt{\text{サ}}}{\text{シ}}, \dfrac{\text{ス}}{\text{セ}}\right)$，$\left(\dfrac{\text{ソ}\sqrt{\text{タ}}}{\text{チ}}, \dfrac{\text{ツ}}{\text{テ}}\right)$ である。

このとき，C と A_2 とで囲まれる図形の面積は $\dfrac{\text{ト}\sqrt{\text{ナ}}-\text{ニ}\pi}{12}$ である。

第３問（選択問題）（配点 20 点）（所要時間12分）

数列 $\{a_n\}$，$\{b_n\}$ は，初項がそれぞれ $a_1=1$，$b_1=1$ であり，次の関係式を満たす。

$a_{n+1}=3a_n+b_n+1$ …… ①　$b_{n+1}=2a_n+4b_n-1$ …… ②　$(n=1, 2, 3, \cdots)$

(1) ①，②より，$a_{n+1}+b_{n+1}=\boxed{ア}(a_n+b_n)$ …… ③が導ける。これから

$a_n+b_n=\boxed{イ}\cdot\boxed{ウ}^{n-1}$ …… ④ $(n=1, 2, 3, \cdots)$ となる。

(2) ①，②より，$2a_{n+1}-b_{n+1}=\boxed{エ}(2a_n-b_n)+\boxed{オ}$ …… ⑤が導ける。

これから，$2a_n-b_n=\boxed{カ}^{n+1}-\boxed{キ}$ …… ⑥ $(n=1, 2, 3, \cdots)$ となる。

(3) ④，⑥より，一般項 a_n，b_n は，

$$\begin{cases} a_n=\dfrac{1}{3}\left(\boxed{ク}\cdot\boxed{ケ}^{n-1}+\boxed{コ}^{n+1}-3\right) \\ b_n=\dfrac{1}{3}\left(\boxed{サ}\cdot\boxed{ケ}^{n-1}-\boxed{コ}^{n+1}+3\right) \end{cases}$$

$(n=1, 2, 3, \cdots)$ となる。

(4) 数列 $\{a_n\}$ の初項から第 n 項までの和を S_n とおくと，

$S_n=\dfrac{1}{6}\left(\boxed{シ}^{n}+\boxed{ス}^{n+3}-\boxed{セ}n-9\right)$ である。

第４問（選択問題）（配点 20 点）（所要時間12分）

xyz 座標空間上に 3 点 $A(-2, 2, 2)$, $B(1, 1, 3)$, $C(0, -2, 1)$ がある。

(1) 直線 AB の方向ベクトル $\overrightarrow{AB} = ($ ア , イウ $, 1)$ であり，

直線 AB と xy 平面との交点の座標は (エオ , カ , 0) である。

(2) 3 点 A, B, C を通る平面 π の方程式を

$ax + by + cz + d = 0$ ……① $(a \neq 0)$ とおくと，

$b =$ キ a，$c =$ クケ a，$d =$ コ a より，①は，

$x +$ サ $y -$ シ $z +$ ス $= 0$ ……② となる。

点 $D(\alpha, 3, 3)$ が平面 π 上の点であるとき，$\alpha =$ セソ である。

(3) ΔABC の面積を S とおくと，$S = \dfrac{タ\sqrt{チ}}{2}$ である。

原点 O と平面 π との間の距離を h とおくと，$h = \dfrac{ツ\sqrt{テ}}{3}$

である。よって，四面体 OABC の体積を V とおくと，

$V = \dfrac{トナ}{ニ}$ である。

第５問（選択問題）（配点 20点）（所要時間12分）

母平均 m，母分散 σ^2 の巨大な母集団から，大きさ n の標本を無作為に抽出するものとする。このとき，次の各問いに答えよ。

(1) 次の［ア］～［エ］に適するものを下の⓪～ⓑから選べ。

標本平均 $\overline{X}$ の平均 $E(\overline{X})$ は［ア］となり，分散 $V(\overline{X})$ は［イ］となる。

ここで，標本の大きさ n を十分に大きくすると，［ウ］により，

標本平均 $\overline{X}$ の従う確率分布は［エ］に近づくことが分かっている。

⓪ nm　① $\frac{m}{n}$　② m　③ $n\sigma^2$　④ $\frac{\sigma^2}{n}$　⑤ σ^2

⑥ 中線定理　⑦ 中点連結の定理　⑧ 中心極限定理

⑨ χ^2 分布　ⓐ 正規分布　ⓑ ポアソン分布

(2) したがって，確率変数 $\overline{X}$ の標準化確率変数として，Z を

$Z = \dfrac{\overline{X} - \boxed{ア}}{\sqrt{\boxed{イ}}}$ で定義すると，

Z は，平均［オ］，分散［カ］の標準正規分布に従う確率変数になる。

標準正規分布の確率密度 $f_S(Z)$ は，

$f_S(Z) = \dfrac{1}{\sqrt{2\pi}} e^{-\frac{Z^2}{2}}$ であり，$\displaystyle\int_{1.96}^{\infty} f_S(Z)dZ = 0.025$ をみたす。

ここで，母平均 m，母標準偏差 $\sigma = \dfrac{50}{7}$ の母集団から，十分大きな標本数 $n = 196$ の標本を抽出したところ，標本平均 $\overline{X} = 10$ であった。

このとき母平均 m の95%信頼区間は，

［キ］$\leqq m \leqq$［クケ］である。

2021年度　共通テスト数学II・B(・C)過去問題

［時間］60分　　［満点］100点

問題・配点と所要時間・出題

<table>
<tr><th>問　題</th><th>配点と所要時間</th><th>出題</th><th>選択方法</th></tr>
<tr><td>第1問［1］</td><td>16点（10分）</td><td>三角関数</td><td>必答</td></tr>
<tr><td>［2］</td><td>14点（8分）</td><td>指数・対数関数</td><td>必答</td></tr>
<tr><td>第2問</td><td>30点（18分）</td><td>微分・積分</td><td>必答</td></tr>
<tr><td>第3問</td><td>20点（12分）</td><td>数列</td><td rowspan="3">いずれか
2題選択</td></tr>
<tr><td>第4問</td><td>20点（12分）</td><td>ベクトル</td></tr>
<tr><td>第5問</td><td>20点（12分）</td><td>確率分布と統計的推測</td></tr>
</table>

第 1 問 (必答問題) (配点 30 点) (所要時間 [1] 10分 [2] 8分)

[1] $t=\tan\frac{\theta}{2}$ とおく。このとき，$\sin\theta$ と $\cos\theta$ を t で表すと，

$\sin\theta=\frac{\boxed{ア}t}{\boxed{イ}+t^2}$ ……① $\cos\theta=\frac{\boxed{ウ}-t^2}{\boxed{エ}+t^2}$ ……②である。

ここで，$0\leqq\theta\leqq\frac{2}{3}\pi$ における θ の関数 $y=\frac{\sin\theta-1}{\cos\theta+1}$ ……③について，

①, ②を③に代入すると，y は t の関数となる。よって，$y=f(t)$ とおくと，

$y=f(t)=\frac{\boxed{オカ}}{2}(t-\boxed{キ})^2$ $\left(\boxed{ク}\leqq t\leqq\sqrt{\boxed{ケ}}\right)$ となる。

以上より，③は，

(ⅰ) $\theta=\frac{\pi}{\boxed{コ}}$ のとき最大値 $\boxed{サ}$ をとり，

(ⅱ) $\theta=\boxed{シ}$ のとき最小値 $\frac{\boxed{スセ}}{2}$ をとる。

[2] $a<b<a^3$ $(a>1)$ のとき，

(ⅰ) $\boxed{ソ}<\log_a b<\boxed{タ}$ (ⅱ) $\frac{1}{\boxed{チ}}<\log_b a<\boxed{ツ}$

(ⅲ) $\boxed{テト}<\log_a\frac{a}{b}<\boxed{ナ}$ (ⅳ) $\boxed{ニ}<\log_b\sqrt{\frac{b}{a}}<\frac{1}{\boxed{ヌ}}$

となる。

よって，$\log_a b$，$\log_b a$，$\log_a\frac{a}{b}$，$\log_b\sqrt{\frac{b}{a}}$ を小さい順に並べたものは，$\boxed{ネ}$ である。$\boxed{ネ}$ に当てはまるものを下の ⓪～③のうちから一つ選べ。

⓪ $\log_a b$，$\log_b a$，$\log_a\frac{a}{b}$，$\log_b\sqrt{\frac{b}{a}}$

① $\log_b\sqrt{\frac{b}{a}}$，$\log_a b$，$\log_b a$，$\log_a\frac{a}{b}$

② $\log_a\frac{a}{b}$，$\log_b\sqrt{\frac{b}{a}}$，$\log_b a$，$\log_a b$

③ $\log_b a$，$\log_a\frac{a}{b}$，$\log_b\sqrt{\frac{b}{a}}$，$\log_a b$

第 2 問 (必答問題) (配点 30 点) (所要時間18分)

原点を頂点とする放物線 C : $y=f(x)$ と，直線 l : $y=2x-2$ がある。
l は，C 上のある点における C の接線である。このとき，
C : $y=f(x)=\dfrac{\boxed{ア}}{\boxed{イ}}x^2$ であり，接点の x 座標は $\boxed{ウ}$ である。

(1) 放物線 C と直線 l と x 軸とで囲まれる図形の面積は $\dfrac{\boxed{エ}}{\boxed{オ}}$ である。

(2) t は $0 \leqq t \leqq 2$ の範囲の実数とする。このとき，放物線 C 上の点 $(t,\ f(t))$ における接線を m とすると，
m : $y=\boxed{カ}\,tx-\dfrac{1}{\boxed{キ}}t^{\boxed{ク}}$ である。

$0 \leqq x \leqq 2$ において，放物線 C と直線 m で挟まれる部分のうち，$y \geqq 0$ をみたす領域の面積を $S(t)$ とおくと，
$S(t)=\dfrac{\boxed{ケコ}}{\boxed{サ}}t^3+t^2-\boxed{シ}\,t+\dfrac{\boxed{ス}}{\boxed{セ}}$　$(0 \leqq t \leqq 2)$ である。

$0 \leqq t \leqq 2$ において，$t=\dfrac{\boxed{ソ}}{\boxed{タ}}$ のとき，$S(t)$ は最小値 $\dfrac{\boxed{チ}}{\boxed{ツテ}}$ をとる。

第３問 (選択問題) (配点 20 点) (所要時間12分)

初項 a，公比 r $(r>0)$ の等比数列 $\{a_n\}$ がある。また，数列 $\{a_n\}$ の初項から第 n 項までの和を S_n とおくと，

$a_5=48$，$\dfrac{S_{20}}{S_{10}}=1025$ である。

このとき $a=\boxed{ア}$，$r=\boxed{イ}$ であり，

$S_{2n}=\boxed{ウ}(\boxed{エ}^{2n}-\boxed{オ})$ である。

また，$a_n>100$ をみたす最小の自然数 n は $n=\boxed{カ}$ である。

(1) 数列 $\{b_n\}$ を $b_n=\log_2\dfrac{a_n}{3}$ $(n=1, 2, \cdots)$ で定義する。

このとき $\displaystyle\sum_{k=2}^{100}\frac{1}{b_kb_{k+1}}=\frac{\boxed{キク}}{\boxed{ケコサ}}$ である。

また，$\displaystyle\sum_{k=2}^{20}\frac{1}{b_kb_{k+2}}=\frac{\boxed{シスセ}}{\boxed{ソタチ}}$ である。

(2) 数列 $\{c_n\}$ を $c_n=n\cdot a_n$ $(n=1, 2, \cdots)$ で定義する。

このとき $\displaystyle\sum_{k=1}^{n}c_k=\boxed{ツ}(n-\boxed{テ})\boxed{ト}^n+\boxed{ナ}$ である。

第 4 問（選択問題）（配点 20 点）（所要時間 12 分）

三角形 **OAB** について，

$\overrightarrow{\mathrm{OA}}=\vec{a}$，$\overrightarrow{\mathrm{OB}}=\vec{b}$ とおくと，

$|\vec{a}|=3$，$|\vec{b}|=2$，$\vec{a}\cdot\vec{b}=-1$

である。また，

辺 **OA** を **2：1** に内分する点を **P**，

辺 **AB** を $t：1-t$ に内分する点を

Q とおく。（ただし，$0<t<1$ とする。）

また，線分 **PB** と線分 **OQ** の交点を **R** とおく。このとき，$\mathrm{AB}=\sqrt{\boxed{アイ}}$ である。

(1) $\overrightarrow{\mathrm{PB}}=-\dfrac{\boxed{ウ}}{\boxed{エ}}\vec{a}+\vec{b}$ であり，

$\overrightarrow{\mathrm{OQ}}=(\boxed{オ}-t)\vec{a}+\boxed{カ}\,t\vec{b}$ であり，

$\overrightarrow{\mathrm{OR}}=\dfrac{\boxed{キ}(1-t)}{\boxed{ク}-t}\vec{a}+\dfrac{\boxed{ケ}t}{\boxed{コ}-t}\vec{b}$ である。

(2) $\angle\mathrm{ORB}=90^\circ$ のとき，$t=\dfrac{\boxed{サ}}{\boxed{シ}}$ である。

このとき，$|\overrightarrow{\mathrm{OR}}|=\dfrac{\sqrt{\boxed{スセ}}}{\boxed{ソ}}$，$|\overrightarrow{\mathrm{RB}}|=\dfrac{\sqrt{\boxed{タチ}}}{\boxed{ツ}}$ である。

第５問（選択問題）（配点 20 点）（所要時間12分）

白玉 3 個, 赤玉 2 個, 青玉 1 個の入った箱から無作為に 1 個を取り出し, それが,

(ⅰ) 白玉ならば，0 点とし，

(ⅱ) 赤玉ならば，サイコロを 1 回振って出た目をそのまま得点とし，

(ⅲ) 青玉ならば，サイコロを 1 回振って出た目の 2 倍を得点とする

ゲームを 1 回行う。この得点を X とおくと，X の取り得る値は，

$X = 0, 1, 2, 3, 4, 5, 6,$ [ア] , [イウ] , 12 となる。

$X = k$ となる確率を P_k とおくと，

（ただし，確率，期待値，分散はすべて既約分数で答えよ。）

$P_0 = \dfrac{1}{\boxed{エ}}$，$P_1 = \dfrac{1}{\boxed{オカ}}$，$P_2 = \dfrac{1}{\boxed{キク}}$，

$P_3 = \dfrac{1}{\boxed{ケコ}}$，$P_4 = \dfrac{1}{\boxed{サシ}}$，$P_5 = \dfrac{1}{\boxed{スセ}}$，$P_6 = \dfrac{1}{\boxed{ソタ}}$ である。

X の期待値 $E(X)$ は $\dfrac{\boxed{チ}}{\boxed{ツ}}$ である。分散 $V(X)$ は $\dfrac{\boxed{テトナ}}{\boxed{ニヌ}}$ である。

X を使って，新たな変数 Y を $Y = 3X + 2$ で定義する。この Y の期待値 $E(Y)$ と分散 $V(Y)$ は，

$E(Y) = \boxed{ネ}$ であり，$V(Y) = \dfrac{\boxed{ノハヒ}}{\boxed{フ}}$ である。

2022年度　共通テスト数学II・B(・C)過去問題

［時間］60分　　　　［満点］100点

問題・配点と所要時間・出題

<table>
<tr><th>問　題</th><th>配点と所要時間</th><th>出題</th><th>選択方法</th></tr>
<tr><td>第1問［1］</td><td>15点（9分）</td><td>三角関数</td><td>必答</td></tr>
<tr><td>［2］</td><td>15点（9分）</td><td>指数・対数関数</td><td>必答</td></tr>
<tr><td>第2問</td><td>30点（18分）</td><td>微分・積分</td><td>必答</td></tr>
<tr><td>第3問</td><td>20点（12分）</td><td>確率分布と統計的推測</td><td rowspan="3">いずれか
2題選択</td></tr>
<tr><td>第4問</td><td>20点（12分）</td><td>数列</td></tr>
<tr><td>第5問</td><td>20点（12分）</td><td>ベクトル</td></tr>
</table>

第 1 問（必答問題）（配点 30 点）（所要時間 [1] 9分　[2] 8分）

[1] **(1)** 次の**問題A**について考えよう。

> **問題A** 関数 $y = \sin\theta + \sqrt{3}\cos\theta \left(0 \leqq \theta \leqq \frac{\pi}{2}\right)$ の最大値を求めよ。

$\sin\frac{\pi}{\boxed{ア}} = \frac{\sqrt{3}}{2}$，$\cos\frac{\pi}{\boxed{ア}} = \frac{1}{2}$ であるから，三角関数の合成により

$y = \boxed{イ}\sin\left(\theta + \frac{\pi}{\boxed{ア}}\right)$ と変形できる。よって，

y は $\theta = \frac{\pi}{\boxed{ウ}}$ で最大値 $\boxed{エ}$ をとる。

(2) p を定数とし，次の**問題B**について考えよう。

> **問題B** 関数 $y = \sin\theta + p\cos\theta \left(0 \leqq \theta \leqq \frac{\pi}{2}\right)$ の最大値を求めよ。

(i) $p = 0$ のとき，y は $\theta = \frac{\pi}{\boxed{オ}}$ で最大値 $\boxed{カ}$ をとる。

(ii) $p > 0$ のときは，加法定理

$\cos(\theta - \alpha) = \cos\theta\cos\alpha + \sin\theta\sin\alpha$ を用いると

$y = \sin\theta + p\cos\theta = \sqrt{\boxed{キ}}\cos(\theta - \alpha)$ と表すことができる。

ただし，α は $\sin\alpha = \frac{\boxed{ク}}{\sqrt{\boxed{キ}}}$，$\cos\alpha = \frac{\boxed{ケ}}{\sqrt{\boxed{キ}}}$，$0 < \alpha < \frac{\pi}{2}$ を

満たすものとする。このとき，y は $\theta = \boxed{コ}$ で最大値 $\sqrt{\boxed{サ}}$ をとる。

(iii) $p < 0$ のとき，y は $\theta = \boxed{シ}$ で最大値 $\boxed{ス}$ をとる。

$\boxed{キ}$ ～ $\boxed{ケ}$，$\boxed{サ}$，$\boxed{ス}$ の解答群（同じものを繰り返し選んでもよい。）

⓪ -1	① 1	② $-p$
③ p	④ $1-p$	⑤ $1+p$
⑥ $-p^2$	⑦ p^2	⑧ $1-p^2$
⑨ $1+p^2$	ⓐ $(1-p)^2$	ⓑ $(1+p)^2$

$\boxed{コ}$，$\boxed{シ}$ の解答群（同じものを繰り返し選んでもよい。）

⓪ 0	① α	② $\frac{\pi}{2}$

[2] 二つの関数 $f(x)=\dfrac{2^x+2^{-x}}{2}$，$g(x)=\dfrac{2^x-2^{-x}}{2}$ について考える。

(1) $f(0)=$ [セ]，$g(0)=$ [ソ] である。また，$f(x)$ は相加平均と相乗平均の関係から，$x=$ [タ] で最小値 [チ] をとる。

$g(x)=-2$ となる x の値は $\log_2\left(\sqrt{\text{ツ}}-\text{テ}\right)$ である。

(2) 次の①～④は，x にどのような値を代入してもつねに成り立つ。

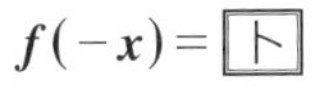

$f(-x)=$ [ト] ……………①

$g(-x)=$ [ナ] ……………②

$\{f(x)\}^2-\{g(x)\}^2=$ [ニ] ……………③

$g(2x)=$ [ヌ] $f(x)g(x)$ ……………④

[ト]，[ナ] の解答群（同じものを繰り返し選んでもよい。）

⓪ $f(x)$　① $-f(x)$　② $g(x)$　③ $-g(x)$

(3) 花子さんと太郎さんは，$f(x)$ と $g(x)$ の性質について話している。

花子：①～④は三角関数の性質に似ているね。

太郎：三角関数の加法定理に類似した式 **(A)**～**(D)** を考えてみたけど，つねに成り立つ式はあるのだろうか。

花子：成り立たない式を見つけるために，式 **(A)**～**(D)** の β に何か具体的な値を代入して調べてみたらどうかな。

太郎さんが考えた式

$f(\alpha-\beta)=f(\alpha)g(\beta)+g(\alpha)f(\beta)$ ……………………**(A)**

$f(\alpha+\beta)=f(\alpha)f(\beta)+g(\alpha)g(\beta)$ ……………………**(B)**

$g(\alpha-\beta)=f(\alpha)f(\beta)+g(\alpha)g(\beta)$ ……………………**(C)**

$g(\alpha+\beta)=f(\alpha)g(\beta)-g(\alpha)f(\beta)$ ……………………**(D)**

(1), **(2)** で示されたことのいくつかを利用すると，式 **(A)**～**(D)** のうち，[ネ] 以外の三つは成り立たないことがわかる。[ネ] は左辺と右辺をそれぞれ計算することによって成り立つことが確かめられる。

[ネ] の解答群

⓪ **(A)**　① **(B)**　② **(C)**　③ **(D)**

第 2 問（必答問題）（配点 30 点）（所要時間18分）

(1) 座標平面上で，次の二つの 2 次関数のグラフについて考える。

$y=3x^2+2x+3$ ……①　　　$y=2x^2+2x+3$ ……②

①, ②の 2 次関数のグラフには次の共通点がある。

共通点

・y 軸との交点の y 座標は ア である。

・y 軸との交点における接線の方程式は $y=$ イ $x+$ ウ である。

次の⓪～⑤の 2 次関数のグラフのうち，y 軸との交点における接線の方程式が $y=$ イ $x+$ ウ となるものは エ である。

エ の解答群

⓪ $y=3x^2-2x-3$	① $y=-3x^2+2x-3$
② $y=2x^2+2x-3$	③ $y=2x^2-2x+3$
④ $y=-x^2+2x+3$	⑤ $y=-x^2-2x+3$

a, b, c を 0 でない実数とする。

曲線 $y=ax^2+bx+c$ 上の点 (0, オ) における接線を l とすると，その方程式は $y=$ カ $x+$ キ である。

接線 l と x 軸との交点の x 座標は $\dfrac{\text{クケ}}{\text{コ}}$ である。

a, b, c が正の実数であるとき，曲線 $y=ax^2+bx+c$ と接線 l および直線 $x=\dfrac{\text{クケ}}{\text{コ}}$ で囲まれた図形の面積を S とすると，$S=\dfrac{ac^{\text{サ}}}{\text{シ}\,b^{\text{ス}}}$ …③ である。

③において，$a=1$ とし，S の値が一定となるように正の実数 b, c の値を変化させる。このとき，b と c の関数を表すグラフの概形は セ である。

セ については，最も適当なものを，次の⓪～⑤のうちから一つ選べ。

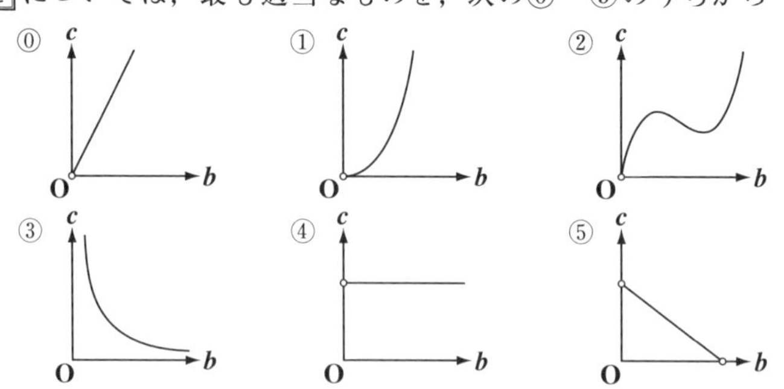

(2) 座標平面上で，次の三つの **3** 次関数のグラフについて考える。

$y=4x^3+2x^2+3x+5$ ……④　　　$y=-2x^3+7x^2+3x+5$ ……⑤

$y=5x^3-x^2+3x+5$ ……⑥

④，⑤，⑥の **3** 次関数のグラフには次の共通点がある。

共通点

・y 軸との交点の y 座標は $\boxed{\text{ソ}}$ である。

・y 軸との交点における接線の方程式は $y=\boxed{\text{タ}}x+\boxed{\text{チ}}$ である。

$a,\ b,\ c,\ d$ を **0** でない実数とする。

曲線 $y=ax^3+bx^2+cx+d$ 上の点 $\left(0,\ \boxed{\text{ツ}}\right)$ における接線の方程式は $y=\boxed{\text{テ}}x+\boxed{\text{ト}}$ である。

次に，$f(x)=ax^3+bx^2+cx+d$，$g(x)=\boxed{\text{テ}}x+\boxed{\text{ト}}$ とし，$f(x)-g(x)$ について考える。

$h(x)=f(x)-g(x)$ とおく。$a,\ b,\ c,\ d$ が正の実数であるとき，$y=h(x)$ のグラフの概形は $\boxed{\text{ナ}}$ である。

$y=f(x)$ のグラフと $y=g(x)$ のグラフの共有点の x 座標は $\dfrac{\boxed{\text{ニヌ}}}{\boxed{\text{ネ}}}$ と $\boxed{\text{ノ}}$ である。また，x が $\dfrac{\boxed{\text{ニヌ}}}{\boxed{\text{ネ}}}$ と $\boxed{\text{ノ}}$ の間を動くとき，$\left|f(x)-g(x)\right|$ の値が最大となるのは，$x=\dfrac{\boxed{\text{ハヒフ}}}{\boxed{\text{ヘホ}}}$ のときである。

$\boxed{\text{ナ}}$ については，最も適当なものを，次の⓪～⑤のうちから一つ選べ。

⓪
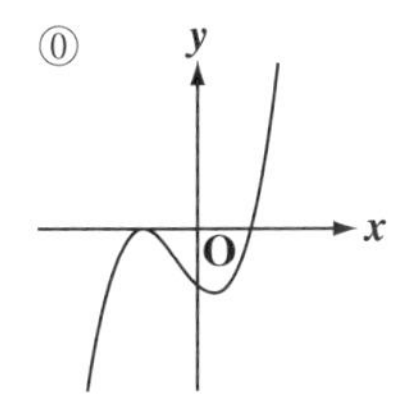

①
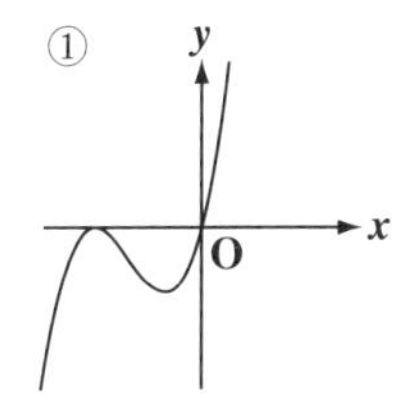

②
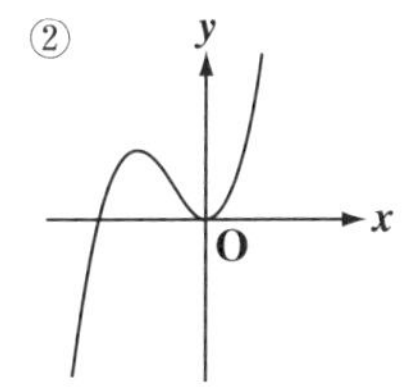

③
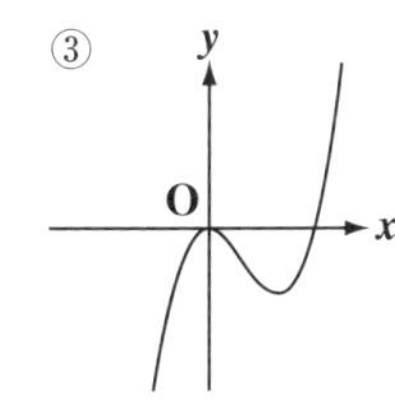

④
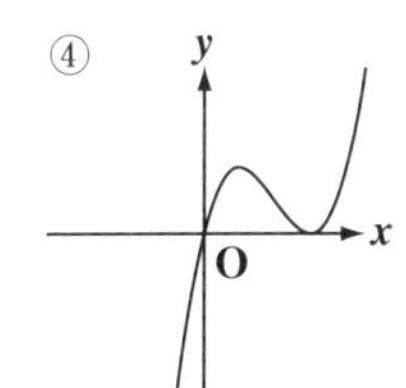

⑤
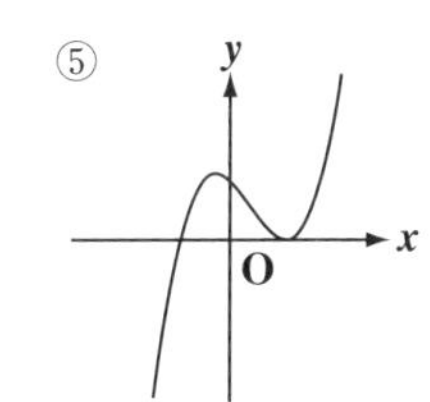

第3問（選択問題）（配点 20点）（所要時間12分）

Q 高校の校長先生は，ある日，新聞で高校生の読書に関する記事を読んだ。そこで，**Q** 高校の生徒全員を対象に，直前の **1** 週間の読書時間に関して，**100** 人の生徒を無作為に抽出して調査を行った。その結果，**100** 人の生徒のうち，この **1** 週間に全く読書をしなかった生徒が **36** 人であり，**100** 人の生徒のこの **1** 週間の読書時間（分）の平均値は **204** であった。**Q** 高校の生徒全員のこの **1** 週間の読書時間の母平均を m，母標準偏差を **150** とする。

(1) 全く読書をしなかった生徒の母比率を **0.5** とする。このとき，**100** 人の無作為標本のうちで全く読書をしなかった生徒の数を表す確率変数を X とすると，X は［ア］に従う。また，X の平均（期待値）は［イウ］，標準偏差は［エ］である。

［ア］については，最も適当なものを，次の⓪～⑤のうちから一つ選べ。

⓪ 正規分布 $N(0,\ 1)$	① 二項分布 $B(0,\ 1)$
② 正規分布 $N(100,\ 0.5)$	③ 二項分布 $B(100,\ 0.5)$
④ 正規分布 $N(100,\ 36)$	⑤ 二項分布 $B(100,\ 36)$

(2) 標本の大きさ **100** は十分に大きいので，**100** 人のうち全く読書をしなかった生徒の数は近似的に正規分布に従う。

全く読書をしなかった生徒の母比率を **0.5** とするとき，全く読書をしなかった生徒が **36** 人以下となる確率を p_5 とおく。p_5 の近似値を求めると，［オ］である。

また，全く読書をしなかった生徒の母比率を **0.4** とするとき，全く読書をしなかった生徒が **36** 人以下となる確率を p_4 とおくと，［カ］である。

［オ］については，最も適当なものを，次の⓪～⑤のうちから一つ選べ。

⓪ **0.001**	① **0.003**	② **0.026**
③ **0.050**	④ **0.133**	⑤ **0.497**

［カ］の解答群

⓪ $p_4 < p_5$	① $p_4 = p_5$	② $p_4 > p_5$

(3) **1** 週間の読書時間の母平均 m に対する信頼度 **95%** の信頼区間を $C_1 \leqq m \leqq C_2$ とする。標本の大きさ **100** は十分大きいことと，**1** 週間の読書時間の標本平均が **204**，母標準偏差が **150** であることを用いると，

$C_1+C_2=$ [キクケ]，$C_2-C_1=$ [コサ].[シ] であることがわかる。

また，母平均 m と C_1，C_2 については，[ス]。

[ス] の解答群

⓪ $C_1 \leqq m \leqq C_2$ が必ず成り立つ
① $m \leqq C_2$ は必ず成り立つが，$C_1 \leqq m$ が成り立つとは限らない
② $C_1 \leqq m$ は必ず成り立つが，$m \leqq C_2$ が成り立つとは限らない
③ $C_1 \leqq m$ も $m \leqq C_2$ も成り立つとは限らない

(4) Q 高校の図書委員長も，校長先生と同じ新聞記事を読んだため，校長先生が調査をしていることを知らずに，図書委員会として校長先生と同様の調査を独自に行った。ただし，調査期間は校長先生による調査と同じ直前の 1 週間であり，対象を Q 高校の生徒全員として 100 人の生徒を無作為に抽出した。その調査における，全く読書をしなかった生徒の数を n とする。

校長先生の調査結果によると全く読書をしなかった生徒は 36 人であり，[セ]。

[セ] の解答群

⓪ n は必ず 36 に等しい	① n は必ず 36 未満である
② n は必ず 36 より大きい	③ n と 36 との大小はわからない

(5) (4) の図書委員会が行った調査結果による母平均 m に対する信頼度 95% の信頼区間を $D_1 \leqq m \leqq D_2$，校長先生が行った調査結果による母平均 m に対する信頼度 95% の信頼区間を (3) の $C_1 \leqq m \leqq C_2$ とする。ただし，母集団は同一であり，1 週間の読書時間の母標準偏差は 150 とする。

このとき，次の⓪～⑤のうち，正しいものは [ソ] と [タ] である。

[ソ]，[タ] の解答群 (解答の順序は問わない。)

⓪ $C_1=D_1$ と $C_2=D_2$ が必ず成り立つ。
① $C_1<D_2$ または $D_1<C_2$ のどちらか一方のみが必ず成り立つ。
② $D_2<C_1$ または $C_2<D_1$ となる場合もある。
③ $C_2-C_1>D_2-D_1$ が必ず成り立つ。
④ $C_2-C_1=D_2-D_1$ が必ず成り立つ。
⑤ $C_2-C_1<D_2-D_1$ が必ず成り立つ。

(必要であれば，下の正規分布表を用いてもよい。)

正　規　分　布　表

次の表は，標準正規分布の分布曲線における右図の灰色部分の面積の値をまとめたものである。

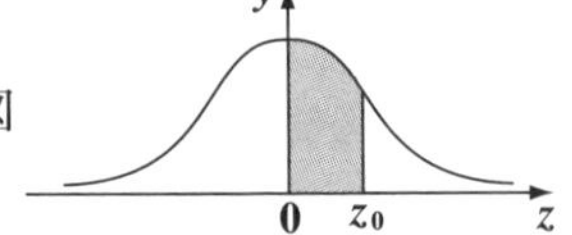

z_0	0.00	0.01	0.02	0.03	0.04	0.05	0.06	0.07	0.08	0.09
0.0	0.0000	0.0040	0.0080	0.0120	0.0160	0.0199	0.0239	0.0279	0.0319	0.0359
0.1	0.0398	0.0438	0.0478	0.0517	0.0557	0.0596	0.0636	0.0675	0.0714	0.0753
0.2	0.0793	0.0832	0.0871	0.0910	0.0948	0.0987	0.1026	0.1064	0.1103	0.1141
0.3	0.1179	0.1217	0.1255	0.1293	0.1331	0.1368	0.1406	0.1443	0.1480	0.1517
0.4	0.1554	0.1591	0.1628	0.1664	0.1700	0.1736	0.1772	0.1808	0.1844	0.1879
0.5	0.1915	0.1950	0.1985	0.2019	0.2054	0.2088	0.2123	0.2157	0.2190	0.2224
0.6	0.2257	0.2291	0.2324	0.2357	0.2389	0.2422	0.2454	0.2486	0.2517	0.2549
0.7	0.2580	0.2611	0.2642	0.2673	0.2704	0.2734	0.2764	0.2794	0.2823	0.2852
0.8	0.2881	0.2910	0.2939	0.2967	0.2995	0.3023	0.3051	0.3078	0.3106	0.3133
0.9	0.3159	0.3186	0.3212	0.3238	0.3264	0.3289	0.3315	0.3340	0.3365	0.3389
1.0	0.3413	0.3438	0.3461	0.3485	0.3508	0.3531	0.3554	0.3577	0.3599	0.3621
1.1	0.3643	0.3665	0.3686	0.3708	0.3729	0.3749	0.3770	0.3790	0.3810	0.3830
1.2	0.3849	0.3869	0.3888	0.3907	0.3925	0.3944	0.3962	0.3980	0.3997	0.4015
1.3	0.4032	0.4049	0.4066	0.4082	0.4099	0.4115	0.4131	0.4147	0.4162	0.4177
1.4	0.4192	0.4207	0.4222	0.4236	0.4251	0.4265	0.4279	0.4292	0.4306	0.4319
1.5	0.4332	0.4345	0.4357	0.4370	0.4382	0.4394	0.4406	0.4418	0.4429	0.4441
1.6	0.4452	0.4463	0.4474	0.4484	0.4495	0.4505	0.4515	0.4525	0.4535	0.4545
1.7	0.4554	0.4564	0.4573	0.4582	0.4591	0.4599	0.4608	0.4616	0.4625	0.4633
1.8	0.4641	0.4649	0.4656	0.4664	0.4671	0.4678	0.4686	0.4693	0.4699	0.4706
1.9	0.4713	0.4719	0.4726	0.4732	0.4738	0.4744	0.4750	0.4756	0.4761	0.4767
2.0	0.4772	0.4778	0.4783	0.4788	0.4793	0.4798	0.4803	0.4808	0.4812	0.4817
2.1	0.4821	0.4826	0.4830	0.4834	0.4838	0.4842	0.4846	0.4850	0.4854	0.4857
2.2	0.4861	0.4864	0.4868	0.4871	0.4875	0.4878	0.4881	0.4884	0.4887	0.4890
2.3	0.4893	0.4896	0.4898	0.4901	0.4904	0.4906	0.4909	0.4911	0.4913	0.4916
2.4	0.4918	0.4920	0.4922	0.4925	0.4927	0.4929	0.4931	0.4932	0.4934	0.4936
2.5	0.4938	0.4940	0.4941	0.4943	0.4945	0.4946	0.4948	0.4949	0.4951	0.4952
2.6	0.4953	0.4955	0.4956	0.4957	0.4959	0.4960	0.4961	0.4962	0.4963	0.4964
2.7	0.4965	0.4966	0.4967	0.4968	0.4969	0.4970	0.4971	0.4972	0.4973	0.4974
2.8	0.4974	0.4975	0.4976	0.4977	0.4977	0.4978	0.4979	0.4979	0.4980	0.4981
2.9	0.4981	0.4982	0.4982	0.4984	0.4984	0.4964	0.4985	0.4985	0.4986	0.4986
3.0	0.4987	0.4987	0.4987	0.4968	0.4968	0.4989	0.4989	0.4989	0.4990	0.4990

第 4 問（選択問題）（配点 20 点）（所要時間12分）

初項 3，公差 p の等差数列を $\{a_n\}$ とし，初項 3，公比 r の等比数列を $\{b_n\}$ とする。ただし，$p \neq 0$ かつ $r \neq 0$ とする。さらに，これらの数列が次を満たすとする。

$a_n b_{n+1} - 2a_{n+1} b_n + 3b_{n+1} = 0 \quad (n = 1, 2, 3, \cdots)$ ……①

(1) p と r の値を求めよう。自然数 n について，a_n，a_{n+1}，b_n はそれぞれ

$a_n = \boxed{ア} + (n-1)p$ ……②　$a_{n+1} = \boxed{ア} + np$ ……③　$b_n = \boxed{イ}\, r^{n-1}$

と表される。$r \neq 0$ により，すべての自然数 n について，$b_n \neq 0$ となる。

$\dfrac{b_{n+1}}{b_n} = r$ であることから，①の両辺を b_n で割ることにより

$\boxed{ウ}\, a_{n+1} = r\left(a_n + \boxed{エ}\right)$……………………④

が成り立つことがわかる。④に②と③を代入すると

$\left(r - \boxed{オ}\right)pn = r\left(p - \boxed{カ}\right) + \boxed{キ}$ ……⑤

となる。⑤がすべての n で成り立つことおよび $p \neq 0$ により，$r = \boxed{オ}$ を得る。さらに，このことから，$p = \boxed{ク}$ を得る。

以上から，すべての自然数 n について，a_n と b_n が正であることもわかる。

(2) $p = \boxed{ク}$，$r = \boxed{オ}$ であることから，$\{a_n\}$，$\{b_n\}$ の初項から第 n 項までの和は，それぞれ次の式で与えられる。

$\displaystyle\sum_{k=1}^{n} a_k = \frac{\boxed{ケ}}{\boxed{コ}}\, n\left(n + \boxed{サ}\right)$　　$\displaystyle\sum_{k=1}^{n} b_k = \boxed{シ}\left(\boxed{オ}^{\,n} - \boxed{ス}\right)$

(3) 数列 $\{a_n\}$ に対して，初項 3 の数列 $\{c_n\}$ が次を満たすとする。

$a_n c_{n+1} - 4a_{n+1} c_n + 3c_{n+1} = 0 \quad (n = 1, 2, 3, \cdots)$ ……⑥

a_n が正であることから，⑥を変形して，$c_{n+1} = \dfrac{\boxed{セ}\, a_{n+1}}{a_n + \boxed{ソ}}\, c_n$ を得る。

さらに，$p = \boxed{ク}$ であることから，数列 $\{c_n\}$ は $\boxed{タ}$ ことがわかる。

$\boxed{タ}$ の解答群

⓪ すべての項が同じ値をとる数列である
① 公差が 0 でない等差数列である
② 公比が 1 より大きい等比数列である
③ 公比が 1 より小さい等比数列である
④ 等差数列でも等比数列でもない

(4) u，q は定数で，$q \neq 0$ とする。数列 $\{b_n\}$ に対して，初項 3 の数列 $\{d_n\}$ が次を満たすとする。

$$d_n b_{n+1} - q d_{n+1} b_n + u b_{n+1} = 0 \quad (n = 1, 2, 3, \cdots) \cdots\cdots ⑦$$

$r =$ [オ] であることから，⑦を変形して，$d_{n+1} = \dfrac{\boxed{チ}}{q}(d_n + u)$

を得る。したがって，数列 $\{d_n\}$ が，公比が 0 より大きく 1 より小さい等比数列となるための必要十分条件は，$q >$ [ツ] かつ $u =$ [テ] である。

第 5 問 (選択問題) (配点 20 点) (所要時間 12 分)

1 辺の長さが 1 の正五角形の対角線の長さを a とする。

(1) 1 辺の長さが 1 の正五角形 $\mathrm{OA_1B_1C_1A_2}$ を考える。

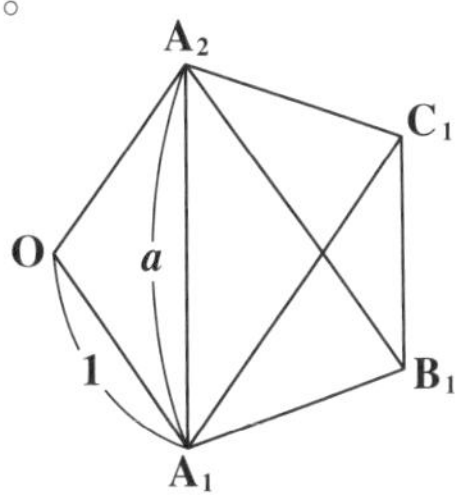

$\angle \mathrm{A_1C_1B_1} = \boxed{アイ}^\circ$, $\angle \mathrm{C_1A_1A_2} = \boxed{アイ}^\circ$ となることから, $\overrightarrow{\mathrm{A_1A_2}}$ と $\overrightarrow{\mathrm{B_1C_1}}$ は平行である。ゆえに,

$\overrightarrow{\mathrm{A_1A_2}} = \boxed{ウ}\,\overrightarrow{\mathrm{B_1C_1}}$ であるから,

$$\overrightarrow{\mathrm{B_1C_1}} = \frac{1}{\boxed{ウ}}\overrightarrow{\mathrm{A_1A_2}} = \frac{1}{\boxed{ウ}}\left(\overrightarrow{\mathrm{OA_2}} - \overrightarrow{\mathrm{OA_1}}\right)$$

また, $\overrightarrow{\mathrm{OA_1}}$ と $\overrightarrow{\mathrm{A_2B_1}}$ は平行で, さらに, $\overrightarrow{\mathrm{OA_2}}$ と $\overrightarrow{\mathrm{A_1C_1}}$ も平行であることから

$$\begin{aligned}\overrightarrow{\mathrm{B_1C_1}} &= \overrightarrow{\mathrm{B_1A_2}} + \overrightarrow{\mathrm{A_2O}} + \overrightarrow{\mathrm{OA_1}} + \overrightarrow{\mathrm{A_1C_1}} \\ &= -\boxed{ウ}\,\overrightarrow{\mathrm{OA_1}} - \overrightarrow{\mathrm{OA_2}} + \overrightarrow{\mathrm{OA_1}} + \boxed{ウ}\,\overrightarrow{\mathrm{OA_2}} \\ &= \left(\boxed{エ} - \boxed{オ}\right)\left(\overrightarrow{\mathrm{OA_2}} - \overrightarrow{\mathrm{OA_1}}\right)\end{aligned}$$

となる。したがって

$$\frac{1}{\boxed{ウ}} = \boxed{エ} - \boxed{オ}$$

が成り立つ。$a>0$ に注意してこれを解くと, $a = \dfrac{1+\sqrt{5}}{2}$ を得る。

(2) 右の図のような, 1 辺の長さが 1 の正十二面体を考える。正十二面体とは, どの面もすべて合同な正五角形であり, どの頂点にも三つの面が集まっているへこみのない多面体のことである。

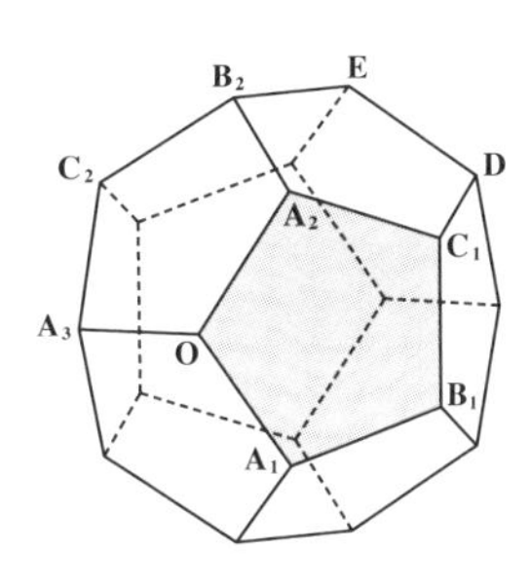

面 $\mathrm{OA_1B_1C_1A_2}$ に着目する。$\overrightarrow{\mathrm{OA_1}}$ と $\overrightarrow{\mathrm{A_2B_1}}$ が平行であることから,

$\overrightarrow{\mathrm{OB_1}} = \overrightarrow{\mathrm{OA_2}} + \overrightarrow{\mathrm{A_2B_1}} = \overrightarrow{\mathrm{OA_2}} + \boxed{ウ}\,\overrightarrow{\mathrm{OA_1}}$ である。また

$$\left|\overrightarrow{\mathrm{OA_2}} - \overrightarrow{\mathrm{OA_1}}\right|^2 = \left|\overrightarrow{\mathrm{A_1A_2}}\right|^2 = \frac{\boxed{カ} + \sqrt{\boxed{キ}}}{\boxed{ク}}$$

に注意すると

$$\overrightarrow{\mathrm{OA_1}} \cdot \overrightarrow{\mathrm{OA_2}} = \frac{\boxed{ケ} - \sqrt{\boxed{コ}}}{\boxed{サ}}$$

を得る。

次に，面$\mathbf{OA_2B_2C_2A_3}$に着目すると

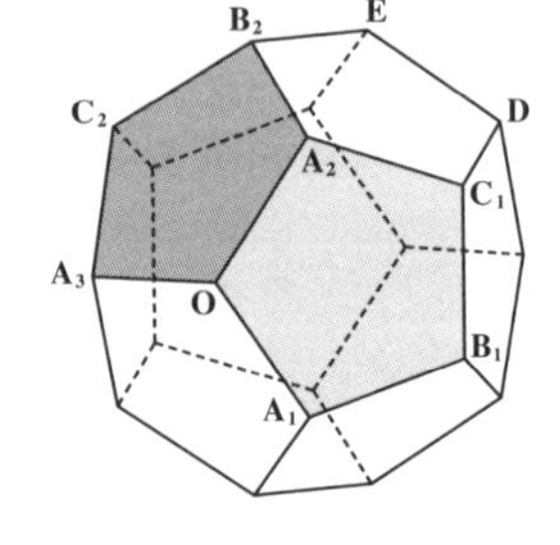

$\overrightarrow{\mathbf{OB_2}} = \overrightarrow{\mathbf{OA_3}} + \boxed{ウ}\,\overrightarrow{\mathbf{OA_2}}$ である。さらに

$$\overrightarrow{\mathbf{OA_2}}\cdot\overrightarrow{\mathbf{OA_3}} = \overrightarrow{\mathbf{OA_3}}\cdot\overrightarrow{\mathbf{OA_1}} = \frac{\boxed{ケ} - \sqrt{\boxed{コ}}}{\boxed{サ}}$$

が成り立つことがわかる。ゆえに

$\overrightarrow{\mathbf{OA_1}}\cdot\overrightarrow{\mathbf{OB_2}} = \boxed{シ}$，$\overrightarrow{\mathbf{OB_1}}\cdot\overrightarrow{\mathbf{OB_2}} = \boxed{ス}$ である。

$\boxed{シ}$，$\boxed{ス}$の解答群（同じものを繰り返し選んでもよい。）

⓪ $\mathbf{0}$	① $\mathbf{1}$	② $\mathbf{-1}$	③ $\dfrac{\mathbf{1+\sqrt{5}}}{\mathbf{2}}$
④ $\dfrac{\mathbf{1-\sqrt{5}}}{\mathbf{2}}$	⑤ $\dfrac{\mathbf{-1+\sqrt{5}}}{\mathbf{2}}$	⑥ $\dfrac{\mathbf{-1-\sqrt{5}}}{\mathbf{2}}$	⑦ $-\dfrac{\mathbf{1}}{\mathbf{2}}$
⑧ $\dfrac{\mathbf{-1+\sqrt{5}}}{\mathbf{4}}$	⑨ $\dfrac{\mathbf{-1-\sqrt{5}}}{\mathbf{4}}$		

最後に，面$\mathbf{A_2C_1DEB_2}$に着目する。

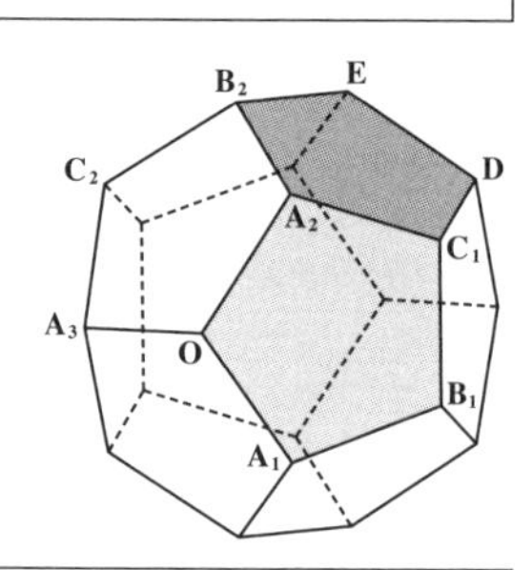

$\overrightarrow{\mathbf{B_2D}} = \boxed{ウ}\,\overrightarrow{\mathbf{A_2C_1}} = \overrightarrow{\mathbf{OB_1}}$

であることに注意すると，**4**点$\mathbf{O}$，$\mathbf{B_1}$，$\mathbf{D}$，$\mathbf{B_2}$は同一平面上にあり，四角形$\mathbf{OB_1DB_2}$は$\boxed{セ}$ことがわかる。

$\boxed{セ}$の解答群

⓪ 正方形である
① 正方形ではないが，長方形である
② 正方形ではないが，ひし形である
③ 長方形でもひし形でもないが，平行四辺形である
④ 平行四辺形ではないが，台形である
⑤ 台形ではない

ただし，少なくとも一組の対辺が平行な四角形を台形という。

2023年度　共通テスト数学II・B(・C)過去問題

［時間］60分　　［満点］100点

問題・配点と所要時間・出題

<table>
<tr><th>問　題</th><th>配点と所要時間</th><th>出題</th><th>選択方法</th></tr>
<tr><td>第1問［1］</td><td>15点（11分）</td><td>三角関数</td><td>必答</td></tr>
<tr><td>［2］</td><td>15点（7分）</td><td>指数・対数関数</td><td>必答</td></tr>
<tr><td>第2問［1］</td><td>16点（9分）</td><td>微分・積分</td><td>必答</td></tr>
<tr><td>［2］</td><td>14点（9分）</td><td>微分・積分</td><td>必答</td></tr>
<tr><td>第3問</td><td>20点（12分）</td><td>確率分布と統計的推測</td><td rowspan="3">いずれか
2題選択</td></tr>
<tr><td>第4問</td><td>20点（12分）</td><td>数列</td></tr>
<tr><td>第5問</td><td>20点（12分）</td><td>ベクトル</td></tr>
</table>

第 1 問（必答問題）（配点 30 点）（所要時間 [1] 11 分 [2] 7 分）

[1] 三角関数の値の大小関係について考えよう。

(1) $x=\frac{\pi}{6}$ のとき $\sin x$ [ア] $\sin 2x$ であり，$x=\frac{2}{3}\pi$ のとき $\sin x$ [イ] $\sin 2x$ である。

[ア]，[イ] の解答群（同じものを繰り返し選んでもよい。）

⓪ <	① ＝	② >

(2) $\sin x$ と $\sin 2x$ の値の大小関係を詳しく調べよう。

$\sin 2x-\sin x=\sin x(\boxed{ウ}\cos x-\boxed{エ})$

であるから，$\sin 2x-\sin x>0$ が成り立つことは

「$\sin x>0$ かつ $\boxed{ウ}\cos x-\boxed{エ}>0$」……①

または，「$\sin x<0$ かつ $\boxed{ウ}\cos x-\boxed{エ}<0$」……②

が成り立つことと同値である。$0\leqq x\leqq 2\pi$ のとき，①が成り立つような x の値の範囲は，$0<x<\frac{\pi}{\boxed{オ}}$ であり，

②が成り立つような x の値の範囲は，$\pi<x<\frac{\boxed{カ}}{\boxed{キ}}\pi$

である。よって，$0\leqq x\leqq 2\pi$ のとき，$\sin 2x>\sin x$ が成り立つような x の値の範囲は，$0<x<\frac{\pi}{\boxed{オ}}$，$\pi<x<\frac{\boxed{カ}}{\boxed{キ}}\pi$ である。

(3) $\sin 3x$ と $\sin 4x$ の値の大小関係を調べよう。

三角関数の加法定理を用いると，等式

$\sin(\alpha+\beta)-\sin(\alpha-\beta)=2\cos\alpha\sin\beta$ ……③

が得られる。$\alpha+\beta=4x$，$\alpha-\beta=3x$ を満たす α，β に対して③を用いることにより，$\sin 4x-\sin 3x>0$ が成り立つことは

「$\cos\boxed{ク}>0$ かつ $\sin\boxed{ケ}>0$」……④

または，「$\cos\boxed{ク}<0$ かつ $\sin\boxed{ケ}<0$」……⑤

が成り立つことと同値であることがわかる。

$0\leqq x\leqq \pi$ のとき，④，⑤により，$\sin 4x>\sin 3x$ が成り立つような x の値の範囲は，

$0 < x < \dfrac{\pi}{\boxed{コ}}$，$\dfrac{\boxed{サ}}{\boxed{シ}}\pi < x < \dfrac{\boxed{ス}}{\boxed{セ}}\pi$ である。

$\boxed{ク}$，$\boxed{ケ}$ の解答群（同じものを繰り返し選んでもよい。）

⓪ 0	① x	② $2x$	③ $3x$
④ $4x$	⑤ $5x$	⑥ $6x$	⑦ $\dfrac{x}{2}$
⑧ $\dfrac{3}{2}x$	⑨ $\dfrac{5}{2}x$	ⓐ $\dfrac{7}{2}x$	ⓑ $\dfrac{9}{2}x$

(4) (2), (3) の考察から，$0 \leqq x \leqq \pi$ のとき，$\sin 3x > \sin 4x > \sin 2x$ が成り立つような x の値の範囲は，

$\dfrac{\pi}{\boxed{コ}} < x < \dfrac{\pi}{\boxed{ソ}}$，$\dfrac{\boxed{ス}}{\boxed{セ}}\pi < x < \dfrac{\boxed{タ}}{\boxed{チ}}\pi$ であることがわかる。

[2] (1) $a > 0$，$a \neq 1$，$b > 0$ のとき，$\log_a b = x$ とおくと，$\boxed{ツ}$ が成り立つ。

$\boxed{ツ}$ の解答群

⓪ $x^a = b$	① $x^b = a$
② $a^x = b$	③ $b^x = a$
④ $a^b = x$	⑤ $b^a = x$

(2) 様々な対数の値が有理数か無理数かについて考えよう。

(i) $\log_5 25 = \boxed{テ}$，$\log_9 27 = \dfrac{\boxed{ト}}{\boxed{ナ}}$ であり，どちらも有理数である。

(ii) $\log_2 3$ が有理数と無理数のどちらであるかを考えよう。

$\log_2 3$ が有理数であると仮定すると，$\log_2 3 > 0$ であるので，

二つの自然数 p，q を用いて $\log_2 3 = \dfrac{p}{q}$ と表すことができる。

このとき，(1)により $\log_2 3 = \dfrac{p}{q}$ は $\boxed{ニ}$ と変形できる。いま，

2 は偶数であり 3 は奇数であるので，$\boxed{ニ}$ を満たす自然数 p，q は存在しない。

したがって，$\log_2 3$ は無理数であることがわかる。

(iii) a, b を 2 以上の自然数とするとき，(ii) と同様に考えると，
「ヌ ならば $\log_a b$ はつねに無理数である」ことがわかる。

ニ の解答群

⓪ $p^2=3q^2$	① $q^2=p^3$	② $2^q=3^p$
③ $p^3=2q^3$	④ $p^2=q^3$	⑤ $2^p=3^q$

ヌ の解答群

⓪ a が偶数
① b が偶数
② a が奇数
③ b が奇数
④ a と b がともに偶数，または a と b がともに奇数
⑤ a と b のいずれか一方が偶数で，もう一方が奇数

第 2 問 (必答問題) (配点 30 点) (所要時間 [1] 9 分　[2] 9 分)

[1] (1) k を正の定数とし，次の 3 次関数を考える。

$f(x)=x^2(k-x)$

$y=f(x)$ のグラフと x 軸との共有点の座標は $(0,\ 0)$ と $\left(\boxed{ア},\ 0\right)$ である。$f(x)$ の導関数 $f'(x)$ は，$f'(x)=\boxed{イウ}x^2+\boxed{エ}kx$ である。

$x=\boxed{オ}$ のとき，$f(x)$ は極小値 $\boxed{カ}$ をとる。

$x=\boxed{キ}$ のとき，$f(x)$ は極大値 $\boxed{ク}$ をとる。

また，$0<x<k$ の範囲において $x=\boxed{キ}$ のとき $f(x)$ は最大となることがわかる。

$\boxed{ア}$，$\boxed{オ}$ ～ $\boxed{ク}$ の解答群 (同じものを繰り返し選んでもよい。)

⓪ 0	① $\frac{1}{3}k$	② $\frac{1}{2}k$	③ $\frac{2}{3}k$
④ k	⑤ $\frac{3}{2}k$	⑥ $-4k^2$	⑦ $\frac{1}{8}k^2$
⑧ $\frac{2}{27}k^3$	⑨ $\frac{4}{27}k^3$	ⓐ $\frac{4}{9}k^3$	ⓑ $4k^3$

(2) 後の図のように底面が半径 9 の円で高さが 15 の円錐(すい)に内接する円柱を考える。円柱の底面の半径と体積をそれぞれ x，V とする。V を x の式で表すと，

$V=\dfrac{\boxed{ケ}}{\boxed{コ}}\pi x^2\left(\boxed{サ}-x\right)$　$(0<x<9)$ である。

(1)の考察より，$x=\boxed{シ}$ のとき

V は最大となることがわかる。

V の最大値は $\boxed{スセソ}\pi$ である。

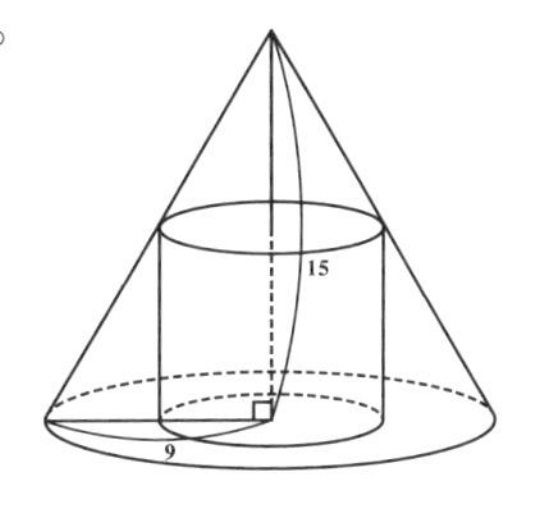

[2] (1) 定積分$\int_0^{30}\left(\frac{1}{5}x+3\right)dx$の値は［タチツ］である。

また，関数$\frac{1}{100}x^2-\frac{1}{6}x+5$の不定積分は

$$\int\left(\frac{1}{100}x^2-\frac{1}{6}x+5\right)dx=\frac{1}{\boxed{テトナ}}x^3-\frac{1}{\boxed{ニヌ}}x^2+\boxed{ネ}x+C$$

である。ただし，Cは積分定数とする。

(2) ある地域では，毎年3月頃「ソメイヨシノ(桜の種類)の開花予想日」が話題になる。太郎さんと花子さんは，開花日時を予想する方法の一つに，2月に入ってからの気温を時間の関数とみて，その関数を積分した値をもとにする方法があることを知った。ソメイヨシノの開花日時を予想するために，二人は図1の6時間ごとの気温の折れ線グラフを見ながら，次のように考えることにした。

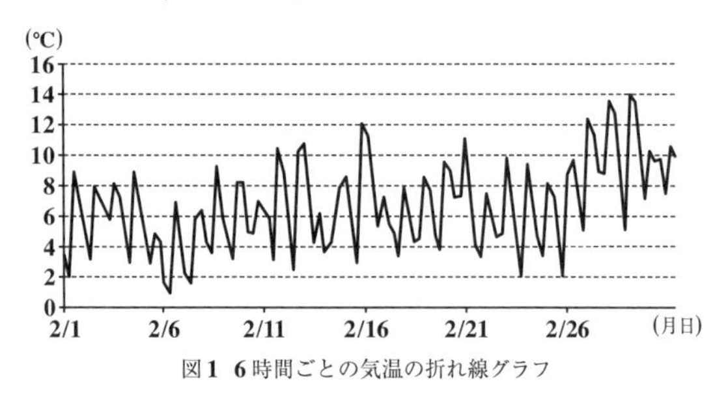

図1　6時間ごとの気温の折れ線グラフ

xの値の範囲を0以上の実数全体として，2月1日午前0時から$24x$時間経った時点をx日後とする。(例えば，10.3日後は2月11日午前7時12分を表す。)また，x日後の気温をy℃とする。このとき，yはxの関数であり，これを$y=f(x)$とおく。ただし，yは負にはならないものとする。

気温を表す関数$f(x)$を用いて二人はソメイヨシノの開花日時を次の設定で考えることにした。

設定

正の実数 t に対して，$f(x)$ を 0 から t まで積分した値を $S(t)$ とする。すなわち，$S(t)=\int_0^t f(x)dx$ とする。この $S(t)$ が 400 に到達したとき，ソメイヨシノが開花する。

設定のもと，太郎さんは気温を表す関数 $y=f(x)$ のグラフを図 2 のように直線とみなしてソメイヨシノの開花日時を考えることにした。

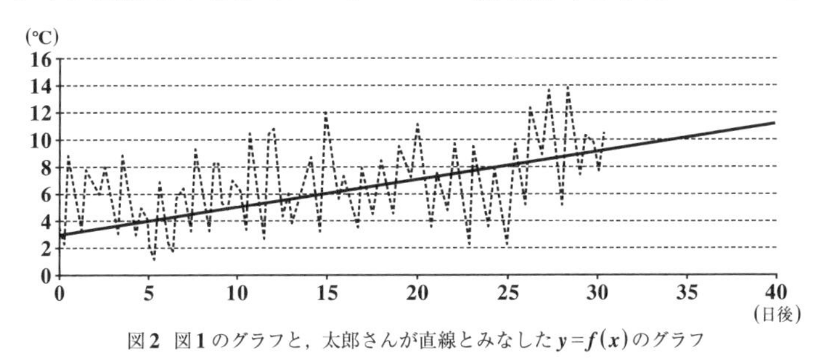

図 2　図 1 のグラフと，太郎さんが直線とみなした $y=f(x)$ のグラフ

(i) 太郎さんは $f(x)=\dfrac{1}{5}x+3$ として考えた。このとき，ソメイヨシノの開花日時は 2 月に入ってから ノ となる。

ノ の解答群（同じものを繰り返し選んでもよい。）

⓪ 30 日後	① 35 日後	② 40 日後
③ 45 日後	④ 50 日後	⑤ 55 日後
⑥ 60 日後	⑦ 65 日後	

(ii) 太郎さんと花子さんは，2 月に入ってから 30 日後以降の気温について話をしている。

太郎：1 次関数を用いてソメイヨシノの開花日時を求めてみたよ。
花子：気温の上がり方から考えて，2 月に入ってから 30 日後以降の気温を表す関数が 2 次関数の場合も考えてみようか。

花子さんは気温を表す関数 $f(x)$ を，$0 \leqq x \leqq 30$ のときは太郎さんと同じように

$f(x)=\dfrac{1}{5}x+3$ ………………①とし，$x \geqq 30$ のときは

$$f(x)=\frac{1}{100}x^2-\frac{1}{6}x+5 \quad \cdots\cdots ②$$

として考えた。なお，$x=30$ のとき①の右辺の値と②の右辺の値は一致する。花子さんの考えた式を用いて，ソメイヨシノの開花日時を考えよう。(1)より

$$\int_0^{30}\left(\frac{1}{5}x+3\right)dx=\boxed{\text{タチツ}}$$ であり，

$$\int_{30}^{40}\left(\frac{1}{100}x^2-\frac{1}{6}x+5\right)dx=115$$ となることがわかる。

また，$x \geqq 30$ の範囲において $f(x)$ は増加する。よって

$$\int_{30}^{40}f(x)dx \ \boxed{\text{ハ}} \ \int_{40}^{50}f(x)dx$$

であることがわかる。以上より，ソメイヨシノの開花日時は2月に入ってから ヒ となる。

ハ の解答群

⓪ <	① =	② >

ヒ の解答群

⓪ 30日後より前
① 30日後
② 30日後より後，かつ40日後より前
③ 40日後
④ 40日後より後，かつ50日後より前
⑤ 50日後
⑥ 50日後より後，かつ60日後より前
⑦ 60日後
⑧ 60日後より後

第 3 問 (選択問題) (配点 20 点) (所要時間 12 分)

以下の問題を解答するにあたっては，必要に応じて正規分布表を用いてもよい。

(1) ある生産地で生産されるピーマン全体を母集団とし，この母集団におけるピーマン **1** 個の重さ (単位は **g**) を表す確率変数を X とする。m と σ を正の実数とし，X は正規分布 $N(m,\ \sigma^2)$ に従うとする。

(i) この母集団から **1** 個のピーマンを無作為に抽出したとき，重さが m**g** 以上である確率 $P(X \geqq m)$ は

$$P(X \geqq m) = P\left(\frac{X-m}{\sigma} \geqq \boxed{ア}\right) = \frac{\boxed{イ}}{\boxed{ウ}} \text{ である。}$$

(ii) 母集団から無作為に抽出された大きさ n の標本 $X_1,\ X_2,\ \cdots,\ X_n$ の標本平均を $\overline{X}$ とする。$\overline{X}$ の平均 (期待値) と標準偏差はそれぞれ

$$E(\overline{X}) = \boxed{エ},\quad \sigma(\overline{X}) = \boxed{オ} \text{ となる。}$$

$n = 400$，標本平均が **30.0g**，標本の標準偏差が **3.6g** のとき，m の信頼度 **90** % の信頼区間を次の方針で求めよう。

> **方針**
>
> Z を標準正規分布 $N(0,\ 1)$ に従う確率変数として，$P(-z_0 \leqq Z \leqq z_0) = 0.901$ となる z_0 を正規分布表から求める。この z_0 を用いると m の信頼度 **90.1** % の信頼区間が求められるが，これを信頼度 **90** % の信頼区間とみなして考える。

方針において，$z_0 = \boxed{カ}.\boxed{キク}$ である。

一般に，標本の大きさ n が大きいときには，母標準偏差の代わりに，標本の標準偏差を用いてよいことが知られている。$n = 400$ は十分に大きいので，**方針**に基づくと，m の信頼度 **90** % の信頼区間は $\boxed{ケ}$ となる。

$\boxed{エ}$，$\boxed{オ}$ の解答群 (同じものを繰り返し選んでもよい。)

⓪ σ	① σ^2	② $\dfrac{\sigma}{\sqrt{n}}$	③ $\dfrac{\sigma^2}{n}$
④ m	⑤ $2m$	⑥ m^2	⑦ $\sqrt{m}$
⑧ $\dfrac{\sigma}{n}$	⑨ $n\sigma$	ⓐ nm	ⓑ $\dfrac{m}{n}$

ケ については，最も適当なものを，次の⓪～⑤のうちから一つ選べ。

⓪ $28.6 \leqq m \leqq 31.4$	① $28.7 \leqq m \leqq 31.3$	② $28.9 \leqq m \leqq 31.1$
③ $29.6 \leqq m \leqq 30.4$	④ $29.7 \leqq m \leqq 30.3$	⑤ $29.9 \leqq m \leqq 30.1$

(2) **(1)** の確率変数 X において，$m=30.0$，$\sigma=3.6$ とした母集団から無作為にピーマンを **1** 個ずつ抽出し，ピーマン **2** 個を **1** 組にしたものを袋に入れていく。このようにしてピーマン **2** 個を **1** 組にしたものを **25** 袋作る。その際，**1** 袋ずつの重さの分散を小さくするために，次の**ピーマン分類法**を考える。

ピーマン分類法

無作為に抽出したいくつかのピーマンについて，重さが **30.0g** 以下のときを **S** サイズ，**30.0g** を超えるときは **L** サイズと分類する。そして，分類されたピーマンから **S** サイズと **L** サイズのピーマンを一つずつ選び，ピーマン **2** 個を **1** 組とした袋を作る。

(i) ピーマンを無作為に **50** 個抽出したとき，**ピーマン分類法**で **25** 袋作ることができる確率 p_0 を考えよう。無作為に **1** 個抽出したピーマンが **S** サイズである確率は $\dfrac{\boxed{コ}}{\boxed{サ}}$ である。ピーマンを無作為に **50** 個抽出したときの **S** サイズのピーマンの個数を表す確率変数を U_0 とすると，U_0 は二項分布 $B\left(50,\ \dfrac{\boxed{コ}}{\boxed{サ}}\right)$ に従うので

$$p_0={}_{50}\mathrm{C}_{\boxed{シス}}\times\left(\frac{\boxed{コ}}{\boxed{サ}}\right)^{\boxed{シス}}\times\left(1-\frac{\boxed{コ}}{\boxed{サ}}\right)^{50-\boxed{シス}}$$ となる。

p_0 を計算すると $p_0=0.1122\cdots$ となることから，ピーマンを無作為に **50** 個抽出したとき，**25** 袋作ることができる確率は **0.11** 程度とわかる。

(ii) **ピーマン分類法**で **25** 袋作ることができる確率が **0.95** 以上となるようなピーマンの個数を考えよう。

k を自然数とし，ピーマンを無作為に $(50+k)$ 個抽出したとき，**S** サイズのピーマンの個数を表す確率変数を U_k とすると，U_k は二項分布 $B\left(50+k,\ \dfrac{\boxed{コ}}{\boxed{サ}}\right)$ に従う。

$(50+k)$ は十分に大きいので，U_k は近似的に正規分布 $N\left(\boxed{\text{セ}},\ \boxed{\text{ソ}}\right)$ に従い，$Y=\dfrac{U_k-\boxed{\text{セ}}}{\sqrt{\boxed{\text{ソ}}}}$ とすると，Y は近似的に標準正規分布 $N(0,\ 1)$ に従う。

よって，**ピーマン分類法**で，25 袋作ることができる確率を p_k とすると

$$p_k=P(25\leqq U_k\leqq 25+k)=P\left(-\frac{\boxed{\text{タ}}}{\sqrt{50+k}}\leqq Y\leqq\frac{\boxed{\text{タ}}}{\sqrt{50+k}}\right)$$ となる。

$\boxed{\text{タ}}=\alpha$，$\sqrt{50+k}=\beta$ とおく。

$p_k\geqq 0.95$ になるような $\dfrac{\alpha}{\beta}$ について，正規分布表から $\dfrac{\alpha}{\beta}\geqq 1.96$ を満たせばよいことがわかる。ここでは，$\dfrac{\alpha}{\beta}\geqq 2$ ……①

を満たす自然数 k を考えることとする。①の両辺は正であるから，$\alpha^2\geqq 4\beta^2$ を満たす最小の k を k_0 とすると，$k_0=\boxed{\text{チツ}}$ であることがわかる。ただし，$\boxed{\text{チツ}}$ の計算においては，$\sqrt{51}=7.14$ を用いてもよい。

したがって，少なくとも $\left(50+\boxed{\text{チツ}}\right)$ 個のピーマンを抽出しておけば，**ピーマン分類法**で 25 袋作ることができる確率は 0.95 以上となる。

$\boxed{\text{セ}}$ ～ $\boxed{\text{タ}}$ の解答群（同じものを繰り返し選んでもよい。）

⓪ k	① $2k$	② $3k$	③ $\dfrac{50+k}{2}$
④ $\dfrac{25+k}{2}$	⑤ $25+k$	⑥ $\dfrac{\sqrt{50+k}}{2}$	⑦ $\dfrac{50+k}{4}$

正 規 分 布 表

次の表は，標準正規分布の分布曲線における右図の灰色部分の面積の値をまとめたものである。

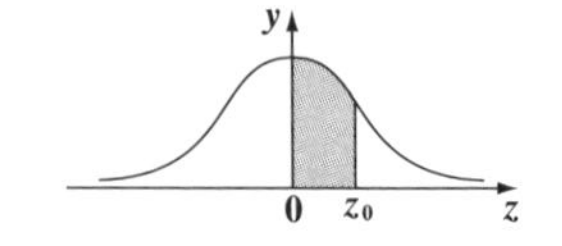

z_0	0.00	0.01	0.02	0.03	0.04	0.05	0.06	0.07	0.08	0.09
0.0	0.0000	0.0040	0.0080	0.0120	0.1600	0.0199	0.0239	0.0279	0.0319	0.0359
0.1	0.0398	0.0438	0.0478	0.0517	0.0557	0.0596	0.0636	0.0675	0.0714	0.0753
0.2	0.0793	0.0832	0.0871	0.0910	0.0948	0.0987	0.1026	0.1064	0.1103	0.1141
0.3	0.1179	0.1217	0.1255	0.1293	0.1331	0.1368	0.1406	0.1443	0.1480	0.1517
0.4	0.1554	0.1591	0.1628	0.1664	0.1700	0.1736	0.1772	0.1808	0.1844	0.1879
0.5	0.1915	0.1950	0.1985	0.2019	0.2054	0.2088	0.2123	0.2157	0.2190	0.2224
0.6	0.2257	0.2291	0.2324	0.2357	0.2389	0.2422	0.2454	0.2486	0.2517	0.2549
0.7	0.2580	0.2611	0.2642	0.2673	0.2704	0.2734	0.2764	0.2794	0.2823	0.2852
0.8	0.2881	0.2910	0.2939	0.2967	0.2995	0.3023	0.3051	0.3078	0.3106	0.3133
0.9	0.3159	0.3186	0.3212	0.3238	0.3264	0.3289	0.3315	0.3340	0.3365	0.3389
1.0	0.3413	0.3438	0.3461	0.3485	0.3508	0.3531	0.3554	0.3577	0.3599	0.3621
1.1	0.3643	0.3655	0.3686	0.3708	0.3729	0.3749	0.3770	0.3790	0.3810	0.3830
1.2	0.3849	0.3869	0.3888	0.3907	0.3925	0.3944	0.3962	0.3980	0.3997	0.4015
1.3	0.4032	0.4049	0.4066	0.4082	0.4099	0.4115	0.4131	0.4147	0.4162	0.4177
1.4	0.4192	0.4207	0.4222	0.4236	0.4251	0.4265	0.4279	0.4292	0.4306	0.4319
1.5	0.4332	0.4345	0.4357	0.4370	0.4382	0.4394	0.4406	0.4418	0.4429	0.4441
1.6	0.4452	0.4463	0.4474	0.4484	0.4495	0.4505	0.4515	0.4525	0.4535	0.4545
1.7	0.4554	0.4564	0.4573	0.4582	0.4591	0.4599	0.4608	0.4616	0.4625	0.4633
1.8	0.4641	0.4649	0.4656	0.4664	0.4671	0.4678	0.4686	0.4693	0.4699	0.4706
1.9	0.4713	0.4719	0.4726	0.4732	0.4738	0.4744	0.4750	0.4756	0.4761	0.4767
2.0	0.4772	0.4788	0.4783	0.4788	0.4793	0.4798	0.4803	0.4808	0.4812	0.4817
2.1	0.4821	0.4826	0.4830	0.4834	0.4838	0.4842	0.4846	0.4850	0.4854	0.4857
2.2	0.4861	0.4864	0.4868	0.4871	0.4875	0.4878	0.4881	0.4884	0.4887	0.4890
2.3	0.4893	0.4896	0.4898	0.4901	0.4904	0.4906	0.4909	0.4911	0.4913	0.4916
2.4	0.4918	0.4920	0.4922	0.4925	0.4927	0.4929	0.4931	0.4932	0.4934	0.4936
2.5	0.4938	0.4940	0.4941	0.4943	0.4945	0.4946	0.4948	0.4949	0.4951	0.4952
2.6	0.4953	0.4955	0.4956	0.4957	0.4959	0.4960	0.4961	0.4962	0.4963	0.4964
2.7	0.4965	0.4966	0.4967	0.4968	0.4969	0.4970	0.4971	0.4972	0.4973	0.4974
2.8	0.4974	0.4975	0.4976	0.4977	0.4977	0.4978	0.4979	0.4979	0.4980	0.4981
2.9	0.4981	0.4982	0.4982	0.4984	0.4984	0.4964	0.4985	0.4985	0.4986	0.4986
3.0	0.4987	0.4987	0.4987	0.4968	0.4968	0.4989	0.4989	0.4989	0.4990	0.4990

第 4 問 (選択問題) (配点 20 点) (所要時間12 分)

花子さんは，毎年の初めに預金口座に一定額の入金をすることにした。この入金を始める前における花子さんの預金は **10** 万円である。ここで，預金とは預金口座にあるお金の額のことである。預金には年利 **1** % で利息がつき，ある年の初めの預金が x 万円であれば，その年の終わりには預金は $1.01x$ 万円となる。次の年の初めには $1.01x$ 万円に入金額を加えたものが預金となる。

毎年の初めの入金額を p 万円とし，n 年目の初めの預金を a_n 万円とおく。ただし，$p>0$ とし，n は自然数とする。

例えば，$a_1=10+p$，$a_2=1.01(10+p)+p$ である。

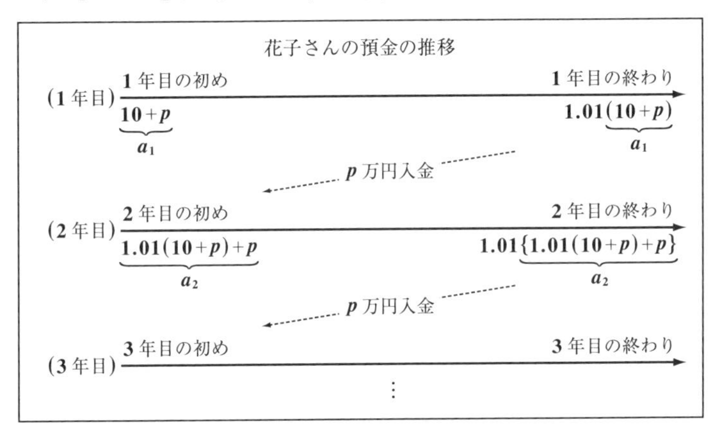

参考図

(1) a_n を求めるために二つの方針で考える。

方針 1

n 年目の初めの預金と $(n+1)$ 年目の初めの預金との関係に着目して考える。

3 年目の初めの預金 a_3 万円について，$a_3=$ ア である。すべての自然数 n について，$a_{n+1}=$ イ a_n+ ウ が成り立つ。これは，

$$a_{n+1}+\boxed{\text{エ}}=\boxed{\text{オ}}\left(a_n+\boxed{\text{エ}}\right)$$

と変形でき，a_n を求めることができる。

ア の解答群

⓪ $1.01\{1.01(10+p)+p\}$	① $1.01\{1.01(10+p)+1.01p\}$
② $1.01\{1.01(10+p)+p\}+p$	③ $1.01\{1.01(10+p)+p\}+1.01p$
④ $1.01(10+p)+1.01p$	⑤ $1.01(10+1.01p)+1.01p$

イ ～ オ の解答群（同じものを繰り返し選んでもよい。）

⓪ 1.01	① 1.01^{n-1}	② 1.01^n
③ p	④ $100p$	⑤ np
⑥ $100np$	⑦ $1.01^{n-1}\times 100p$	⑧ $1.01^n\times 100p$

方針 2

もともと預金口座にあった **10** 万円と毎年の初めに入金した p 万円について，n 年目の初めにそれぞれがいくらになるかに着目して考える。

もともと預金口座にあった **10** 万円は，**2** 年目の初めには 10×1.01 万円になり，**3** 年目の初めには 10×1.01^2 万円になる。同様に考えると n 年目の初めには $10\times 1.01^{n-1}$ 万円になる。

- **1** 年目の初めに入金した p 万円は，n 年目の初めには $p\times 1.01^{\boxed{カ}}$ 万円になる。
- **2** 年目の初めに入金した p 万円は，n 年目の初めには $p\times 1.01^{\boxed{キ}}$ 万円になる。
- n 年目の初めに入金した p 万円は，n 年目の初めには p 万円のままである。

これより，

$$a_n=10\times 1.01^{n-1}+p\times 1.01^{\boxed{カ}}+p\times 1.01^{\boxed{キ}}+\cdots+p$$
$$=10\times 1.01^{n-1}+p\sum_{k=1}^{n}1.01^{\boxed{ク}}$$

となることがわかる。ここで，$\sum_{k=1}^{n}1.01^{\boxed{ク}}=\boxed{ケ}$ となるので，a_n を求めることができる。

カ，キ の解答群（同じものを繰り返し選んでもよい。）

⓪ $n+1$	① n	② $n-1$	③ $n-2$

ク の解答群

⓪ $k+1$	① k	② $k-1$	③ $k-2$

ケ の解答群

⓪ 100×1.01^n	① $100(1.01^n-1)$
② $100(1.01^{n-1}-1)$	③ $n+1.01^{n-1}-1$
④ $0.01(101n-1)$	⑤ $\dfrac{n\times1.01^{n-1}}{2}$

(2) 花子さんは，10年目の終わりの預金が30万円以上になるための入金額について考えた。

10年目の終わりの預金が30万円以上であることを不等式を用いて表すと コ $\geqq30$ となる。この不等式を p について解くと

$$p\geqq\frac{\boxed{サシ}-\boxed{スセ}\times1.01^{10}}{101(1.01^{10}-1)}$$

となる。したがって，毎年の初めの入金額が例えば18000円であれば，10年目の終わりの預金が30万円以上になることがわかる。

コ の解答群

⓪ a_{10}	① $a_{10}+p$	② $a_{10}-p$
③ $1.01a_{10}$	④ $1.01a_{10}+p$	⑤ $1.01a_{10}-p$

(3) 1年目の入金を始める前における花子さんの預金が10万円ではなく，13万円の場合を考える。すべての自然数 n に対して，この場合の n 年目の初めの預金は a_n 万円よりも ソ 万円多い。なお，年利は1％であり，毎年の初めの入金額は p 万円のままである。

ソ の解答群

⓪ 3	① 13	② $3(n-1)$
③ $3n$	④ $13(n-1)$	⑤ $13n$
⑥ 3^n	⑦ $3+1.01(n-1)$	⑧ $3\times1.01^{n-1}$
⑨ 3×1.01^n	ⓐ $13\times1.01^{n-1}$	ⓑ $13\times1.01^{n-1}$

第５問（選択問題）（配点 20 点）（所要時間12分）

三角錐（すい）PABCにおいて，辺BCの中点をMとおく。また，$\angle\mathrm{PAB}=\angle\mathrm{PAC}$ とし，この角度を θ とおく。ただし，$0^\circ<\theta<90^\circ$ とする。

(1) $\overrightarrow{\mathrm{AM}}$ は，$\overrightarrow{\mathrm{AM}}=\dfrac{\boxed{ア}}{\boxed{イ}}\overrightarrow{\mathrm{AB}}+\dfrac{\boxed{ウ}}{\boxed{エ}}\overrightarrow{\mathrm{AC}}$ と表せる。また，

$$\frac{\overrightarrow{\mathrm{AP}}\cdot\overrightarrow{\mathrm{AB}}}{|\overrightarrow{\mathrm{AP}}||\overrightarrow{\mathrm{AB}}|}=\frac{\overrightarrow{\mathrm{AP}}\cdot\overrightarrow{\mathrm{AC}}}{|\overrightarrow{\mathrm{AP}}||\overrightarrow{\mathrm{AC}}|}=\boxed{オ}\quad\cdots\cdots①$$ である。

$\boxed{オ}$ の解答群

⓪ $\sin\theta$	① $\cos\theta$	② $\tan\theta$
③ $\dfrac{1}{\sin\theta}$	④ $\dfrac{1}{\cos\theta}$	⑤ $\dfrac{1}{\tan\theta}$
⑥ $\sin\angle\mathrm{BPC}$	⑦ $\cos\angle\mathrm{BPC}$	⑧ $\tan\angle\mathrm{BPC}$

(2) $\theta=45^\circ$ とし，さらに

$$|\overrightarrow{\mathrm{AP}}|=3\sqrt{2},\ |\overrightarrow{\mathrm{AB}}|=|\overrightarrow{\mathrm{PB}}|=3,\ |\overrightarrow{\mathrm{AC}}|=|\overrightarrow{\mathrm{PC}}|=3$$

が成り立つ場合を考える。このとき

$$\overrightarrow{\mathrm{AP}}\cdot\overrightarrow{\mathrm{AB}}=\overrightarrow{\mathrm{AP}}\cdot\overrightarrow{\mathrm{AC}}=\boxed{カ}$$

である。さらに，直線AM上の点Dが $\angle\mathrm{APD}=90^\circ$ を満たしているとする。このとき，$\overrightarrow{\mathrm{AD}}=\boxed{キ}\,\overrightarrow{\mathrm{AM}}$ である。

(3) $\overrightarrow{\mathrm{AQ}}=\boxed{キ}\,\overrightarrow{\mathrm{AM}}$

で定まる点をQとおく。$\overrightarrow{\mathrm{PA}}$ と $\overrightarrow{\mathrm{PQ}}$ が垂直である三角錐PABCはどのようなものかについて考えよう。例えば(2)の場合では，点Qは点Dと一致し，$\overrightarrow{\mathrm{PA}}$ と $\overrightarrow{\mathrm{PQ}}$ は垂直である。

(i)　$\overrightarrow{\mathrm{PA}}$ と $\overrightarrow{\mathrm{PQ}}$ が垂直であるとき，$\overrightarrow{\mathrm{PQ}}$ を $\overrightarrow{\mathrm{AB}}$，$\overrightarrow{\mathrm{AC}}$，$\overrightarrow{\mathrm{AP}}$ を用いて表して考えると，$\boxed{ク}$ が成り立つ。さらに①に注意すると，$\boxed{ク}$ から $\boxed{ケ}$ が成り立つことがわかる。

したがって，$\overrightarrow{\mathrm{PA}}$ と $\overrightarrow{\mathrm{PQ}}$ が垂直であれば，$\boxed{ケ}$ が成り立つ。逆に $\boxed{ケ}$ が成り立てば，$\overrightarrow{\mathrm{PA}}$ と $\overrightarrow{\mathrm{PQ}}$ は垂直である。

[ク]の解答群

⓪ $\overrightarrow{AP}\cdot\overrightarrow{AB}+\overrightarrow{AP}\cdot\overrightarrow{AC}=\overrightarrow{AP}\cdot\overrightarrow{AP}$
① $\overrightarrow{AP}\cdot\overrightarrow{AB}+\overrightarrow{AP}\cdot\overrightarrow{AC}=-\overrightarrow{AP}\cdot\overrightarrow{AP}$
② $\overrightarrow{AP}\cdot\overrightarrow{AB}+\overrightarrow{AP}\cdot\overrightarrow{AC}=\overrightarrow{AB}\cdot\overrightarrow{AC}$
③ $\overrightarrow{AP}\cdot\overrightarrow{AB}+\overrightarrow{AP}\cdot\overrightarrow{AC}=-\overrightarrow{AB}\cdot\overrightarrow{AC}$
④ $\overrightarrow{AP}\cdot\overrightarrow{AB}+\overrightarrow{AP}\cdot\overrightarrow{AC}=0$
⑤ $\overrightarrow{AP}\cdot\overrightarrow{AB}-\overrightarrow{AP}\cdot\overrightarrow{AC}=0$

[ケ]の解答群

⓪ $\lvert\overrightarrow{AB}\rvert+\lvert\overrightarrow{AC}\rvert=\sqrt{2}\lvert\overrightarrow{BC}\rvert$
① $\lvert\overrightarrow{AB}\rvert+\lvert\overrightarrow{AC}\rvert=2\lvert\overrightarrow{BC}\rvert$
② $\lvert\overrightarrow{AB}\rvert\sin\theta+\lvert\overrightarrow{AC}\rvert\sin\theta=\lvert\overrightarrow{AP}\rvert$
③ $\lvert\overrightarrow{AB}\rvert\cos\theta+\lvert\overrightarrow{AC}\rvert\cos\theta=\lvert\overrightarrow{AP}\rvert$
④ $\lvert\overrightarrow{AB}\rvert\sin\theta=\lvert\overrightarrow{AC}\rvert\sin\theta=2\lvert\overrightarrow{AP}\rvert$
⑤ $\lvert\overrightarrow{AB}\rvert\cos\theta=\lvert\overrightarrow{AC}\rvert\cos\theta=2\lvert\overrightarrow{AP}\rvert$

(ii) kを正の実数とし，$k\overrightarrow{AP}\cdot\overrightarrow{AB}=\overrightarrow{AP}\cdot\overrightarrow{AC}$

が成り立つとする。このとき，[コ]が成り立つ。

また，点Bから直線APに下ろした垂線と直線APとの交点をB′とし，同様に点Cから直線APに下ろした垂線と直線APとの交点をC′とする。

このとき，$\overrightarrow{PA}$と$\overrightarrow{PQ}$が垂直であることは，[サ]であることと同値である。特に$k=1$のとき，$\overrightarrow{PA}$と$\overrightarrow{PQ}$が垂直であることは，[シ]であることと同値である。

[コ]の解答群

⓪ $k\lvert\overrightarrow{AB}\rvert=\lvert\overrightarrow{AC}\rvert$	① $\lvert\overrightarrow{AB}\rvert=k\lvert\overrightarrow{AC}\rvert$
② $k\lvert\overrightarrow{AP}\rvert=\sqrt{2}\lvert\overrightarrow{AB}\rvert$	③ $k\lvert\overrightarrow{AP}\rvert=\sqrt{2}\lvert\overrightarrow{AC}\rvert$

サ の解答群

⓪ B′ と C′ がともに線分 AP の中線
① B′ と C′ が線分 AP をそれぞれ $(k+1):1$ と $1:(k+1)$ に内分する点
② B′ と C′ が線分 AP をそれぞれ $1:(k+1)$ と $(k+1):1$ に内分する点
③ B′ と C′ が線分 AP をそれぞれ $k:1$ と $1:k$ に内分する点
④ B′ と C′ が線分 AP をそれぞれ $1:k$ と $k:1$ に内分する点
⑤ B′ と C′ がともに線分 AP を $k:1$ に内分する点
⑥ B′ と C′ がともに線分 AP を $1:k$ に内分する点

シ の解答群

⓪ △PAB と △PAC がともに正三角形
① △PAB と △PAC がそれぞれ ∠PBA＝90°，∠PCA＝90° を満たす直角二等辺三角形
② △PAB と △PAC がそれぞれ BP＝BA，CP＝CA を満たす二等辺三角形
③ △PAB と △PAC が合同
④ AP＝BC

2024年度　共通テスト数学II・B(・C)過去問題

［時間］60分　　　　［満点］100点

問題・配点と所要時間・出題

<table>
<tr><th>問　題</th><th>配点と所要時間</th><th>出題</th><th>選択方法</th></tr>
<tr><td>第1問［1］</td><td>15点（9分）</td><td>対数関数</td><td>必答</td></tr>
<tr><td>［2］</td><td>15点（9分）</td><td>整式の除去</td><td>必答</td></tr>
<tr><td>第2問</td><td>30点（18分）</td><td>微分・積分</td><td>必答</td></tr>
<tr><td>第3問</td><td>20点（12分）</td><td>確率分布と統計的推測</td><td rowspan="3">いずれか
2題選択</td></tr>
<tr><td>第4問</td><td>20点（12分）</td><td>数列</td></tr>
<tr><td>第5問</td><td>20点（12分）</td><td>ベクトル</td></tr>
</table>

第 1 問（必答問題）（配点 30 点）（所要時間 [1] 9 分　[2] 9 分）

[1] (1) $k>0$, $k\neq1$ とする。関数 $y=\log_k x$ と $y=\log_2 kx$ のグラフについて考えよう。

(i) $y=\log_3 x$ のグラフは点 $\left(27,\ \boxed{ア}\right)$ を通る。また，$y=\log_2\dfrac{x}{5}$ のグラフは点 $\left(\boxed{イウ},\ 1\right)$ を通る。

(ii) $y=\log_k x$ のグラフは，k の値によらず定点 $\left(\boxed{エ},\ \boxed{オ}\right)$ を通る。

(iii) $k=2$，3，4 のとき，

$y=\log_k x$ のグラフの概形は $\boxed{カ}$

$y=\log_2 kx$ のグラフの概形は $\boxed{キ}$ である。

$\boxed{カ}$，$\boxed{キ}$ については，最も適当なものを，次の⓪～⑤のうちから一つずつ選べ。ただし，同じものを繰り返し選んでもよい。

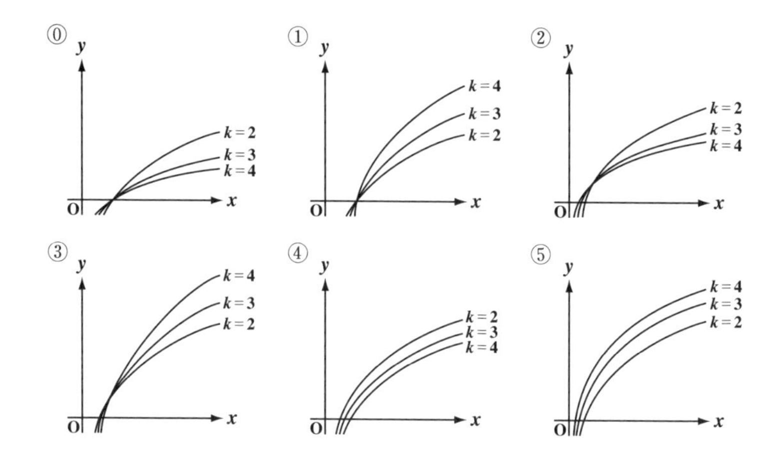

(2) $x>0$, $x\neq1$, $y>0$ とする。$\log_x y$ について考えよう。

(i) 座標平面において，方程式 $\log_x y=2$ の表す図形を図示すると，

$\boxed{ク}$ の $x>0$, $x\neq1$, $y>0$ の部分となる。

$\boxed{ク}$ については，次の⓪～⑤のうちから一つ選べ。

⓪
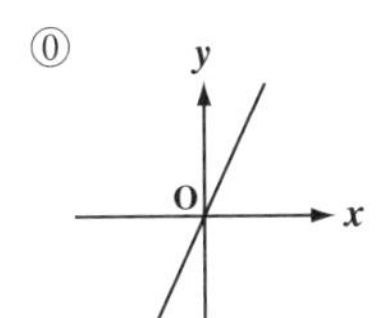

①
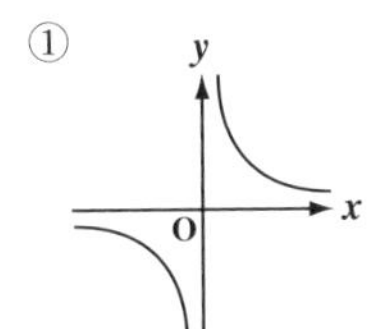

②
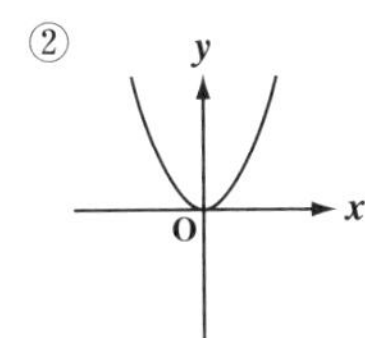

③
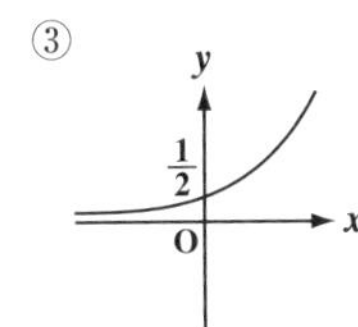

④
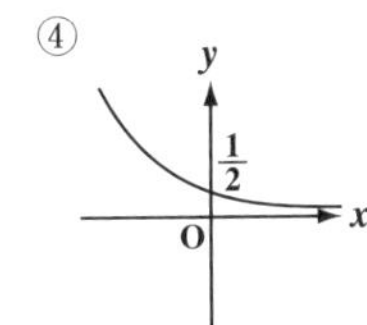

⑤
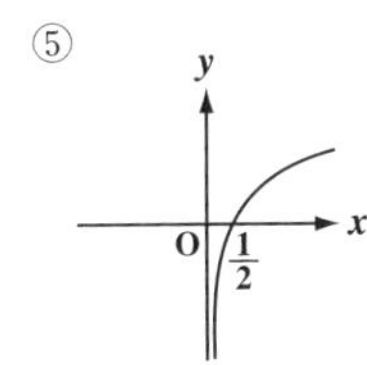

(ii) 座標平面において，不等式 $0 < \log_x y < 1$ の表す領域を図示すると，ケ の斜線部分となる。ただし，境界 (境界線) は含まない。

ケ については，最も適当なものを，次の⓪～⑤のうちから一つ選べ。

⓪
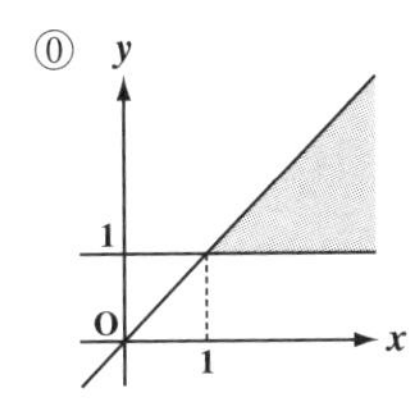

①
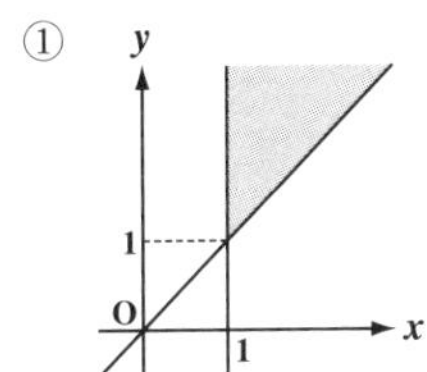

②
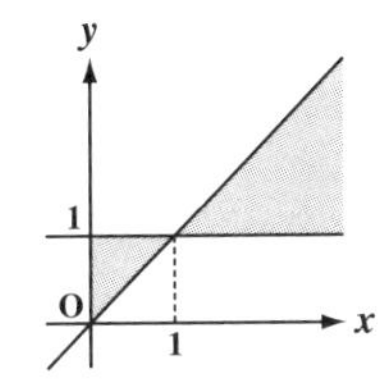

③
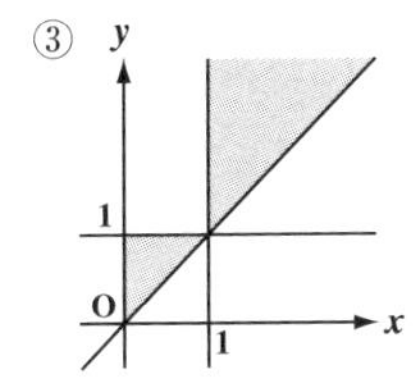

④
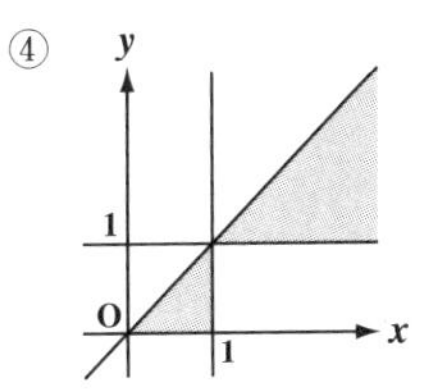

⑤
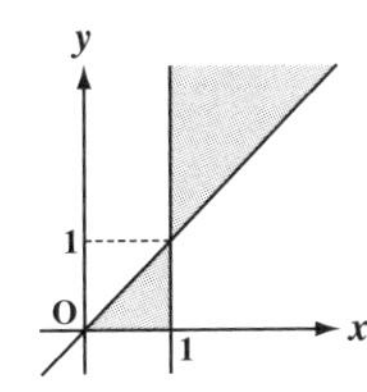

［2］ $S(x)$をxの2次式とする。xの整式$P(x)$を$S(x)$で割ったときの商を$T(x)$，余りを$U(x)$とする。ただし，$S(x)$と$P(x)$の係数は実数であるとする。

(1) $P(x)=2x^3+7x^2+10x+5$，$S(x)=x^2+4x+7$ の場合を考える。

方程式$S(x)=0$の解は$x=$［コサ］$\pm\sqrt{［シ］}\,i$である。

また，$T(x)=$［ス］$x-$［セ］，$U(x)=$［ソタ］である。

(2) 方程式$S(x)=0$は異なる二つの解α，βをもつとする。このとき

$P(x)$を$S(x)$で割った余りが定数になる

ことと同値な条件を考える。

(i) 余りが定数になるときを考えてみよう。

仮定から，定数kを用いて$U(x)=k$とおける。このとき，［チ］。

したがって，余りが定数になるとき，［ツ］が成り立つ。

［チ］については，最も適当なものを，次の⓪～③のうちから一つ選べ。

⓪ $P(\alpha)=P(\beta)=k$が成り立つことから，$P(x)=S(x)T(x)+k$となることが導かれる。また，$P(\alpha)=P(\beta)=k$が成り立つことから，$S(\alpha)=S(\beta)=0$となることが導かれる。

① $P(x)=S(x)T(x)+k$かつ$P(\alpha)=P(\beta)=k$が成り立つことから，$S(\alpha)=S(\beta)=0$となることが導かれる。

② $S(\alpha)=S(\beta)=0$が成り立つことから，$P(x)=S(x)T(x)+k$となることが導かれる。また，$S(\alpha)=S(\beta)=0$が成り立つことから，$P(\alpha)=P(\beta)=k$となることが導かれる。

③ $P(x)=S(x)T(x)+k$かつ$S(\alpha)=S(\beta)=0$が成り立つことから，$P(\alpha)=P(\beta)=k$となることが導かれる。

［ツ］の解答群

⓪ $T(\alpha)=T(\beta)$	① $P(\alpha)=P(\beta)$
② $T(\alpha)\neq T(\beta)$	③ $P(\alpha)\neq P(\beta)$

(ii) 逆に［ツ］が成り立つとき，余りが定数になるかを調べる。

$S(x)$が2次式であるから，m，nを定数として$U(x)=mx+n$とおける。$P(x)$を$S(x)$，$T(x)$，m，nを用いて表すと，$P(x)=$［テ］とな

る。この等式の x に α, β をそれぞれ代入すると [ト] となるので，[ツ] と $\alpha \neq \beta$ より [ナ] となる。以上から余りが定数になることがわかる。

[テ] の解答群

⓪ $(mx+n)S(x)T(x)$	① $S(x)T(x)+mx+n$
② $(mx+n)S(x)+T(x)$	③ $(mx+n)T(x)+S(x)$

[ト] の解答群

⓪ $P(\alpha)=T(\alpha)$ かつ $P(\beta)=T(\beta)$

① $P(\alpha)=m\alpha+n$ かつ $P(\beta)=m\beta+n$

② $P(\alpha)=(m\alpha+n)T(\alpha)$ かつ $P(\beta)=(m\beta+n)T(\beta)$

③ $P(\alpha)=P(\beta)=0$

④ $P(\alpha)\neq 0$ かつ $P(\beta)\neq 0$

[ナ] の解答群

⓪ $m\neq 0$	① $m\neq 0$ かつ $n=0$
② $m\neq 0$ かつ $n\neq 0$	③ $m=0$
④ $m=n=0$	⑤ $m=0$ かつ $n\neq 0$
⑥ $n=0$	⑦ $n\neq 0$

(i), (ii)の考察から，方程式 $S(x)=0$ が異なる二つの解 α, β をもつとき，$P(x)$ を $S(x)$ で割った余りが定数になることと [ツ] であることは同値である。

(3) p を定数とし，$P(x)=x^{10}-2x^9-px^2-5x$, $S(x)=x^2-x-2$ の場合を考える。$P(x)$ を $S(x)$ で割った余りが定数になるとき，$p=$ [ニヌ] となり，その余りは [ネノ] となる。

第２問（必答問題）（配点 30 点）（所要時間18分）

m を $m>1$ を満たす定数とし，$f(x)=3(x-1)(x-m)$ とする。また，$S(x)=\int_0^x f(t)dt$ とする。関数 $y=f(x)$ と $y=S(x)$ のグラフの関係について考えてみよう。

(1)　$m=2$ のとき，すなわち，$f(x)=3(x-1)(x-2)$ のときを考える。

(i) $f'(x)=0$ となる x の値は $x=\dfrac{\boxed{ア}}{\boxed{イ}}$ である。

(ii) $S(x)$ を計算すると

$$S(x)=\int_0^x f(t)dt=\int_0^x\left(3t^2-\boxed{ウ}t+\boxed{エ}\right)dt$$

$$=x^3-\frac{\boxed{オ}}{\boxed{カ}}x^2+\boxed{キ}x \text{ であるから}$$

$x=\boxed{ク}$ のとき，$S(x)$ は極大値 $\dfrac{\boxed{ケ}}{\boxed{コ}}$ をとり

$x=\boxed{サ}$ のとき，$S(x)$ は極小値 $\boxed{シ}$ をとることがわかる。

(iii) $f(3)$ と一致するものとして，次の⓪～④のうち，正しいものは $\boxed{ス}$ である。

$\boxed{ス}$ の解答群

⓪ $S(3)$
① 2点 $(2,\ S(2))$，$(4,\ S(4))$ を通る直線の傾き
② 2点 $(0,\ 0)$，$(3,\ S(3))$ を通る直線の傾き
③ 関数 $y=S(x)$ のグラフ上の点 $(3,\ S(3))$ における接線の傾き
④ 関数 $y=f(x)$ のグラフ上の点 $(3,\ f(3))$ における接線の傾き

(2)　$0 \leqq x \leqq 1$ の範囲で，関数 $y=f(x)$ のグラフと x 軸および y 軸で囲まれた図形の面積を S_1，$1 \leqq x \leqq m$ の範囲で，関数 $y=f(x)$ のグラフと x 軸で囲まれた図形の面積を S_2 とする。このとき，$S_1=\boxed{セ}$，$S_2=\boxed{ソ}$ である。

$S_1=S_2$ となるのは タ $=0$ のときであるから，$S_1=S_2$ が成り立つような $f(x)$ に対する関数 $y=S(x)$ のグラフの概形は チ である。また，$S_1>S_2$ が成り立つような $f(x)$ に対する関数 $y=S(x)$ のグラフの概形は ツ である。

セ ， ソ の解答群（同じものを繰り返し選んでもよい。）

⓪ $\int_0^1 f(x)dx$	① $\int_0^m f(x)dx$	② $\int_1^m f(x)dx$
③ $\int_0^1 \{-f(x)\}dx$	④ $\int_0^m \{-f(x)\}dx$	⑤ $\int_1^m \{-f(x)\}dx$

タ の解答群

⓪ $\int_0^1 f(x)dx$	① $\int_0^m f(x)dx$
② $\int_1^m f(x)dx$	③ $\int_0^1 f(x)dx-\int_0^m f(x)dx$
④ $\int_0^1 f(x)dx-\int_1^m f(x)dx$	⑤ $\int_0^1 f(x)dx+\int_0^m f(x)dx$
⑥ $\int_0^m f(x)dx+\int_1^m f(x)dx$	

チ ， ツ については，最も適当なものを，次の⓪～⑤のうちから一つずつ選べ。ただし，同じものを繰り返し選んでもよい。

⓪
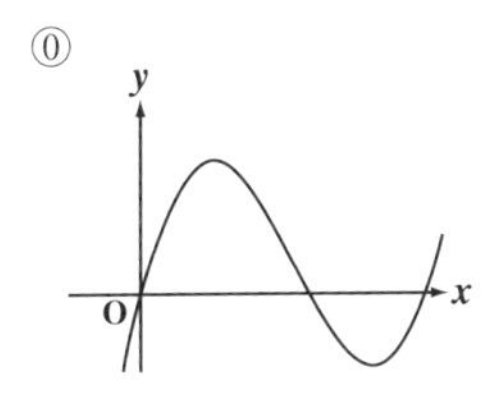

①
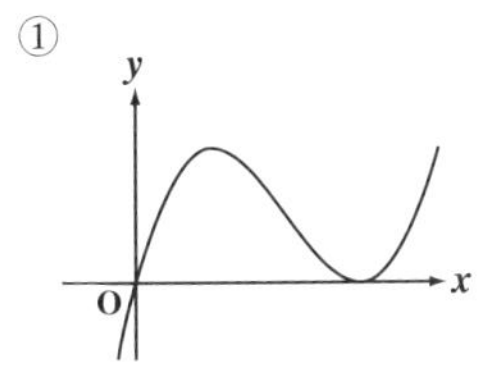

②
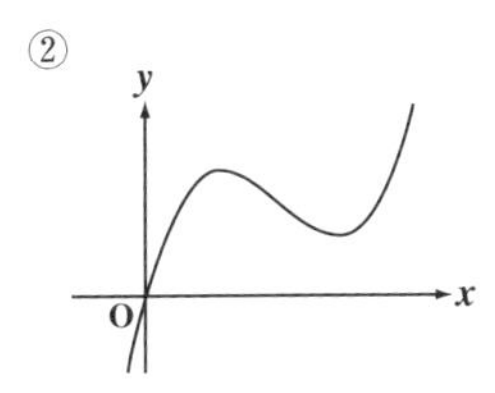

③
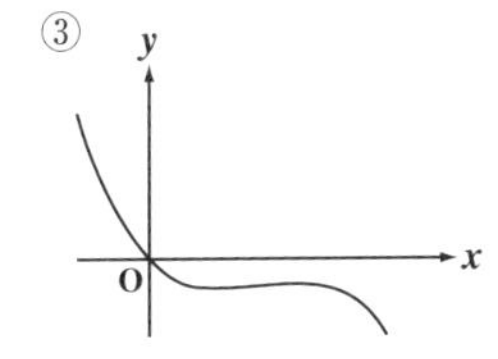

④
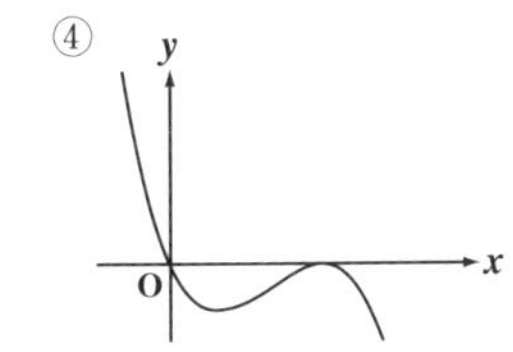

⑤
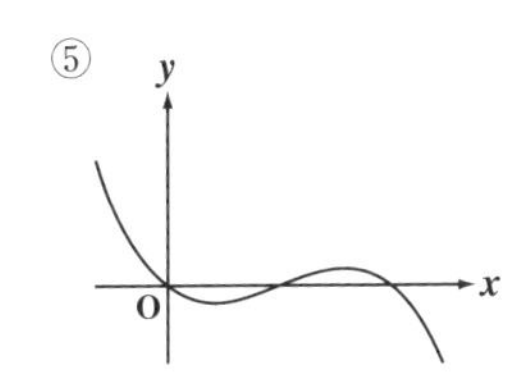

(3)　関数 $y=f(x)$ のグラフの特徴から関数 $y=S(x)$ のグラフの特徴を考えてみよう。

関数 $y=f(x)$ のグラフは直線 $x=$ [テ] に関して対称であるから，すべての正の実数 p に対して $\int_{1-p}^{1} f(x)dx=\int_{m}^{[ト]} f(x)dx$ ……① が成り立ち，

$M=$ [テ] とおくと $0<q \leqq M-1$ であるすべての実数 q に対して

$\int_{M-q}^{M} \{-f(x)\}dx=\int_{M}^{[ナ]} \{-f(x)\}dx$ ……② が成り立つことがわかる。

すべての実数 α，β に対して，$\int_{\alpha}^{\beta} f(x)dx=S(\beta)-S(\alpha)$ が成り立つことに注意すれば，①と②はそれぞれ

$S(1-p)+S($[ト]$)=$ [ニ]

$2S(M)=$ [ヌ] となる。

以上から，すべての正の実数 p に対して，2 点 $(1-p,\ S(1-p))$，([ト]，$S($[ト]$)$) を結ぶ線分の中点についての記述として，後の⓪～⑤のうち，最も適当なものは [ネ] である。

[テ] の解答群

⓪ m	① $\dfrac{m}{2}$	② $m+1$	③ $\dfrac{m+1}{2}$

[ト] の解答群

⓪ $1-p$	① p	② $1+p$
③ $m-p$	④ $m+p$	

[ナ] の解答群

⓪ $M-q$	① M	② $M+q$
③ $M+m-q$	④ $M+m$	⑤ $M+m+q$

ニ の解答群

⓪ $S(1)+S(m)$	① $S(1)+S(p)$	② $S(1)-S(m)$
③ $S(1)-S(p)$	④ $S(p)-S(m)$	⑤ $S(m)-S(p)$

ヌ の解答群

⓪ $S(M-q)+S(M+m-q)$	① $S(M-q)+S(M+m)$
② $S(M-q)+S(M)$	③ $2S(M-q)$
④ $S(M+q)+S(M-q)$	⑤ $S(M+m+q)+S(M-q)$

ネ の解答群

⓪ x 座標は p の値によらず一つに定まり，y 座標は p の値により変わる。
① x 座標は p の値により変わり，y 座標は p の値によらず一つに定まる。
② 中点は p の値によらず一つに定まり，関数 $y=S(x)$ のグラフ上にある。
③ 中点は p の値によらず一つに定まり，関数 $y=f(x)$ のグラフ上にある。
④ 中点は p の値によって動くが，つねに関数 $y=S(x)$ のグラフ上にある。
⑤ 中点は p の値によって動くが，つねに関数 $y=f(x)$ のグラフ上にある。

第3問（選択問題）（配点 20 点）（所要時間12分）

以下の問題を解答するにあたっては，必要に応じて 61 ページの正規分布表を用いてもよい。また，ここでの**晴れ**の定義については，気象庁の天気概況の「快晴」または「晴」とする。

(1) 太郎さんは，自分が住んでいる地域において，日曜日に**晴れ**となる確率を考えている。

晴れの場合は 1，**晴れ**以外の場合は 0 の値をとる確率変数を X と定義する。また，$X=1$ である確率を p とすると，その確率分布は表1のようになる。

表1

X	0	1	計
確率	$1-p$	p	1

この確率変数 X の平均（期待値）を m とすると，$m=$ ［ア］ となる。

太郎さんは，ある期間における連続した n 週の日曜日の天気を，表1の確率分布をもつ母集団から無作為に抽出した大きさ n の標本とみなし，それらの X を確率変数 $X_1, X_2, \cdots, X_n$ で表すことにした。そして，その標本平均 $\overline{X}$ を利用して，母平均 m を推定しようと考えた。実際に $n=300$ として**晴れ**の日数を調べたところ，表2のようになった。

表2

天気	日数
晴れ	75
晴れ以外	225
計	300

母標準偏差を σ とすると，$n=300$ は十分に大きいので，標本平均 $\overline{X}$ は近似的に正規分布 $N\left(m,\ \boxed{イ}\right)$ に従う。

一般に，母標準偏差 σ がわからないとき，標本の大きさ n が大きければ，σ の代わりに標本の標準偏差 S を用いてもよいことが知られている。S は

$$S=\sqrt{\frac{1}{n}\{(X_1-\overline{X})^2+(X_2-\overline{X})^2+\cdots+(X_n-\overline{X})^2\}}$$

$$=\sqrt{\frac{1}{n}(X_1{}^2+X_2{}^2+\cdots+X_n{}^2)-\boxed{ウ}}$$

で計算できる。ここで，$X_1{}^2 = X_1$，$X_2{}^2 = X_2$，…，$X_n{}^2 = X_n$ であることに着目し，右辺を整理すると，$S = \sqrt{\boxed{エ}}$ と表されることがわかる。

よって，表 2 より，大きさ $n = 300$ の標本から求められる母平均 m に対する信頼度 95% の信頼区間は ［オ］ となる。

［ア］ の解答群

⓪ p	① p^2	② $1-p$	③ $(1-p)^2$

［イ］ の解答群

⓪ σ	① σ^2	② $\dfrac{\sigma}{n}$	③ $\dfrac{\sigma^2}{n}$	④ $\dfrac{\sigma}{\sqrt{n}}$

［ウ］，［エ］ の解答群（同じものを繰り返し選んでもよい。）

⓪ $\overline{X}$	① $(\overline{X})^2$	② $\overline{X}(1-\overline{X})$	③ $1-\overline{X}$

［オ］ については，最も適当なものを，次の⓪～⑤のうちから一つずつ選べ。

⓪ $0.201 \leqq m \leqq 0.299$	① $0.209 \leqq m \leqq 0.291$
② $0.225 \leqq m \leqq 0.250$	③ $0.225 \leqq m \leqq 0.275$
④ $0.247 \leqq m \leqq 0.253$	⑤ $0.250 \leqq m \leqq 0.275$

(2) ある期間において，「ちょうど 3 週続けて日曜日の天気が**晴れ**になること」がどのくらいの頻度で起こり得るのかを考察しよう。以下では，連続する k 週の日曜日の天気について，(1) の太郎さんが考えた確率変数のうち $X_1, X_2, \cdots, X_k$ を用いて調べる。ただし，k は 3 以上 300 以下の自然数とする。

$X_1, X_2, \cdots, X_k$ の値を順に並べたときの 0 と 1 からなる列において，「ちょうど三つ続けて 1 が現れる部分」を A とし，A の個数を確率変数 U_k で表す。例えば，$k = 20$ とし，$X_1, X_2, \cdots, X_{20}$ の値を順に並べたとき

$$1, 1, 1, 1, 0, \underbrace{1, 1, 1}_{\text{A}}, 0, 0, 1, 1, 1, 1, 1, 0, 0, \underbrace{1, 1, 1}_{\text{A}}$$

であったとする。この例では，下線部分は A を示しており，1 が四つ以上続く部分は A とはみなさないので，$U_{20} = 2$ となる。

$k=4$ のとき，X_1, X_2, X_3, X_4 のとり得る値と，それに対応した U_4 の値を書き出すと，表3のようになる。

表3

X_1	X_2	X_3	X_4	U_4
0	0	0	0	0
1	0	0	0	0
0	1	0	0	0
0	0	1	0	0
0	0	0	1	0
1	1	0	0	0
1	0	1	0	0
1	0	0	1	0
0	1	1	0	0
0	1	0	1	0
0	0	1	1	0
1	1	1	0	1
1	1	0	1	0
1	0	1	1	0
0	1	1	1	1
1	1	1	1	0

ここで，U_k の期待値を求めてみよう。(1)における p の値を $p=\dfrac{1}{4}$ とする。$k=4$ のとき，U_4 の期待値は $E(U_4)=\dfrac{\boxed{カ}}{128}$ となる。

$k=5$ のとき，U_5 の期待値は $E(U_5)=\dfrac{\boxed{キク}}{1024}$ となる。

4以上の k について，k と $E(U_k)$ の関係を詳しく調べると，座標平面上の点 $(4,\ E(U_4))$，$(5,\ E(U_5))$，$\cdots$，$(300,\ E(U_{300}))$ は一つの直線上にあることがわかる。この事実によって，$E(U_{300})=\dfrac{\boxed{ケコ}}{\boxed{サ}}$ となる。

正 規 分 布 表

次の表は，標準正規分布の分布曲線における右図の灰色部分の面積の値をまとめたものである。

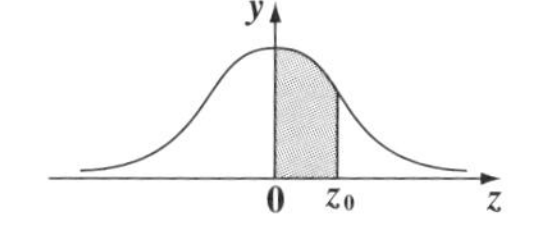

z_0	0.00	0.01	0.02	0.03	0.04	0.05	0.06	0.07	0.08	0.09
0.0	0.0000	0.0040	0.0080	0.0120	0.1600	0.0199	0.0239	0.0279	0.0319	0.0359
0.1	0.0398	0.0438	0.0478	0.0517	0.0557	0.0596	0.0636	0.0675	0.0714	0.0753
0.2	0.0793	0.0832	0.0871	0.0910	0.0948	0.0987	0.1026	0.1064	0.1103	0.1141
0.3	0.1179	0.1217	0.1255	0.1293	0.1331	0.1368	0.1406	0.1443	0.1480	0.1517
0.4	0.1554	0.1591	0.1628	0.1664	0.1700	0.1736	0.1772	0.1808	0.1844	0.1879
0.5	0.1915	0.1950	0.1985	0.2019	0.2054	0.2088	0.2123	0.2157	0.2190	0.2224
0.6	0.2257	0.2291	0.2324	0.2357	0.2389	0.2422	0.2454	0.2486	0.2517	0.2549
0.7	0.2580	0.2611	0.2642	0.2673	0.2704	0.2734	0.2764	0.2794	0.2823	0.2852
0.8	0.2881	0.2910	0.2939	0.2967	0.2995	0.3023	0.3051	0.3078	0.3106	0.3133
0.9	0.3159	0.3186	0.3212	0.3238	0.3264	0.3289	0.3315	0.3340	0.3365	0.3389
1.0	0.3413	0.3438	0.3461	0.3485	0.3508	0.3531	0.3554	0.3577	0.3599	0.3621
1.1	0.3643	0.3655	0.3686	0.3708	0.3729	0.3749	0.3770	0.3790	0.3810	0.3830
1.2	0.3849	0.3869	0.3888	0.3907	0.3925	0.3944	0.3962	0.3980	0.3997	0.4015
1.3	0.4032	0.4049	0.4066	0.4082	0.4099	0.4115	0.4131	0.4147	0.4162	0.4177
1.4	0.4192	0.4207	0.4222	0.4236	0.4251	0.4265	0.4279	0.4292	0.4306	0.4319
1.5	0.4332	0.4345	0.4357	0.4370	0.4382	0.4394	0.4406	0.4418	0.4429	0.4441
1.6	0.4452	0.4463	0.4474	0.4484	0.4495	0.4505	0.4515	0.4525	0.4535	0.4545
1.7	0.4554	0.4564	0.4573	0.4582	0.4591	0.4599	0.4608	0.4616	0.4625	0.4633
1.8	0.4641	0.4649	0.4656	0.4664	0.4671	0.4678	0.4686	0.4693	0.4699	0.4706
1.9	0.4713	0.4719	0.4726	0.4732	0.4738	0.4744	0.4750	0.4756	0.4761	0.4767
2.0	0.4772	0.4788	0.4783	0.4788	0.4793	0.4798	0.4803	0.4808	0.4812	0.4817
2.1	0.4821	0.4826	0.4830	0.4834	0.4838	0.4842	0.4846	0.4850	0.4854	0.4857
2.2	0.4861	0.4864	0.4868	0.4871	0.4875	0.4878	0.4881	0.4884	0.4887	0.4890
2.3	0.4893	0.4896	0.4898	0.4901	0.4904	0.4906	0.4909	0.4911	0.4913	0.4916
2.4	0.4918	0.4920	0.4922	0.4925	0.4927	0.4929	0.4931	0.4932	0.4934	0.4936
2.5	0.4938	0.4940	0.4941	0.4943	0.4945	0.4946	0.4948	0.4949	0.4951	0.4952
2.6	0.4953	0.4955	0.4956	0.4957	0.4959	0.4960	0.4961	0.4962	0.4963	0.4964
2.7	0.4965	0.4966	0.4967	0.4968	0.4969	0.4970	0.4971	0.4972	0.4973	0.4974
2.8	0.4974	0.4975	0.4976	0.4977	0.4977	0.4978	0.4979	0.4979	0.4980	0.4981
2.9	0.4981	0.4982	0.4982	0.4984	0.4984	0.4964	0.4985	0.4985	0.4986	0.4986
3.0	0.4987	0.4987	0.4987	0.4968	0.4968	0.4989	0.4989	0.4989	0.4990	0.4990

第４問（選択問題）（配点 20 点）（所要時間12分）

(1) 数列 $\{a_n\}$ が $a_{n+1}-a_n=14$ $(n=1,\ 2,\ 3,\ \cdots)$ を満たすとする。

$a_1=10$ のとき，$a_2=\boxed{\text{アイ}}$，$a_3=\boxed{\text{ウエ}}$ である。

数列 $\{a_n\}$ の一般項は，初項 a_1 を用いて

$a_n=a_1+\boxed{\text{オカ}}(n-1)$ と表すことができる。

(2) 数列 $\{b_n\}$ が $2b_{n+1}-b_n+3=0$ $(n=1,\ 2,\ 3,\ \cdots)$ を満たすとする。

数列 $\{b_n\}$ の一般項は，初項 b_1 を用いて

$b_n=\left(b_1+\boxed{\text{キ}}\right)\left(\dfrac{\boxed{\text{ク}}}{\boxed{\text{ケ}}}\right)^{n-1}-\boxed{\text{コ}}$ と表すことができる。

(3) 太郎さんは，$(c_n+3)(2c_{n+1}-c_n+3)=0$ $(n=1,\ 2,\ 3,\ \cdots)$ ……①

を満たす数列 $\{c_n\}$ について調べることにした。

(i)・数列 $\{c_n\}$ が①を満たし，$c_1=5$ のとき，$c_2=\boxed{\text{サ}}$ である。

・数列 $\{c_n\}$ が①を満たし，$c_3=-3$ のとき，$c_2=\boxed{\text{シス}}$，$c_1=\boxed{\text{セソ}}$ である。

(ii) 太郎さんは，数列 $\{c_n\}$ が①を満たし，$c_3=-3$ となる場合について考えている。$c_3=-3$ のとき，c_4 がどのような値でも，

$(c_3+3)(2c_4-c_3+3)=0$ が成り立つ。

・数列 $\{c_n\}$ が①を満たし，$c_3=-3$，$c_4=5$ のとき

$c_1=\boxed{\text{セソ}}$，$c_2=\boxed{\text{シス}}$，$c_3=-3$，$c_4=5$，$c_5=\boxed{\text{タ}}$ である。

・数列 $\{c_n\}$ が①を満たし，$c_3=-3$，$c_4=83$ のとき

$c_1=\boxed{\text{セソ}}$，$c_2=\boxed{\text{シス}}$，$c_3=-3$，$c_4=83$，$c_5=\boxed{\text{チツ}}$ である。

(iii) 太郎さんは(i)と(ii)から，$c_n=-3$ となることがあるかどうかに着目し，次の**命題A**が成り立つのではないかと考えた。

> **命題A** 数列 $\{c_n\}$ が①を満たし，$c_1\neq-3$ であるとする。このとき，すべての自然数 n について $c_n\neq-3$ である。

命題 A が真であることを証明するには，**命題 A** の仮定を満たす数列 $\{c_n\}$ について，[テ] を示せばよい。

実際，このようにして**命題 A** が真であることを証明できる。

[テ] については，最も適当なものを，次の⓪～④のうちから一つずつ選べ。

⓪ $c_2 \neq -3$ かつ $c_3 \neq -3$ であること

① $c_{100} \neq -3$ かつ $c_{200} \neq -3$ であること

② $c_{100} \neq -3$ ならば $c_{101} \neq -3$ であること

③ $n=k$ のとき $c_n \neq -3$ が成り立つと仮定すると，$n=k+1$ のときも $c_n \neq -3$ が成り立つこと

④ $n=k$ のとき $c_n=-3$ が成り立つと仮定すると，$n=k+1$ のときも $c_n=-3$ が成り立つこと

(iv) 次の (Ⅰ)，(Ⅱ)，(Ⅲ) は，数列 $\{c_n\}$ に関する命題である。

(Ⅰ) $c_1=3$ かつ $c_{100}=-3$ であり，かつ①を満たす数列 $\{c_n\}$ がある。

(Ⅱ) $c_1=-3$ かつ $c_{100}=-3$ であり，かつ①を満たす数列 $\{c_n\}$ がある。

(Ⅲ) $c_1=-3$ かつ $c_{100}=3$ であり，かつ①を満たす数列 $\{c_n\}$ がある。

(Ⅰ)，(Ⅱ)，(Ⅲ) の真偽の組合せとして正しいものは [ト] である。

[ト] の解答群

	⓪	①	②	③	④	⑤	⑥	⑦
(Ⅰ)	真	真	真	真	偽	偽	偽	偽
(Ⅱ)	真	真	偽	偽	真	真	偽	偽
(Ⅲ)	真	偽	真	偽	真	偽	真	偽

第５問（選択問題）（配点 20 点）（所要時間12分）

点Oを原点とする座標空間に4点A(2, 7, −1), B(3, 6, 0), C(−8, 10, −3), D(−9, 8, −4)がある。A, Bを通る直線をl_1とし，C, Dを通る直線をl_2とする。

(1) $\overrightarrow{AB}=($ア$,$ イウ$,$ エ$)$

であり，$\overrightarrow{AB}\cdot\overrightarrow{CD}=$ オ である。

(2) 花子さんと太郎さんは，点Pがl_1上を動くとき，$|\overrightarrow{OP}|$が最小となるPの位置について考えている。

Pがl_1上にあるので，$\overrightarrow{AP}=s\overrightarrow{AB}$を満たす実数$s$があり，$\overrightarrow{OP}=$ カ が成り立つ。

$|\overrightarrow{OP}|$が最小となるsの値を求めればPの位置が求まる。このことについて，花子さんと太郎さんが話をしている。

花子：$|\overrightarrow{OP}|^2$が最小となるsの値を求めればよいね。
太郎：$|\overrightarrow{OP}|$が最小となるときの直線OPとl_1の関係に着目してもよさそうだよ。

$|\overrightarrow{OP}|^2=$ キ s^2- クケ $s+$ コサ である。

また，$|\overrightarrow{OP}|$が最小となるとき，直線OPとl_1の関係に着目すると シ が成り立つことがわかる。

花子さんの考え方でも，太郎さんの考え方でも，$s=$ ス のとき$|\overrightarrow{OP}|$が最小となることがわかる。

カ の解答群

⓪ $s\overrightarrow{AB}$	① $s\overrightarrow{OB}$
② $\overrightarrow{OA}+s\overrightarrow{AB}$	③ $(1-2s)\overrightarrow{OA}+s\overrightarrow{OB}$
④ $(1-s)\overrightarrow{OA}+s\overrightarrow{AB}$	

シ の解答群

⓪ $\overrightarrow{\mathbf{OP}}\cdot\overrightarrow{\mathbf{AB}}>0$	① $\overrightarrow{\mathbf{OP}}\cdot\overrightarrow{\mathbf{AB}}=0$
② $\overrightarrow{\mathbf{OP}}\cdot\overrightarrow{\mathbf{AB}}<0$	③ $\lvert\overrightarrow{\mathbf{OP}}\rvert=\lvert\overrightarrow{\mathbf{AB}}\rvert$
④ $\overrightarrow{\mathbf{OP}}\cdot\overrightarrow{\mathbf{AB}}=\overrightarrow{\mathbf{OB}}\cdot\overrightarrow{\mathbf{AP}}$	⑤ $\overrightarrow{\mathbf{OB}}\cdot\overrightarrow{\mathbf{AP}}=0$
⑥ $\overrightarrow{\mathbf{OP}}\cdot\overrightarrow{\mathbf{AB}}=\lvert\overrightarrow{\mathbf{OP}}\rvert\lvert\overrightarrow{\mathbf{AB}}\rvert$	

(3) 点 **P** が l_1 上を動き，点 **Q** が l_2 上を動くとする。このとき，線分 **PQ** の長さが最小になる **P** の座標は（ セソ ， タチ ， ツテ ），**Q** の座標は（ トナ ， ニヌ ， ネノ ）である。

2025年度 共通テスト
数学 II・B(・C)

正解と配点

2020年度　共通テスト 数学II・B(・C) 正解と配点（100点満点）

問題番号(配点)	解答記号	正解	配点
第1問(30)	ア, イ	2, 3	2
	ウ, エ	3, 2	2
	オ	2	2
	カ, キ	3, 3	2
	ク, ケ	3, 2	2
	コ	3	3
	$\sqrt{サ}$	$\sqrt{2}$	2
	シ	1	2
	ス, セ	1, 2	2
	ソ	2	2
	タ	2	2
	$チ-2\sqrt{ツ}$	$4-2\sqrt{2}$	2
	テ	2	2
	ト	2	3
第2問(30)	ア	0	3
	イ, ウ	1, 1	3
	エオ, カ	−1, 1	3
	キ, ク	3, 8	4
	$\dfrac{ケ}{コ}$	$\dfrac{5}{4}$	4
	$\dfrac{\sqrt{サ}}{シ}$, $\dfrac{ス}{セ}$	$\dfrac{\sqrt{3}}{2}$, $\dfrac{3}{4}$	4
	$\dfrac{ソ\sqrt{タ}}{チ}$, $\dfrac{ツ}{テ}$	$\dfrac{-\sqrt{3}}{2}$, $\dfrac{3}{4}$	4
	$ト\sqrt{ナ}-ニ\pi$	$9\sqrt{3}-4\pi$	5
第3問(20)	ア	5	2
	イ, ウ	2, 5	2
第3問	エ, オ	2, 3	2
	カ, キ	2, 3	4
	ク	2	2
	ケ, コ	5, 2	2
	サ	4	2
	シ, ス, セ	5, 2, 6	4
第4問(20)	ア, イウ	3, −1	1
	エオ, カ	−8, 4	2
	キ	1	1
	クケ	−2	1
	コ	4	1
	サ, シ, ス	1, 2, 4	2
	セソ	−1	2
	$タ\sqrt{チ}$	$5\sqrt{6}$	4
	$ツ\sqrt{テ}$	$2\sqrt{6}$	3
	$\dfrac{トナ}{ニ}$	$\dfrac{10}{3}$	3
第5問(20)	ア	2	2
	イ	4	2
	ウ	8	2
	エ	a	2
	オ	0	3
	カ	1	3
	キ	9	3
	クケ	11	3

2021年度　共通テスト 数学II・B(・C)　正解と配点（100点満点）

問題番号(配点)	解答記号	正解	配点
第1問 (30)	ア, イ	2, 1	2
	ウ, エ	1, 1	2
	オカ, キ	−1, 1	2
	ク, ケ	0, 3	2
	コ	2	2
	サ	0	2
	シ	0	2
	$\frac{\text{スセ}}{2}$	$\frac{-1}{2}$	2
	ソ, タ	1, 3	2
	チ, ツ	3, 1	2
	テト, ナ	−2, 0	3
	ニ, ヌ	0, 3	3
	ネ	2	4
第2問 (30)	$\frac{\text{ア}}{\text{イ}}$	$\frac{1}{2}$	4
	ウ	2	4
	$\frac{\text{エ}}{\text{オ}}$	$\frac{1}{3}$	4
	カ, キ, ク	1, 2, 2	4
	$\frac{\text{ケコ}}{\text{サ}}$, シ, $\frac{\text{ス}}{\text{セ}}$	$\frac{-1}{8}$, 2, $\frac{4}{3}$	5
	$\frac{\text{ソ}}{\text{タ}}$	$\frac{4}{3}$	4
	$\frac{\text{チ}}{\text{ツテ}}$	$\frac{4}{27}$	5
第3問 (20)	ア	3	1
	イ	2	1
	ウ, エ, オ	3, 2, 1	3
	カ	7	3
	$\frac{\text{キク}}{\text{ケコサ}}$	$\frac{99}{100}$	4
第3問	$\frac{\text{シスセ}}{\text{ソタチ}}$	$\frac{589}{840}$	4
	ツ, テ, ト, ナ	3, 1, 2, 3	4
第4問 (20)	$\sqrt{\text{アイ}}$	$\sqrt{15}$	2
	$-\frac{\text{ウ}}{\text{エ}}$	$-\frac{2}{3}$	2
	オ, カ	1, 1	3
	キ, ク, ケ, コ	2, 3, 2, 3	3
	$\frac{\text{サ}}{\text{シ}}$	$\frac{3}{5}$	3
	$\frac{\sqrt{\text{スセ}}}{\text{ソ}}$	$\frac{\sqrt{15}}{3}$	3
	$\frac{\sqrt{\text{タチ}}}{\text{ツ}}$	$\frac{\sqrt{21}}{3}$	4
第5問 (20)	ア	8	1
	イウ	10	1
	$\frac{1}{\text{エ}}$	$\frac{1}{2}$	1
	$\frac{1}{\text{オカ}}$	$\frac{1}{18}$	1
	$\frac{1}{\text{キク}}$	$\frac{1}{12}$	1
	$\frac{1}{\text{ケコ}}$	$\frac{1}{18}$	1
	$\frac{1}{\text{サシ}}$	$\frac{1}{12}$	1
	$\frac{1}{\text{スセ}}$	$\frac{1}{18}$	1
	$\frac{1}{\text{ソタ}}$	$\frac{1}{12}$	1
	$\frac{\text{チ}}{\text{ツ}}$	$\frac{7}{3}$	3
	$\frac{\text{テトナ}}{\text{ニヌ}}$	$\frac{175}{18}$	4
	ネ	9	2
	$\frac{\text{ノハヒ}}{\text{フ}}$	$\frac{175}{2}$	2

2022年度　共通テスト 数学II・B(・C) 正解と配点 (100点満点)

問題番号(配点)	解答記号	正解	配点
第1問(30)	$\sin\frac{\pi}{\text{ア}}$	$\sin\frac{\pi}{3}$	2
	イ	2	2
	$\frac{\pi}{\text{ウ}}$, エ	$\frac{\pi}{6}$, 2	2
	$\frac{\pi}{\text{オ}}$, カ	$\frac{\pi}{2}$, 1	1
	キ	9	2
	ク	1	1
	ケ	3	1
	コ, サ	1, 9	2
	シ, ス	2, 1	2
	セ	1	1
	ソ	0	1
	タ	0	1
	チ	1	1
	$\log_2(\sqrt{\text{ツ}}-\text{テ})$	$\log_2(\sqrt{5}-2)$	2
	ト	0	1
	ナ	3	1
	ニ	1	2
	ヌ	2	2
	ネ	1	3
第2問(30)	ア	3	1
	イx+ウ	$2x+3$	2
	エ	4	2
	オ	c	1
	カx+キ	$bx+c$	2
	$\frac{\text{クケ}}{\text{コ}}$	$\frac{-c}{b}$	1
	$\frac{ac^{\text{サ}}}{\text{シ}b^{\text{ス}}}$	$\frac{ac^3}{3b^3}$	4
	セ	0	3
	ソ	5	1
	タx+チ	$3x+5$	2
	ツ	d	1
	テx+ト	$cx+d$	2
	ナ	2	3
	$\frac{\text{ニヌ}}{\text{ネ}}$, ノ	$\frac{-b}{a}$, 0	2
(第2問)	$\frac{\text{ハヒフ}}{\text{ヘホ}}$	$\frac{-2b}{3a}$	3
第3問(20)	ア	3	2
	イウ	50	2
	エ	5	2
	オ	1	2
	カ	2	1
	キクケ	408	2
	コサ.シ	58.8	2
	ス	3	2
	セ	3	1
	ソ, タ	2, 4 (解答の順序は問わない)	4 (各2)
第4問(20)	ア$+(n-1)p$	$3+(n-1)p$	1
	イr^{n-1}	$3r^{n-1}$	1
	ウ$a_{n+1}=r(a_n+$エ$)$	$2a_{n+1}=r(a_n+3)$	2
	オ, カ, キ	2, 6, 6	2
	ク	3	2
	$\frac{\text{ケ}}{\text{コ}}n(n+\text{サ})$	$\frac{3}{2}n(n+1)$	2
	シ, ス	3, 1	2
	$\frac{\text{セ}a_{n+1}}{a_n+\text{ソ}}c_n$	$\frac{4a_{n+1}}{a_n+3}c_n$	2
	タ	2	2
	$\frac{\text{チ}}{q}(d_n+u)$	$\frac{2}{q}(d_n+u)$	2
	$q>$ツ	$q>2$	1
	$u=$テ	$u=0$	1
第5問(20)	アイ	36	2
	ウ	a	2
	エ−オ	$a-1$	3
	$\frac{\text{カ}+\sqrt{\text{キ}}}{\text{ク}}$	$\frac{3+\sqrt{5}}{2}$	2
	$\frac{\text{ケ}-\sqrt{\text{コ}}}{\text{サ}}$	$\frac{1-\sqrt{5}}{4}$	3
	シ	9	3
	ス	0	3
	セ	0	2

(注) 第1問, 第2問は必答。第3問〜第5問のうちから2問選択。計4問を解答。

2023年度　共通テスト 数学II・B(・C)　正解と配点（100点満点）

問題番号(配点)	解答記号	正解	配点
第1問(30)	ア	0	1
	イ	2	1
	ウ, エ	2, 1	2
	オ	3	2
	$\frac{\text{カ}}{\text{キ}}$	$\frac{5}{3}$	2
	ク, ケ	a, 7	2
	コ	7	2
	$\frac{\text{サ}}{\text{シ}}$, $\frac{\text{ス}}{\text{セ}}$	$\frac{3}{7}$, $\frac{5}{7}$	2
	ソ	6	2
	$\frac{\text{タ}}{\text{チ}}$	$\frac{5}{6}$	2
	ツ	2	3
	テ	2	2
	$\frac{\text{ト}}{\text{ナ}}$	$\frac{3}{2}$	2
	ニ	5	2
	ヌ	5	3
第2問(30)	ア	4	1
	イウx^2+エkx	$-3x^2+2kx$	3
	オ	0	1
	カ	0	1
	キ	3	1
	ク	9	1
	$\frac{\text{ケ}}{\text{コ}}$, サ	$\frac{5}{3}$, 9	3
	シ	6	2
	スセソ	180	2
	タチツ	180	3
	テトナ, ニヌ, ネ	300, 12, 5	3
	ノ	4	3
	ハ	0	3
	ヒ	4	3
第3問(20)	ア	0	1
(第3問)	$\frac{\text{イ}}{\text{ウ}}$	$\frac{1}{2}$	1
	エ	4	2
	オ	2	2
	カ.キク	1.65	2
	ケ	4	2
	$\frac{\text{コ}}{\text{サ}}$	$\frac{1}{2}$	1
	シス	25	2
	セ	3	1
	ソ	7	1
	タ	0	3
	チツ	17	2
第4問(20)	ア	2	2
	イ, ウ	0, 3	3
	エ, オ	4, 0	3
	カ, キ	2, 3	2
	ク	2	2
	ケ	1	2
	コ	3	2
	サシ, スセ	30, 10	2
	ソ	8	2
第5問(20)	$\frac{\text{ア}}{\text{イ}}$, $\frac{\text{ウ}}{\text{エ}}$	$\frac{1}{2}$, $\frac{1}{2}$	2
	オ	1	2
	カ	9	2
	キ	2	3
	ク	0	3
	ケ	3	2
	コ	0	2
	サ	4	3
	シ	2	1

（注）第1問, 第2問は必答。第3問〜第5問のうちから2問選択。計4問を解答。

2024年度　共通テスト 数学II・B(・C)　正解と配点（100点満点）

問題番号(配点)	解答記号	正解	配点
第1問(30)	ア	3	1
	イウ	10	1
	(エ, オ)	(1, 0)	2
	カ	0	3
	キ	5	3
	ク	2	2
	ケ	2	3
	コサ, シ	−2, 3	2
	ス, セ	2, 1	2
	ソタ	12	1
	チ	3	3
	ツ	1	1
	テ, ト	1, 1	2
	ナ	3	1*
	ニヌ	−6	2
	ネノ	14	1
第2問(30)	$\dfrac{\text{ア}}{\text{イ}}$	$\dfrac{3}{2}$	2
	ウ, エ	9, 6	1
	$\dfrac{\text{オ}}{\text{カ}}$, キ	$\dfrac{9}{2}$, 6	2
	ク	1	1
	$\dfrac{\text{ケ}}{\text{コ}}$	$\dfrac{5}{2}$	1
	サ	2	1
	シ	2	1
	ス	3	3
	セ, ソ	0, 5	2
	タ	1	2
	チ	1	4
	ツ	2	2
	テ	3	1
(第2問)	ト, ナ	4, 2	3
	ニ, ヌ	0, 4	2
	ネ	2	2
第3問(20)	ア	0	2
	イ	3	2
	ウ, エ	1, 2	3
	オ	0	3
	カ	3	3
	キク	33	3
	$\dfrac{\text{ケコ}}{\text{サ}}$	$\dfrac{21}{8}$	4
第4問(20)	アイ, ウエ	24, 38	2
	オカ	14	2
	キ, $\dfrac{\text{ク}}{\text{ケ}}$, コ	3, $\dfrac{1}{2}$, 3	3
	サ	1	1
	シス, セソ	−3, −3	2
	タ, チツ	1, 40	3
	テ	3	3
	ト	4	4
第5問(20)	(ア, イウ, エ)	(1, −1, 1)	2
	オ	0	2
	カ	2	3
	キ, クケ, コサ	3, 12, 54	3
	シ	1	3
	ス	2	3
	(セソ, タチ, ツテ) (トナ, ニヌ, ネノ)	(−3, 12, −6) (−7, 12, −2)	4

(注)

1　*は, 解答記号テ, トが両方正解の場合のみ3を正解とし, 点を与える。

2　第1問, 第2問は必答。第3問〜第5問のうちから2問選択。計4問を解答。

2025年度 共通テスト
数学 II・B(・C)

解答＆解説

第1問（必答問題）（配点　30）

[1] kを実数定数とする。$0 \leqq \theta \leqq \pi$における次の三角方程式

$\sin\theta + \sqrt{3}\cos\theta = k$……①

の実数解の個数を調べる。

①を変形して，

$\boxed{ア}\sin\left(\theta + \dfrac{\pi}{\boxed{イ}}\right) = k$…②となる。よって，

①の相異なる実数解の個数は，

(i) $k < -\sqrt{\boxed{ウ}}$，$\boxed{エ} < k$のとき，0個であり，

(ii) $k = \boxed{オ}$，$-\sqrt{\boxed{カ}} \leqq k < \sqrt{\boxed{キ}}$のとき，1個であり，

(iii) $\sqrt{\boxed{ク}} \leqq k < \boxed{ケ}$のとき，2個である。

さらに，$\sqrt{\boxed{ク}} \leqq k < \boxed{ケ}$のとき，異なる2実数解を$\theta_1$，$\theta_2$ $(\theta_1 < \theta_2)$とおくと，$\theta_1 + \theta_2 = \dfrac{\pi}{\boxed{コ}}$である。

ヒント！　①の左辺は三角関数の合成により変形する。後は，②の左右両辺をそれぞれyとおいて分解し，2つの関数のグラフの共有点のθ座標が①の解であることから，グラフで解の個数が求まる。

解答＆解説

$\sin\theta + \sqrt{3}\cos\theta = k$…①

$(0 \leqq \theta \leqq \pi)$を変形して，

2, $\sqrt{3}$, $\frac{\pi}{3}$, 1

$2\left(\dfrac{1}{2}\sin\theta + \dfrac{\sqrt{3}}{2}\cos\theta\right) = k$

$\cos\dfrac{\pi}{3}$　$\sin\dfrac{\pi}{3}$

$2\sin\left(\theta + \dfrac{\pi}{3}\right) = k$…②…（答）（ア，イ）

②を分解して，

$$\begin{cases} y = 2\sin\left(\theta + \dfrac{\pi}{3}\right) \cdots\cdots ③\ (0 \leqq \theta \leqq \pi) \\ y = k \cdots\cdots\cdots\cdots\cdots\cdots ④ \end{cases}$$

④←定数関数

とおくと，

①の相異なる実数解の個数は，

③と④のグラフの共有点の個数に等しい。

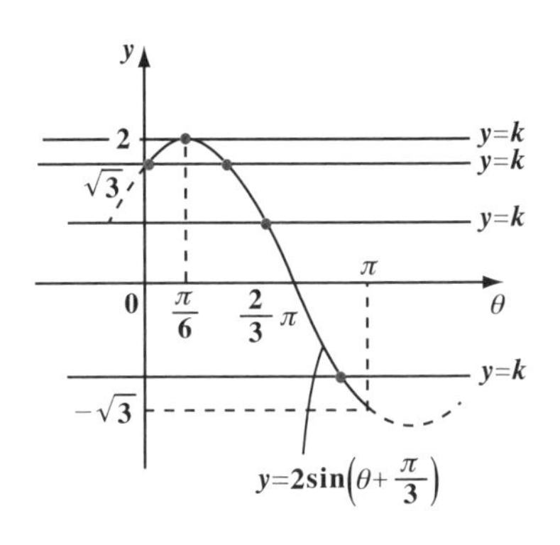

$y=2\sin\left(\theta+\frac{\pi}{3}\right)$ のグラフは次の要領で描く。

$y=\sin\theta$ $\xrightarrow[-\frac{\pi}{3}\text{平行移動}]{\theta\text{ 軸方向に}}$ $y=\sin\left(\theta+\frac{\pi}{3}\right)$

$\xrightarrow[\text{に 2 倍}]{y\text{ 軸方向}}$ $y=2\sin\left(\theta+\frac{\pi}{3}\right)$

よって，上のグラフより，①の相異なる実数解の個数は，

(i) $k<-\sqrt{3}$，または $2<k$ のとき，

　0 個である。……………(答)(ウ，エ)

(ii) $k=2$，または $-\sqrt{3}\leqq k<\sqrt{3}$ のとき，

　1 個である。………(答)(オ，カ，キ)

(iii) $\sqrt{3}\leqq k<2$ のとき，

　2 個である。……………(答)(ク，ケ)

(iii) $\sqrt{3}\leqq k<2$ のときの①の相異なる 2 実数解を θ_1, θ_2 $(\theta_1<\theta_2)$ とおくと，右のグラフから明らかに θ_1 と θ_2 の中点の座標が $\theta=\frac{\pi}{6}$ となる。

よって，$\frac{\theta_1+\theta_2}{2}=\frac{\pi}{6}$ より，

$\theta_1+\theta_2=\frac{\pi}{3}$ となる。……………(答)(コ)

第 1 問 (必答問題) (配点 30)

[2] 関数 $f(x)=4^{x-1}+4^{-x}-2a(2^{x-1}+2^{-x})+3$…① ($a$:定数)
の最小値を求める。$t=2^{x-1}+2^{-x}$…②とおくと，
相加平均・相乗平均の式より，$t\geqq\sqrt{\boxed{サ}}$ である。
また，$4^{x-1}+4^{-x}=t^2-\boxed{シ}$ …③である。
②，③を①に代入して，これを t の関数 $g(t)$ とおくと，
$g(t)=(t-\boxed{ス}\cdot a)^2+\boxed{セ}-a^2$…④ $\left(t\geqq\sqrt{\boxed{サ}}\right)$ である。
以上より，
(i) $a\leqq\sqrt{\boxed{ソ}}$ のとき，$t=\sqrt{\boxed{タ}}$ で，$g(t)$，すなわち $f(x)$ は最小になる。
∴最小値 $g\left(\sqrt{\boxed{タ}}\right)=\boxed{チ}-2\sqrt{\boxed{ツ}}\,a$ である。
このときの x の値は，$\dfrac{1}{\boxed{テ}}$ である。
(ii) $\sqrt{\boxed{ソ}}<a$ のとき，$t=\boxed{ス}\,a$ で，$g(t)$，すなわち $f(x)$ は最小になる。
∴最小値 $g(\boxed{ス}a)=\boxed{セ}-a^2$ である。
このときの x の値は，$\log_2\left(a\pm\sqrt{a^2-\boxed{ト}}\right)$ である。

ヒント！ $t=2^{x-1}+2^{-x}$ とおくと，この両辺を 2 乗すれば，$4^{x-1}+4^{-x}$ も t の式で表される。そして，$g(t)$ が求まると，この最小値を求めるには，“カニ歩き＆場合分け”の考え方を使えばいいんだね。頑張ろう！

解答＆解説

$t=2^{x-1}+2^{-x}$…②とおく。
$2^{x-1}>0$，$2^{-x}>0$ より，相加平均・相乗平均の式を用いると，

$$t=2^{x-1}+2^{-x}\geqq2\sqrt{\underbrace{2^{x-1}\cdot2^{-x}}_{2^{-1}}}=\frac{2}{\sqrt{2}}$$

∴ $t\geqq\sqrt{2}$ である。 ………(答)(サ)
次に②の両辺を 2 乗して，

$$t^2=(2^{x-1}+2^{-x})^2$$
$$=2^{2(x-1)}+2\cdot\underbrace{2^{x-1}\cdot2^{-x}}_{2^{-1}}+2^{-2x}$$

よって，$t^2=4^{x-1}+4^{-x}+1$ より，

$4^{x-1}+4^{-x}=t^2-1$ …③ ……(答)(シ)

②，③を

$f(x)=4^{x-1}+4^{-x}-2a(2^{x-1}+2^{-x})+3$ …①

（$4^{x-1}+4^{-x}$ ＝ t^2-1（③より），$2^{x-1}+2^{-x}$ ＝ t（②より））

に代入して，これを $g(t)$ とおくと，

$g(t)=t^2-1-2at+3$

$=t^2-2at+2$

$\therefore\ g(t)=(t-1\cdot a)^2+2-a^2$ …④ $(t\geqq\sqrt{2})$

となる。 ………………(答)(ス，セ)

④は，頂点の座標 $(a,\ 2-a^2)$ の下に凸の放物線の内 $t\geqq\sqrt{2}$ の部分なので，この最小値は (i) $a\leqq\sqrt{2}$ と (ii) $\sqrt{2}<a$ の 2 通りの場合に分けて求めればよい。

(i) $a\leqq\sqrt{2}$ のとき，…………(答)(ソ)

$t=\sqrt{2}$ …⑤

で，$g(t)$，すなわち $f(x)$ は最小になる。よって

最小値 $g(\sqrt{2})$

最小値 $g(\sqrt{2})=2-2\sqrt{2}a+2$

$=4-2\sqrt{2}a$ ……(答)

(タ，チ，ツ)

このときの x の値は，⑤より

$t=2^{x-1}+2^{-x}=\sqrt{2}$ 　よって，

$\dfrac{2^x}{2}+\dfrac{1}{2^x}=\sqrt{2}$ より，$2^x=u$ とおくと，

$\dfrac{u}{2}+\dfrac{1}{u}=\sqrt{2}$，$u^2+2=2\sqrt{2}u$

$(u-\sqrt{2})^2=0$ より，$u=2^x=\sqrt{2}\ \left(=2^{\frac{1}{2}}\right)$

$\therefore\ x=\dfrac{1}{2}$ である。 ………(答)(テ)

(ii) $\sqrt{2}<a$ のとき，

$t=1\cdot a$ …⑥

で，$g(t)$，すなわち $f(x)$ は最小になる。

最小値 $g(a)$

よって，

最小値 $g(1\cdot a)=2-a^2$

このときの x の値は，⑥より

$2^{x-1}+2^{-x}=a$

同様に $u=2^x$ とおくと，

$\dfrac{u}{2}+\dfrac{1}{u}=a$ 　　$u^2+2=2au$

$u^2-2au+2=0$ を解いて，

$u=2^x=a\pm\sqrt{a^2-2}$

$\therefore\ x=\log_2\left(a\pm\sqrt{a^2-2}\right)$ である。

……(答)(ト)

第２問（必答問題）（配点　30）

2 次関数 $y=x^2$ で表される放物線を C とおく。また，2 つの円 A_1，A_2 を

$$\begin{cases}\text{円 } A_1 : x^2+(y-1)^2=1 \\ \text{円 } A_2 : x^2+(y-a)^2=1 \quad (a>0)\end{cases}$$ とおく。

(1) C と A_1 の共有点の座標は (0, [ア])，([イ], [ウ])，([エオ], [カ]) であり，円 A_1 の周および内部で，かつ $y \leqq x^2$ をみたす図形の面積は $\dfrac{[キ]\pi-[ク]}{6}$ である。

(2) C と A_2 が 2 つの共有点をもち，かつその点で共通の接線をもつとき，$a=\dfrac{[ケ]}{[コ]}$ であり，2 つの接点の座標は

$\left(\dfrac{\sqrt{[サ]}}{[シ]}, \dfrac{[ス]}{[セ]}\right)$，$\left(\dfrac{[ソ]\sqrt{[タ]}}{[チ]}, \dfrac{[ツ]}{[テ]}\right)$ である。

このとき，C と A_2 とで囲まれる図形の面積は $\dfrac{[ト]\sqrt{[ナ]}-[ニ]\pi}{12}$ である。

ヒント！ 放物線 C と円 A_1，または円 A_2 の共有点を求める場合，y を消去するのではなく x^2 を消去して，y の 2 次方程式にもち込む方が計算が楽で早い。

解答＆解説

(1) $\begin{cases} C : y=x^2 \quad \cdots\cdots ① \\ A_1 : x^2+(y-1)^2=1 \quad \cdots ② \end{cases}$ より

x^2 を消去して y の 2 次方程式にもち込むと，（← y を消去すると x の 4 次方程式となって複雑になる。）

$y+(y-1)^2=1$

$y+y^2-2y+1=1$

$y(y-1)=0 \quad \therefore y=0,\ 1$

(i) $y=0$ のとき，①より $x=0$

(ii) $y=1$ のとき，②より $x^2=1$

$\therefore x=\pm 1$

以上より，C と A_1 の共有点は 3 個存在し，それらの座標は，

(0, 0)，(1, 1)，(−1, 1)

である。……………………(答)

（ア，イ，ウ，エオ，カ）

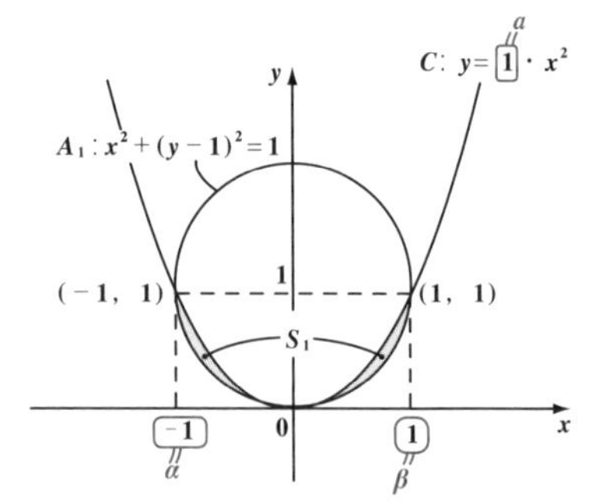

また，円 A_1 の内部で，かつ $y \leqq x^2$ をみたす図形の面積を S_1 とおくと，

$$S_1 = \frac{1}{2}\cdot\pi\cdot 1^2 - \frac{1}{6}\{1-(-1)\}^3$$

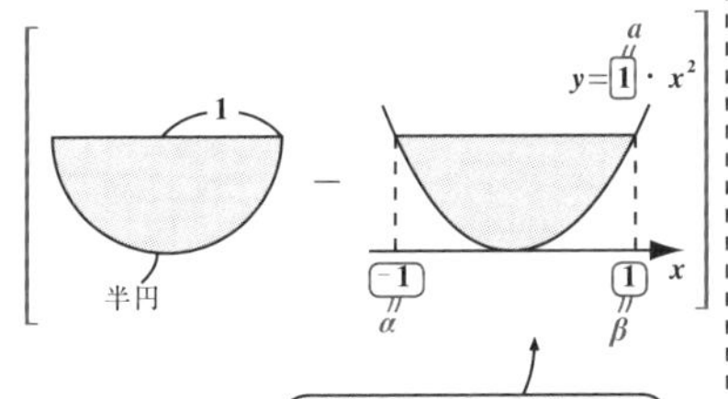

放物線と直線で囲まれる図形の面積公式

$$S = \frac{|a|}{6}(\beta-\alpha)^3$$

$$= \frac{\pi}{2} - \frac{8}{6} = \frac{3\pi-8}{6} \quad \cdots\cdots\cdots\cdots (答)$$

(キ，ク)

もちろん，これは直接積分して
$\int_{-1}^{1}(1-x^2)dx = 2\int_0^1(1-x^2)dx$
$= 2\left[x - \frac{1}{3}x^3\right]_0^1 = 2\cdot\frac{2}{3} = \frac{4}{3}$
と求めてもいい。

(2) $\begin{cases} C : y = x^2 \cdots\cdots\cdots\cdots ① \\ A_2 : x^2 + (y-a)^2 = 1 \cdots ③ \end{cases}$ より

x^2 を消去して，

$y + (y-a)^2 = 1 \quad (a > 0)$

$y + y^2 - 2ay + a^2 = 1$

$y^2 - (2a-1)y + a^2 - 1 = 0 \cdots ④$

ここで，放物線 C と円 A_2 が 2 つの接点をもつための条件は④の y の 2 次方程式が重解をもつことである。よって，④の判別式を D とおくと，

$D = (2a-1)^2 - 4(a^2-1) = 0$

$4a^2 - 4a + 1 - 4a^2 + 4 = 0$

$4a = 5 \quad \therefore a = \frac{5}{4} \cdots$(答)(ケ，コ)

もし，①，③から y を消去すると，x の 4 次方程式となり，これが異なる 2 つの重解をもつ場合を求めなければならなくなるので，計算が繁雑になるんだね。

$a = \frac{5}{4}$ を④に代入して y の重解を求めると，

$y^2 - \frac{3}{2}y + \frac{9}{16} = 0, \quad \left(y - \frac{3}{4}\right)^2 = 0$

$\therefore y = \frac{3}{4}$ (重解) となる。

これを①に代入すると，

$\frac{3}{4} = x^2 \quad \therefore x = \pm\sqrt{\frac{3}{4}} = \pm\frac{\sqrt{3}}{2}$

以上より，C と A_2 の 2 つの接点の座標は

$\left(\frac{\sqrt{3}}{2}, \frac{3}{4}\right), \left(\frac{-\sqrt{3}}{2}, \frac{3}{4}\right)$

である。 $\cdots\cdots\cdots\cdots\cdots\cdots\cdots\cdots$(答)

(サ，シ，ス，セ，ソ，タ，チ，ツ，テ)

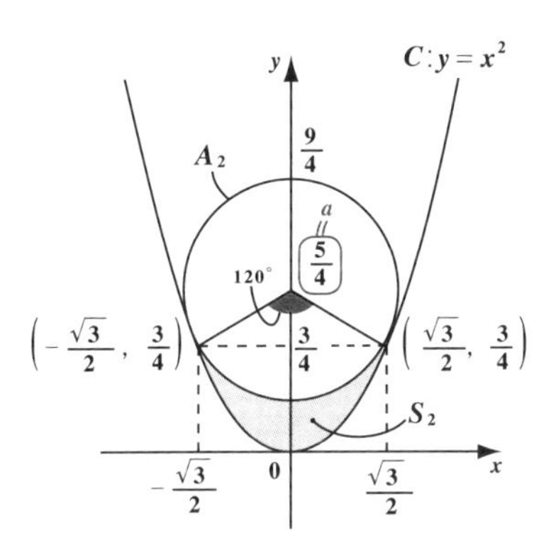

円 A_2 の中心を $\mathrm{A}\left(0,\ \frac{5}{4}\right)$，2接点をそれぞれ

$\mathrm{P}\left(-\frac{\sqrt{3}}{2},\ \frac{3}{4}\right)$，$\mathrm{Q}\left(\frac{\sqrt{3}}{2},\ \frac{3}{4}\right)$ とおく。

放物線 C と円 A_2 とで囲まれる図形の面積を S_2 とおくと，これは直線 PQ と C とで囲まれる図形の面積から，扇形◯APQ の1部を引いたものに等しい。

よって，

$$S_2 = \frac{1}{6}\cdot\left\{\frac{\sqrt{3}}{2}-\left(-\frac{\sqrt{3}}{2}\right)\right\}^3 - \left(\frac{1}{3}\cdot\pi\cdot1^2-\frac{1}{2}\cdot1\cdot1\cdot\underbrace{\sin120^\circ}_{\frac{\sqrt{3}}{2}}\right)$$

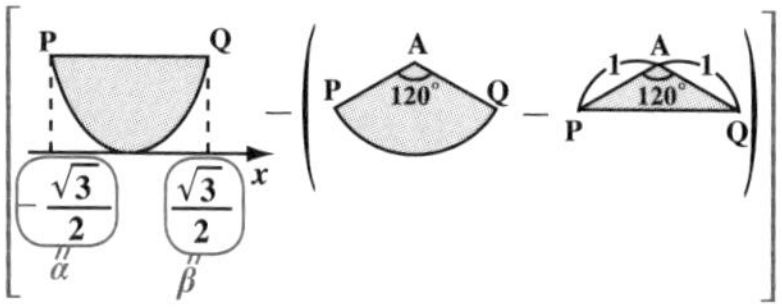

$$\therefore\ S_2 = \frac{\sqrt{3}}{2}-\left(\frac{\pi}{3}-\frac{\sqrt{3}}{4}\right)$$

$$= \frac{9\sqrt{3}-4\pi}{12} \quad \cdots\cdots\cdots\cdots\cdots(答)$$

（ト，ナ，ニ）

第 3 問（選択問題）（配点 20）

数列 $\{a_n\}$，$\{b_n\}$ は，初項がそれぞれ $a_1 = 1$，$b_1 = 1$ であり，次の関係式を満たす。

$a_{n+1} = 3a_n + b_n + 1$ …… ①　　$b_{n+1} = 2a_n + 4b_n - 1$ …… ② $(n = 1, 2, 3, \cdots)$

(1) ①，②より，$a_{n+1} + b_{n+1} = \boxed{ア}(a_n + b_n)$ …… ③ が導ける。これから

$a_n + b_n = \boxed{イ} \cdot \boxed{ウ}^{n-1}$ …… ④ $(n = 1, 2, 3, \cdots)$ となる。

(2) ①，②より，$2a_{n+1} - b_{n+1} = \boxed{エ}(2a_n - b_n) + \boxed{オ}$ …… ⑤ が導ける。

これから，$2a_n - b_n = \boxed{カ}^{n+1} - \boxed{キ}$ …… ⑥ $(n = 1, 2, 3, \cdots)$ となる。

(3) ④，⑥より，一般項 a_n，b_n は，

$$\begin{cases} a_n = \dfrac{1}{3}\left(\boxed{ク} \cdot \boxed{ケ}^{n-1} + \boxed{コ}^{n+1} - 3\right) \\ b_n = \dfrac{1}{3}\left(\boxed{サ} \cdot \boxed{ケ}^{n-1} - \boxed{コ}^{n+1} + 3\right) \end{cases}$$

$(n = 1, 2, 3, \cdots)$ となる。

(4) 数列 $\{a_n\}$ の初項から第 n 項までの和を S_n とおくと，

$S_n = \dfrac{1}{6}\left(\boxed{シ}^n + \boxed{ス}^{n+3} - \boxed{セ}n - 9\right)$ である。

ヒント！ 2 つの数列 $\{a_n\}$ と $\{b_n\}$ の連立漸化式の問題なんだね。(1)，(2) の導入に従って，等比関数列型の漸化式の解法パターン：「$F(n+1) = r \cdot F(n)$ ならば，$F(n) = F(1) \cdot r^{n-1}$」に持ち込めば，(3) の a_n と b_n の一般項も比較的簡単に求めることができる。(4) は，数列の和（$\sum$ 計算）の問題だね。落ち着いて，テンポよく解いていこう。所要時間は 12 分程度だよ。

解答＆解説

$a_1 = 1$，$b_1 = 1$

$$\begin{cases} a_{n+1} = 3a_n + b_n + 1 \cdots\cdots ① \\ b_{n+1} = 2a_n + 4b_n - 1 \cdots\cdots ② \end{cases}$$

$(n = 1, 2, 3, \cdots)$

について，一般項 a_n と b_n を求める。

(1) $a_{n+1} + b_{n+1}$ に①，②を代入すると，

$$a_{n+1} + b_{n+1} = 3a_n + b_n + 1 + 2a_n + 4b_n - 1 = 5a_n + 5b_n$$

$\therefore a_{n+1} + b_{n+1} = 5(a_n + b_n)$

$(n = 1, 2, 3, \cdots)$ となる。

…（答）（ア）

参考

等比関数列型漸化式の解法

$F(n+1) = r \cdot F(n)$ のとき，

$F(n) = F(1) \cdot r^{n-1}$ となる。

（上式は，等比関数列型漸化式の形になっているので，この解法を計算しよう。）

よって，

$a_{n+1}+b_{n+1}=5(a_n+b_n)$ …③より，

$[\ F(n+1)\ =5\cdot F(n)\ ]$

$a_n+b_n=(\underset{}{\overset{1}{a_1}}+\overset{1}{b_1})\cdot 5^{n-1}$ となる。

$[\ F(n)\ =\ \ F(1)\ \ \cdot 5^{n-1}\ ]$

上式に $a_1=b_1=1$ を代入して，

$a_n+b_n=2\cdot 5^{n-1}$ … ④

……(答)（イ，ウ）

$(n=1,\ 2,\ 3,\ \cdots)$ となる。

(2) $2a_{n+1}-b_{n+1}$ に

$$\begin{cases} a_{n+1}=3a_n+b_n+1 \ \cdots\cdots ①と \\ b_{n+1}=2a_n+4b_n-1 \ \cdots ② \end{cases}$$ を代入すると，

$2a_{n+1}-b_{n+1}$

$=2(3a_n+b_n+1)-(2a_n+4b_n-1)$

$=6a_n+2b_n+2-2a_n-4b_n+1$

$=4a_n-2b_n+3$ より，

$\underbrace{2a_{n+1}-b_{n+1}}_{c_{n+1}}=2(\underbrace{2a_n-b_n}_{c_n})+3$ …⑤ …(答)（エ，オ）

$(n=1,\ 2,\ 3,\ \cdots)$ となる。

ここで，$2a_n-b_n=c_n$

$(n=1,\ 2,\ 3,\ \cdots)$ とおくと，

$2a_{n+1}-b_{n+1}=c_{n+1}$ となり，また，

$c_1=2\underset{1}{a_1}-\underset{1}{b_1}=2\cdot 1-1=1$ となる。

$(\because a_1=b_1=1)$

以上より，⑤は次のように数列 $\{c_n\}$ の漸化式に書き換えられる。

$$\begin{cases} c_1=1 \\ c_{n+1}=2c_n+3 \ \cdots\cdots ⑤' \ (n=1,\ 2,\ 3,\ \cdots) \end{cases}$$

参考

2項間の漸化式の解法

$a_{n+1}=pa_n+q$ ……㋐

$(p,\ q$：定数$)$

が与えられたら，特性方程式：

$x=px+q$ を解いて，解 $x=\alpha$ を求める。これから，㋐は，等比関数列型の漸化式：

$a_{n+1}-\alpha=p(a_n-\alpha)$

$[F(n+1)=p\cdot F(n)\ ]$

にもち込める。

⑤′の特性方程式

$x=2x+3$ より，$x=-3$

よって，⑤′は，

$c_{n+1}-(-3)=2\{c_n-(-3)\}$ より，

$c_{n+1}+3=2(c_n+3)$ となる。

$[\ F(n+1)=2\cdot F(n)\ ]$

よって，

$c_n+3=(\overset{1}{c_1}+3)\cdot 2^{n-1}$

$[\ F(n)=\ \ F(1)\ \ \cdot 2^{n-1}\ ]$

上式に $c_1=1$ を代入すると，

$\underbrace{c_n}_{2a_n-b_n}=\underbrace{4\cdot 2^{n-1}}_{2^2\cdot 2^{n-1}=2^{n+1}}-3$

$\therefore\ 2a_n-b_n=2^{n+1}-3$ ……⑥…(答)

（カ，キ）

$(n=1,\ 2,\ 3,\ \cdots)$ となる。

(3) 以上 **(1)**，**(2)** より，④，⑥を列記すると，

$$\begin{cases} a_n + b_n = 2 \cdot 5^{n-1} \cdots\cdots ④ \\ 2a_n - b_n = 2^{n+1} - 3 \quad \cdots ⑥ \end{cases}$$ となる。

$(n = 1,\ 2,\ 3,\ \cdots)$

④＋⑥より

$3a_n = 2 \cdot 5^{n-1} + 2^{n+1} - 3$

∴一般項 a_n は，

$a_n = \frac{1}{3}(2 \cdot 5^{n-1} + 2^{n+1} - 3) \cdots ⑦ \cdots$（答）

（ク，ケ，コ）

$(n = 1,\ 2,\ 3,\ \cdots)$ となる。

④×2－⑥より，

$3b_n = 4 \cdot 5^{n-1} - 2^{n+1} + 3$

∴一般項 b_n は，

$b_n = \frac{1}{3}(4 \cdot 5^{n-1} - 2^{n+1} + 3) \cdots$（答）（サ）

$(n = 1,\ 2,\ 3,\ \cdots)$ となる。

(4) 数列 $\{a_n\}$ の初項から第 n 項までの和 S_n を求めると，

$$S_n = \sum_{k=1}^{n} a_k$$

$$= \sum_{k=1}^{n} \frac{1}{3}(2 \cdot 5^{k-1} + \underbrace{2^{k+1}}_{4 \cdot 2^{k-1}} - 3)$$

$$= \frac{1}{3}\Bigg(\underbrace{\sum_{k=1}^{n} 2 \cdot 5^{k-1}}_{\frac{2 \cdot (1-5^n)}{1-5}} + \underbrace{\sum_{k=1}^{n} 4 \cdot 2^{k-1}}_{\frac{4 \cdot (1-2^n)}{1-2}} - \underbrace{\sum_{k=1}^{n} 3}_{3n}\Bigg)$$

$$= \frac{1}{3}\left\{\frac{5^n - 1}{2} + 4(2^n - 1) - 3n\right\}$$

$$= \frac{1}{6}\{5^n - 1 + 8(2^n - 1) - 6n\}$$

$\therefore S_n = \frac{1}{6}(5^n + 2^{n+3} - 6n - 9) \cdots\cdots$（答）

（シ，ス，セ）

$(n = 1,\ 2,\ 3,\ \cdots)$ となる。

第4問（選択問題）（配点 20）

xyz 座標空間上に3点 $\mathbf{A}(-2,2,2)$，$\mathbf{B}(1,1,3)$，$\mathbf{C}(0,-2,1)$ がある。

(1) 直線 AB の方向ベクトル $\overrightarrow{\mathbf{AB}}=($ [ア], [イウ], $1)$ であり，

直線 AB と xy 平面との交点の座標は ([エオ], [カ], 0) である。

(2) 3点 A, B, C を通る平面 π の方程式を

$ax+by+cz+d=0$ ……① $(a \neq 0)$ とおくと，

$b=$ [キ] a，　$c=$ [クケ] a，　$d=$ [コ] a　より，①は，

$x+$ [サ] $y-$ [シ] $z+$ [ス] $=0$ ……② となる。

点 $\mathbf{D}(\alpha,3,3)$ が平面 π 上の点であるとき，$\alpha=$ [セソ] である。

(3) $\triangle$ABC の面積を S とおくと，$S=\dfrac{[タ]\sqrt{[チ]}}{2}$ である。

原点 O と平面 π との間の距離を h とおくと，$h=\dfrac{[ツ]\sqrt{[テ]}}{3}$

である。よって，四面体 OABC の体積を V とおくと，

$V=\dfrac{[トナ]}{[ニ]}$ である。

ヒント！ 空間ベクトルと空間図形の問題だね。直線の方程式：$\dfrac{x-x_1}{l}=\dfrac{y-y_1}{m}=\dfrac{z-z_1}{n}$ や平面の方程式：$ax+by+cz+d=0$，および点 (x_1, y_1, z_1) と平面 $ax+by+cz+d=0$ との間の距離 h の公式 $h=\dfrac{|ax_1+by_1+cz_1+d|}{\sqrt{a^2+b^2+c^2}}$ などをうまく利用して解いていこう。

解答＆解説

(1) $\begin{cases} \overrightarrow{\mathbf{OA}}=(-2,2,2) \\ \overrightarrow{\mathbf{OB}}=(1,1,3) \\ \overrightarrow{\mathbf{OC}}=(0,-2,1) \end{cases}$ より，

直線 AB の方向ベクトル $\overrightarrow{\mathbf{AB}}$ は

$$\overrightarrow{\mathbf{AB}}=\overrightarrow{\mathbf{OB}}-\overrightarrow{\mathbf{OA}}$$
$$=(1,1,3)-(-2,2,2)$$
$$=(3,-1,1)$$ である。…(答)

(ア，イウ)

直線 AB は，
点 $A(-2,2,2)$ を
通り，方向ベクトル
$\overrightarrow{AB}=(3,-1,1)$
の直線より，方程式：

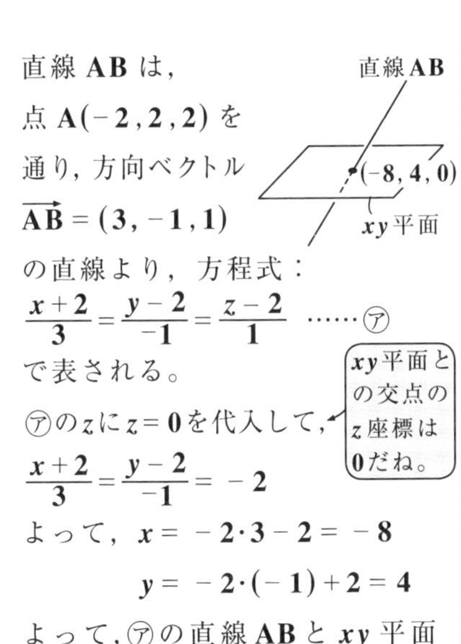

$$\frac{x+2}{3}=\frac{y-2}{-1}=\frac{z-2}{1} \quad \cdots\cdots ㋐$$

で表される。

㋐の z に $z=0$ を代入して，

$$\frac{x+2}{3}=\frac{y-2}{-1}=-2$$

よって，$x=-2\cdot3-2=-8$

$y=-2\cdot(-1)+2=4$

よって，㋐の直線 AB と xy 平面との交点の座標は $(-8,4,0)$ である。……………(答)(エオ，カ)

(2) 平面 π：$ax+by+cz+d=0$ …①
は，3点 $A(-2,2,2)$，$B(1,1,3)$，$C(0,-2,1)$ を通るので，各座標を①に代入して，

$$\begin{cases} -2a+2b+2c+d=0 & \cdots\cdots ㋑ \\ a+b+3c+d=0 & \cdots\cdots ㋒ \\ -2b+c+d=0 & \cdots\cdots ㋓ \end{cases}$$

㋒−㋑より，

$3a-b+c=0$ ……………㋔

㋓−㋑より，

$2a-4b-c=0$ ……………㋕

㋔＋㋕より，

$5a-5b=0$

$\therefore b=a$ ……………………㋖

㋖を㋔に代入して，$2a+c=0$

$\therefore c=-2a$ ……………………㋗

㋖，㋗を㋓に代入して，

$-2a-2a+d=0$

$\therefore d=4a$ ……………………㋘

以上より，

$b=1\cdot a,\ c=-2\cdot a,\ d=4\cdot a$ …(答)
(キ，クケ，コ)

㋖,㋗,㋘を①に代入して，

$ax+ay-2az+4a=0$

両辺を $a\,(\neq0)$ で割って，求める平面 π の方程式は，

$x+1\cdot y-2\cdot z+4=0$ …②である。
……(答)(サ，シ，ス)

点 $D(\alpha,3,3)$ が平面 π 上にあるとき，この座標を②に代入して成り立つので，

$\alpha+3-6+4=0$

$\therefore \alpha=-1$ …………(答)(セソ)

(3) 座標空間上の ΔABC の面積を S とおくと，S は次式で表される。

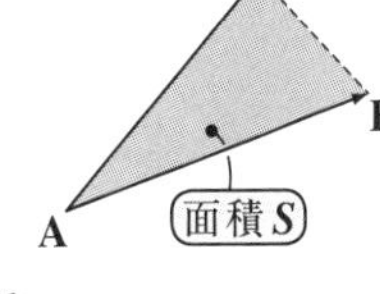

$$S=\frac{1}{2}\sqrt{|\overrightarrow{AB}|^2|\overrightarrow{AC}|^2-(\overrightarrow{AB}\cdot\overrightarrow{AC})^2} \quad \cdots③$$

ここで，

$\overrightarrow{AB}=(3,-1,1)$

$\overrightarrow{AC}=\overrightarrow{OC}-\overrightarrow{OA}$

$=(0,-2,1)-(-2,2,2)$

$=(2,-4,-1)$ より，

• $|\overrightarrow{AB}|^2 = 3^2 + (-1)^2 + 1^2 = 11$

• $|\overrightarrow{AC}|^2 = 2^2 + (-4)^2 + (-1)^2$
$= 4 + 16 + 1 = 21$

• $\overrightarrow{AB} \cdot \overrightarrow{AC} = 3 \cdot 2 + (-1) \cdot (-4) + 1 \cdot (-1)$
$= 6 + 4 - 1 = 9$

以上より,

$$S = \frac{1}{2}\sqrt{\underbrace{11}_{|\overrightarrow{AB}|^2} \times \underbrace{21}_{|\overrightarrow{AC}|^2} - \underbrace{9^2}_{(\overrightarrow{AB}\cdot\overrightarrow{AC})^2}}$$

$$= \frac{1}{2}\sqrt{150} = \frac{5\sqrt{6}}{2}$$ …………(答)

(タ,チ)

次に,原点 $O(0, 0, 0)$ と平面 π：

$1 \cdot x + 1 \cdot y - 2 \cdot z + 4 = 0$ ……②

との間の距離 h は,

$$h = \frac{|1 \cdot 0 + 1 \cdot 0 - 2 \cdot 0 + 4|}{\sqrt{1^2 + 1^2 + (-2)^2}}$$

$$= \frac{4}{\sqrt{6}} = \frac{4\sqrt{6}}{6}$$

$$= \frac{2\sqrt{6}}{3}$$ ……………(答)(ツ,テ)

> 点 (x_1, y_1, z_1) と平面
> $ax + by + cz + d = 0$
> との間の距離 h は,
> $$h = \frac{|ax_1 + by_1 + cz_1 + d|}{\sqrt{a^2 + b^2 + c^2}}$$

よって,四面体 OABC の体積 V は,ΔABC を底面,h を高さの三角すいと考えると,

$$V = \frac{1}{3} \cdot \underbrace{S}_{\frac{5\sqrt{6}}{2}} \cdot \underbrace{h}_{\frac{4}{\sqrt{6}}} = \frac{1}{3} \times \frac{5\sqrt{6}}{2} \times \frac{4}{\sqrt{6}}$$

$$= \frac{20}{6} = \frac{10}{3}$$ である。……(答)

(トナ,二)

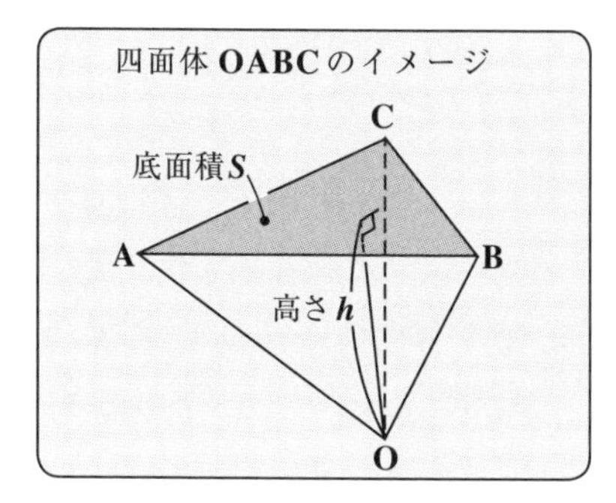

第５問（選択問題）（配点 20）

母平均 m，母分散 σ^2 の巨大な母集団から，大きさ n の標本を無作為に抽出するものとする。このとき，次の各問いに答えよ。

(1) 次の ア ～ エ に適するものを下の⓪～ⓑから一つずつ選べ。

標本平均 $\overline{X}$ の平均 $E(\overline{X})$ は ア となり，分散 $V(\overline{X})$ は イ となる。
ここで，標本の大きさ n を十分に大きくすると， ウ により，
標本平均 $\overline{X}$ の従う確率分布は エ に近づくことが分かっている。

⓪ nm　① $\dfrac{m}{n}$　② m　③ $n\sigma^2$　④ $\dfrac{\sigma^2}{n}$　⑤ σ^2
⑥ 中線定理　⑦ 中点連結の定理　⑧ 中心極限定理
⑨ χ^2 分布　ⓐ 正規分布　ⓑ ポアソン分布

(2) したがって，確率変数 $\overline{X}$ の標準化確率変数として，Z を

$Z=\dfrac{\overline{X}-\boxed{ア}}{\sqrt{\boxed{イ}}}$ で定義すると，

Z は，平均 オ，分散 カ の標準正規分布に従う確率変数になる。標準正規分布の確率密度 $f_S(Z)$ は，

$f_S(Z)=\dfrac{1}{\sqrt{2\pi}}e^{-\frac{Z^2}{2}}$ であり，$\displaystyle\int_{1.96}^{\infty}f_S(Z)dZ=0.025$ をみたす。

ここで，母平均 m，母標準偏差 $\sigma=\dfrac{50}{7}$ の母集団から，十分大きな標本数 $n=196$ の標本を抽出したところ，標本平均 $\overline{X}=10$ であった。
このとき母平均 m の 95% 信頼区間は，

キ $\leqq m \leqq$ クケ である。

ヒント！ 標本平均 $\overline{X}$ から，母集団の母平均 m の 95% 信頼区間を求める問題なんだね。これは，公式として覚えるよりも，それを導く流れを，この問題によってマスターするといいと思う。用語の使い方にも慣れることがポイントだね。

解答＆解説

(1) 母平均 m，母分散 σ^2 の巨大な母集団から，無作為に抽出した大きさ n の標本の標本平均 $\overline{X}$ の平均 $E(\overline{X})$ と分散 $V(\overline{X})$ は，

$$\begin{cases} E(\overline{X}) = m \\ V(\overline{X}) = \dfrac{\sigma^2}{n} \end{cases}$$

∴②，④ ………………(答)(ア，イ)

ここで，標本の大きさ n を十分に大きくすると，中心極限定理により，$\overline{X}$ が従う確率分布は，平均 m，分散 $\dfrac{\sigma^2}{n}$ の正規分布 $N\left(m, \dfrac{\sigma^2}{n}\right)$ に近づくことが分かっている。

∴⑧，ⓐ ………………(答)(ウ，エ)

（中心極限定理のイメージを右に示す。）

中心極限定理のイメージ

母平均 m，母分散 σ^2 をもつ同一の母集団（正規分布でなくてもいい）

$\overline{X} = \dfrac{X_1 + X_2 + \cdots\cdots + X_n}{n}$ とおき，

n を十分大きくすると，$\overline{X}$ は

正規分布 $N\left(m, \dfrac{\sigma^2}{n}\right)$ に従う。

したがって，$Z = \dfrac{\overline{X} - m}{\frac{\sigma}{\sqrt{n}}}$ で，Z を定義すると，Z は標準正規分布 $N(0, 1)$ に従う確率変数になる。

(2) したがって，標本平均 $\overline{X}$ を確率変数と考えて，これを使って，新たな確率変数 Z を

$$Z = \frac{\overline{X} - m}{\sqrt{\frac{\sigma^2}{n}}} = \frac{\overline{X} - m}{\frac{\sigma}{\sqrt{n}}}$$

で定義すると，

• $E(Z) = \dfrac{1}{\frac{\sigma}{\sqrt{n}}}\{\underbrace{E(\overline{X})}_{m} - m\} = 0$

• $V(Z) = V\left(\dfrac{\sqrt{n}}{\sigma}\overline{X} - \dfrac{\sqrt{n}m}{\sigma}\right)$

$= \dfrac{n}{\sigma^2}\underbrace{V(\overline{X})}_{\frac{\sigma^2}{n}} = \dfrac{n}{\sigma^2} \cdot \dfrac{\sigma^2}{n} = 1$

∴ Z は，平均 0，分散 1 の標準正規分布 $N(0, 1)$ に従う確率変数になる。 ……………(答)(オ，カ)

標準正規分布の確率密度 $f_S(Z)$ は

$f_S(Z)=\frac{1}{\sqrt{2\pi}}e^{-\frac{Z^2}{2}}$ であり，

$\int_{1.96}^{\infty} f_S(Z)dZ = \underline{0.025}$ ← 2.5%

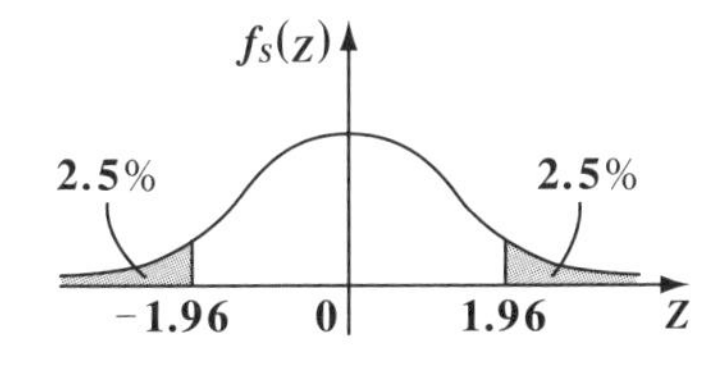

よって，$f_S(Z)$ のグラフより，母平均 m の 95% 信頼区間は次のように求められる。

$$-1.96 \leqq Z \leqq 1.96$$

$$-1.96 \leqq \frac{\overline{X}-m}{\frac{\sigma}{\sqrt{n}}} \leqq 1.96$$

$$\underbrace{-1.96\frac{\sigma}{\sqrt{n}} \leqq \overline{X}-m}_{(\mathrm{i})} \leqq 1.96\frac{\sigma}{\sqrt{n}}$$

（(ii)：$\overline{X}-m \leqq 1.96\frac{\sigma}{\sqrt{n}}$）

よって，

(i) $m \leqq \overline{X}+1.96\frac{\sigma}{\sqrt{n}}$

(ii) $\overline{X}-1.96\frac{\sigma}{\sqrt{n}} \leqq m$ 　より，

$$\overline{X}-1.96\frac{\sigma}{\sqrt{n}} \leqq m \leqq \overline{X}+1.96\frac{\sigma}{\sqrt{n}} \cdots (*)$$

これが，母平均 m の 95% 信頼区間の公式だね。

ここで，$\overline{X}=10$，$\sigma=\frac{50}{7}$，$n=196$ を $(*)$ に代入すると，

$$10-\underbrace{1.96\frac{\frac{50}{7}}{\sqrt{196}}}_{1} \leqq m \leqq 10+\underbrace{1.96\frac{\frac{50}{7}}{\sqrt{196}}}_{1}$$

$\sqrt{196}=14$ より，

$\frac{1.96}{14}\cdot\frac{50}{7}=\frac{196}{14}\cdot\frac{1}{100}\cdot\frac{50}{7}$（$\frac{196}{14}=14$）

$=\frac{14}{100}\times\frac{50}{7}=\frac{7}{50}\times\frac{50}{7}=1$

$\therefore 10-1 \leqq m \leqq 10+1$ より，

m の 95% 信頼区間は，

$9 \leqq m \leqq 11$ である。 ………(答)

(キ，クケ)

第1問(必答問題)（配点　30）

[1] $t=\tan\frac{\theta}{2}$ とおく。このとき，$\sin\theta$ と $\cos\theta$ を t で表すと，

$\sin\theta=\frac{\boxed{ア}t}{\boxed{イ}+t^2}$ ……①　　$\cos\theta=\frac{\boxed{ウ}-t^2}{\boxed{エ}+t^2}$ ……②である。

ここで，$0\leqq\theta\leqq\frac{2}{3}\pi$ における θ の関数 $y=\frac{\sin\theta-1}{\cos\theta+1}$ ……③について，

①，②を③に代入すると，y は t の関数となる。よって，$y=f(t)$ とおくと，

$y=f(t)=\frac{\boxed{オカ}}{2}(t-\boxed{キ})^2$　$\left(\boxed{ク}\leqq t\leqq\sqrt{\boxed{ケ}}\right)$ となる。

以上より，③は，

(i) $\theta=\frac{\pi}{\boxed{コ}}$ のとき最大値 $\boxed{サ}$ をとり，

(ii) $\theta=\boxed{シ}$ のとき最小値 $\frac{\boxed{スセ}}{2}$ をとる。

ヒント！ $t=\tan\frac{\theta}{2}$ とおくと，$\sin\theta=\frac{2t}{1+t^2}$，$\cos\theta=\frac{1-t^2}{1+t^2}$ とおけることは知識として当然知っておいた方がいい。①，②を③に代入すると，y は t の2次関数になるので，2次関数の最大・最小問題に帰着する。

解答＆解説

$t=\tan\frac{\theta}{2}$ とおくと，

$\cdot\sin\theta=2\sin\frac{\theta}{2}\cdot\cos\frac{\theta}{2}$

$=2\cdot\frac{\sin\frac{\theta}{2}}{\cos\frac{\theta}{2}}\cdot\cos^2\frac{\theta}{2}$

$\therefore\sin\theta=2\tan\frac{\theta}{2}\cdot\frac{1}{1+\tan^2\frac{\theta}{2}}$ より，

公式：$1+\tan^2\alpha=\frac{1}{\cos^2\alpha}$ を使った！

$\sin\theta=\frac{2t}{1+t^2}$ ……①（答）（ア，イ）

$\cdot \cos\theta = \cos^2\dfrac{\theta}{2} - \sin^2\dfrac{\theta}{2}$

$= \cos^2\dfrac{\theta}{2}\left(1 - \dfrac{\sin^2\frac{\theta}{2}}{\cos^2\frac{\theta}{2}}\right)$

$= \dfrac{1}{1+\tan^2\frac{\theta}{2}}\left(1 - \tan^2\dfrac{\theta}{2}\right)$

$\therefore \cos\theta = \dfrac{1-t^2}{1+t^2}$ ……② (答)(ウ，エ)

ここで，

$y = \dfrac{\sin\theta - 1}{\cos\theta + 1}$ …③ $\left(0 \leqq \theta \leqq \dfrac{2}{3}\pi\right)$ （$0°$）（$120°$）

に①，②を代入すると，

$y = \dfrac{\frac{2t}{1+t^2} - 1}{\frac{1-t^2}{1+t^2} + 1} = \dfrac{2t - (1+t^2)}{1 - t^2 + 1 + t^2}$ より，

$y = f(t) = -\dfrac{1}{2}(t-1)^2$ 　また，

$0 \leqq \dfrac{\theta}{2} \leqq \dfrac{\pi}{3}$ より，$0 \leqq t \leqq \sqrt{3}$ （$\tan\frac{\theta}{2}$）

$\therefore y = f(t) = \dfrac{-1}{2}(t-1)^2$ ……④

$\left(0 \leqq t \leqq \sqrt{3}\right)$ …(答)

(オカ，キ，ク，ケ)

となる。

よって，

グラフより，

$0 \leqq t \leqq \sqrt{3}$

において，

$y = f(t)$ は

(ⅰ) $t = \tan\dfrac{\theta}{2} = 1$，

すなわち，$\dfrac{\theta}{2} = \dfrac{\pi}{4}$，$\theta = \dfrac{\pi}{2}$ のとき，

最大値 $y = f(1) = 0$ をとる。

……(答)(コ，サ)

(ⅱ) $t = \tan\dfrac{\theta}{2} = 0$，

すなわち，$\dfrac{\theta}{2} = 0$，$\theta = 0$ のとき，

最小値 $y = f(0) = \dfrac{-1}{2}$ をとる。

……(答)(シ，スセ)

第1問（必答問題）（配点 30）

[2] $a < b < a^3$ $(a > 1)$ のとき，

(i) [ソ] $< \log_a b <$ [タ]　　(ii) $\dfrac{1}{[チ]} < \log_b a <$ [ツ]

(iii) [テト] $< \log_a \dfrac{a}{b} <$ [ナ]　　(iv) [ニ] $< \log_b \sqrt{\dfrac{b}{a}} < \dfrac{1}{[ヌ]}$

となる。

よって，$\log_a b$，$\log_b a$，$\log_a \dfrac{a}{b}$，$\log_b \sqrt{\dfrac{b}{a}}$ を小さい順に並べたものは，[ネ] である。[ネ] に当てはまるものを下の⓪～③のうちから一つ選べ。

⓪ $\log_a b$，$\log_b a$，$\log_a \dfrac{a}{b}$，$\log_b \sqrt{\dfrac{b}{a}}$

① $\log_b \sqrt{\dfrac{b}{a}}$，$\log_a b$，$\log_b a$，$\log_a \dfrac{a}{b}$

② $\log_a \dfrac{a}{b}$，$\log_b \sqrt{\dfrac{b}{a}}$，$\log_b a$，$\log_a b$

③ $\log_b a$，$\log_a \dfrac{a}{b}$，$\log_b \sqrt{\dfrac{b}{a}}$，$\log_a b$

ヒント！ $a > 1$ より，$a < b < a^3$ の不等号の各項に対して底 a の対数をとっても，その大小関係は変わらない。これがこの問題のスタートラインだ。

解答＆解説

(i) $a < b < a^3$ …①とおく。

$a > 1$ より，①の各項の底 a の対数をとっても大小関係は変わらない。

よって，

$$\underbrace{\log_a a}_{=1} < \log_a b < \underbrace{\log_a a^3}_{=3}$$

$\therefore 1 < \log_a b < 3$ ……②……………(答)

（ソ，タ）

(ii) $\log_a b = \dfrac{1}{\log_b a}$ より，②は，

$1 < \dfrac{1}{\log_b a} < 3$ となる。ここで，

$a>1$, $b>1$ より, $\log_b a>0$ よって,

- $1<\dfrac{1}{\log_b a}$ より, $\log_b a<1$
- $\dfrac{1}{\log_b a}<3$ より, $\dfrac{1}{3}<\log_b a$

$\therefore \dfrac{1}{3}<\log_b a<1$ …③…(答)(チ, ツ)

(iii) $\log_a \dfrac{a}{b}=\underbrace{\log_a a}_{1}-\log_a b=1-\log_a b$

ここで, $1<\log_a b<3$ …② より,

$-3<-\log_a b<-1$ ← 各辺に -1 をかけた

$-2<\underbrace{1-\log_a b}_{\log_a \frac{a}{b}}<0$ ← 各辺に1をたした

$\therefore -2<\log_a \dfrac{a}{b}<0$ ……④………(答)

(テト, ナ)

(iv) $\log_b\sqrt{\dfrac{b}{a}}=\log_b\left(\dfrac{b}{a}\right)^{\frac{1}{2}}=\dfrac{1}{2}\log_b\dfrac{b}{a}$

$=\dfrac{1}{2}(\underbrace{\log_b b}_{1}-\log_b a)$

$=\dfrac{1}{2}(1-\log_b a)$

ここで, $\dfrac{1}{3}<\log_b a<1$ …③ より,

$-1<-\log_b a<-\dfrac{1}{3}$ ← 各辺に -1 をかけた

$0<1-\log_b a<\dfrac{2}{3}$ ← 各辺に1をたした

$0<\underbrace{\dfrac{1}{2}(1-\log_b a)}_{\log_b\sqrt{\frac{b}{a}}}<\dfrac{1}{3}$ ← 各辺に $\dfrac{1}{2}$ をかけた

$\therefore 0<\log_b\sqrt{\dfrac{b}{a}}<\dfrac{1}{3}$ ……⑤………(答)

(ニ, ヌ)

以上(i)～(iv)の②, ③, ④, ⑤より,

4つの対数の式を小さい順に並べると,

$\log_a\dfrac{a}{b}$, $\log_b\sqrt{\dfrac{b}{a}}$, $\log_b a$, $\log_a b$

となる。

よって, ② ……………………(答)(ネ)

第２問（必答問題）（配点　30）

原点を頂点とする放物線 $C: y=f(x)$ と，直線 $l: y=2x-2$ がある。
l は，C 上のある点における C の接線である。このとき，
$C: y=f(x)=\dfrac{\boxed{ア}}{\boxed{イ}}x^2$ であり，接点の x 座標は $\boxed{ウ}$ である。

(1) 放物線 C と直線 l と x 軸とで囲まれる図形の面積は $\dfrac{\boxed{エ}}{\boxed{オ}}$ である。

(2) t は $0 \leqq t \leqq 2$ の範囲の実数とする。このとき，放物線 C 上の点 $(t, f(t))$ における接線を m とすると，

$m: y=\boxed{カ}tx-\dfrac{1}{\boxed{キ}}t^{\boxed{ク}}$ である。

$0 \leqq x \leqq 2$ において，放物線 C と直線 m で挟まれる部分のうち，$y \geqq 0$ をみたす領域の面積を $S(t)$ とおくと，

$S(t)=\dfrac{\boxed{ケコ}}{\boxed{サ}}t^3+t^2-\boxed{シ}t+\dfrac{\boxed{ス}}{\boxed{セ}}$ $(0 \leqq t \leqq 2)$ である。

$0 \leqq t \leqq 2$ において，$t=\dfrac{\boxed{ソ}}{\boxed{タ}}$ のとき，$S(t)$ は最小値 $\dfrac{\boxed{チ}}{\boxed{ツテ}}$ をとる。

ヒント！ (1) は，放物線とその２接線で囲まれる図形の面積公式を使ってもかまわない。(2) の $S(t)$ は，グラフからその求め方を工夫するのがポイントだ。頑張ろう！

解答＆解説

放物線 C は原点を頂点にもつので
$C: y=f(x)=ax^2$ …① $(a \neq 0)$ とおける。
また，直線 l も
$l: y=g(x)=2x-2$ …② とおく。
$f'(x)=2ax$，$g'(x)=2$
ここで，$y=f(x)$ と $y=g(x)$ が $x=t$ で接するものとすると，

$$\begin{cases} at^2=2t-2 & \cdots\cdots ③ \quad [f(t)=g(t)] \\ 2at=2 & \cdots\cdots\cdots\cdots ④ \quad [f'(t)=g'(t)] \end{cases}$$

2 曲線の共接条件
一般に 2 曲線 $y=f(x)$ と $y=g(x)$ が $x=t$ で接するための条件は，
$f(t)=g(t)$ かつ $f'(t)=g'(t)$ だ。

③ ÷ ④より，

$$\frac{at^2}{2at}=\frac{2t-2}{2}$$

$$\frac{t}{2}=t-1$$

$t=2t-2$

$\therefore t=2$

これを④に代入して，

$4a=2 \quad \therefore\ a=\dfrac{1}{2}$

よって，$C:y=f(x)=\dfrac{1}{2}x^2$…①′

であり，接点の x 座標は 2 である。

……(答)(ア，イ，ウ)

(1) 放物線 C と接線 l と x 軸とで囲まれる図形は右図の網目部より，この面積を S とおくと，

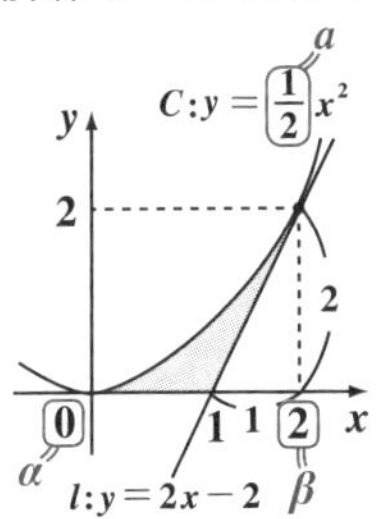

$$S=\int_0^2 \frac{1}{2}x^2dx-\frac{1}{2}\cdot 1\cdot 2$$

$$=\frac{1}{6}\left[x^3\right]_0^2-1=\frac{8}{6}-1$$

$=\dfrac{1}{3}$ ……………………(答)(エ，オ)

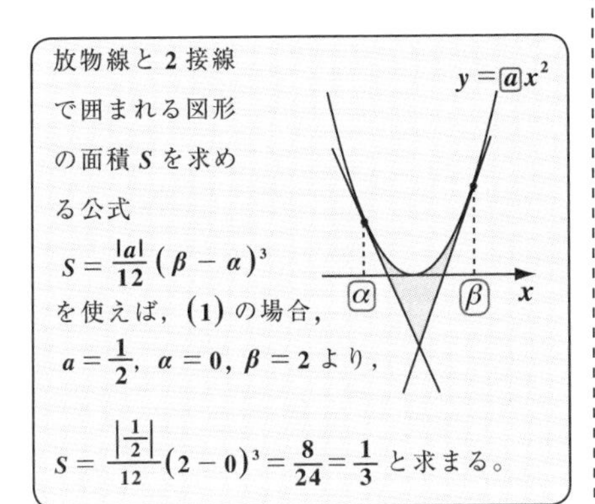

放物線と 2 接線で囲まれる図形の面積 S を求める公式
$S=\dfrac{|a|}{12}(\beta-\alpha)^3$
を使えば，(1) の場合，
$a=\dfrac{1}{2}$，$\alpha=0$，$\beta=2$ より，
$S=\dfrac{\left|\frac{1}{2}\right|}{12}(2-0)^3=\dfrac{8}{24}=\dfrac{1}{3}$ と求まる。
$y=\boxed{a}x^2$
α
β
x

(2) $C:y=f(x)=\dfrac{1}{2}x^2$ 上の点 $(t,\ f(t))$ $(0\leqq t\leqq 2)$ における接線 m の方程式は，

$f'(x)=x$ より，

$y=t(x-t)+\dfrac{1}{2}t^2$

$[y=f'(t)(x-t)+f(t)]$

$\therefore\ m:y=1\cdot t\cdot x-\dfrac{1}{2}t^2$……⑤……(答)

(カ，キ，ク)

$0\leqq x\leqq 2$ において，放物線 C と接線 m で挟まれる部分のうち，$y\geqq 0$ をみたす領域は右図の網目部となる。

ここではまず，直線 m の x 切片，および m と $x=2$ との交点の y 座標を求める。

⑤において，$y=0$ のとき $tx-\dfrac{1}{2}t^2=0$

より，$x=\dfrac{t}{2}$

また，$x=2$ のとき，

$y=2t-\dfrac{t^2}{2}$ となる。

以上より，求める網目部の面積 $S(t)$ を求めると，

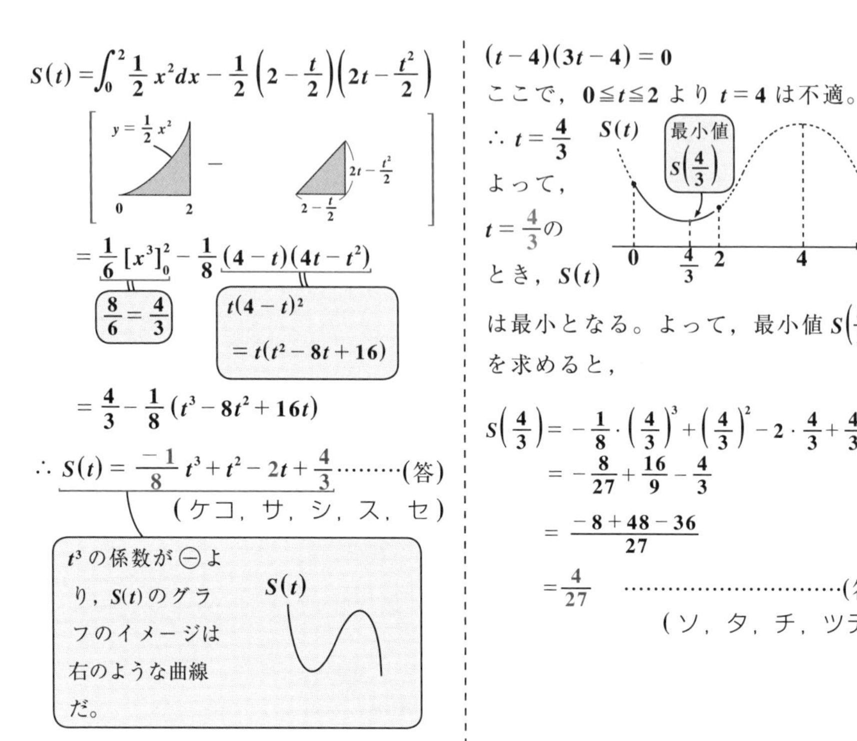

$$S(t)=\int_0^2\frac{1}{2}x^2dx-\frac{1}{2}\left(2-\frac{t}{2}\right)\left(2t-\frac{t^2}{2}\right)$$

$$=\frac{1}{6}\left[x^3\right]_0^2-\frac{1}{8}(4-t)(4t-t^2)$$

$\frac{8}{6}=\frac{4}{3}$

$t(4-t)^2$
$=t(t^2-8t+16)$

$$=\frac{4}{3}-\frac{1}{8}(t^3-8t^2+16t)$$

$\therefore$ $S(t)=\frac{-1}{8}t^3+t^2-2t+\frac{4}{3}$ ………(答)

（ケコ，サ，シ，ス，セ）

t^3 の係数が⊖より，$S(t)$ のグラフのイメージは右のような曲線だ。

$S(t)$

ここで，$0\leqq t\leqq 2$ における $S(t)$ の最小値を求める。まず，$S(t)$ を t で微分して，

$$S'(t)=-\frac{3}{8}t^2+2t-2$$

$S'(t)=0$ のとき，

$$-\frac{3}{8}t^2+2t-2=0$$

$$3t^2-16t+16=0$$

1 ╳ −4
3 ╳ −4 ← たすきがけ

$$(t-4)(3t-4)=0$$

ここで，$0\leqq t\leqq 2$ より $t=4$ は不適。

$\therefore$ $t=\frac{4}{3}$

よって，$t=\frac{4}{3}$ のとき，$S(t)$ は最小となる。よって，最小値 $S\left(\frac{4}{3}\right)$ を求めると，

$$S\left(\frac{4}{3}\right)=-\frac{1}{8}\cdot\left(\frac{4}{3}\right)^3+\left(\frac{4}{3}\right)^2-2\cdot\frac{4}{3}+\frac{4}{3}$$

$$=-\frac{8}{27}+\frac{16}{9}-\frac{4}{3}$$

$$=\frac{-8+48-36}{27}$$

$$=\frac{4}{27}$$ ……………………………(答)

（ソ，タ，チ，ツテ）

第 3 問（選択問題）（配点 20）

初項 a，公比 r $(r>0)$ の等比数列 $\{a_n\}$ がある。また，数列 $\{a_n\}$ の初項から第 n 項までの和を S_n とおくと，

$a_5=48$，$\dfrac{S_{20}}{S_{10}}=1025$ である。

このとき $a=$ ア，$r=$ イ であり，

$S_{2n}=$ ウ（エ$^{2n}-$ オ）である。

また，$a_n>100$ をみたす最小の自然数 n は $n=$ カ である。

(1) 数列 $\{b_n\}$ を $b_n=\log_2\dfrac{a_n}{3}$ $(n=1, 2, \cdots)$ で定義する。

このとき $\displaystyle\sum_{k=2}^{100}\frac{1}{b_kb_{k+1}}=\frac{\text{キク}}{\text{ケコサ}}$ である。

また，$\displaystyle\sum_{k=2}^{20}\frac{1}{b_kb_{k+2}}=\frac{\text{シスセ}}{\text{ソタチ}}$ である。

(2) 数列 $\{c_n\}$ を $c_n=n\cdot a_n$ $(n=1, 2, \cdots)$ で定義する。

このとき $\displaystyle\sum_{k=1}^{n}c_k=$ ツ（$n-$ テ）ト^n ＋ ナ である。

ヒント！ 等比数列 $a_n=a\cdot r^{n-1}$ の和の公式：$S_n=\dfrac{a(1-r^n)}{1-r}$ を使うと，$\dfrac{S_{20}}{S_{10}}$ は簡単な式になる。頑張ろう！

解答＆解説

数列 $\{a_n\}$ は，初項 a，公比 r $(\neq 1)$ の等比数列より，一般項 a_n と，a_1 から a_n までの和 S_n は，

$$\begin{cases} a_n=a\cdot r^{n-1} \\ S_n=\dfrac{a(1-r^n)}{1-r} \end{cases}$$ となる。

ここで，$a_5=a\cdot r^4=48$ ……①

また，$\dfrac{S_{20}}{S_{10}}=1025$ より，

$$\frac{\dfrac{a(1-r^{20})}{1-r}}{\dfrac{a(1-r^{10})}{1-r}}=1025$$

$(1-r^{10})(1+r^{10})$

$$\frac{(1-r^{10})(1+r^{10})}{1-r^{10}}=1025$$

$r^{10}=1024$

ここで，$r>0$ より

$r=2$ ……②

$2^5=32$，$2^{10}=1024$ は覚えておこう！

②を①に代入して，

$a\cdot \underbrace{2^4}_{16}=48 \quad \therefore a=3$

以上より，$a=3$，$r=2$ …(答)(ア，イ)

ここで a_1 から a_{2n} までの和 S_{2n} は，

$$S_{2n}=\frac{3(1-2^{2n})}{1-2}=3(2^{2n}-1) \quad \cdots(答)$$

(ウ，エ，オ)

また，$a_n=3\cdot 2^{n-1}>100$ のとき，

$2^{n-1}>\boxed{\frac{100}{3}}$ ＝33.33…

ここで，$2^5=32$，$2^6=64$ より，

$n-1 \geqq 6$

$\therefore$ $a_n>100$ を満たす最小の自然数 n は，7 である。……………(答)(カ)

(1) $b_n=\log_2 \frac{a_n}{3}=\log_2 \frac{3\cdot 2^{n-1}}{3}$

$=(n-1)\cdot \underbrace{\log_2 2}_{1}=n-1 \ (n=1, 2, \cdots)$

よって，

$$\sum_{k=2}^{100}\frac{1}{b_k b_{k+1}}=\sum_{k=2}^{100}\frac{1}{(k-1)\cdot k}$$

$$=\sum_{k=2}^{100}\left(\frac{1}{k-1}-\frac{1}{k}\right)$$

$$=\left(\frac{1}{1}-\frac{1}{2}\right)+\left(\frac{1}{2}-\frac{1}{3}\right)+\cdots$$

$$+\left(\frac{1}{98}-\frac{1}{99}\right)+\left(\frac{1}{99}-\frac{1}{100}\right)$$

$$\sum_{k=2}^{100}\frac{1}{b_k b_{k+1}}=1-\frac{1}{100}=\frac{99}{100} \quad \cdots\cdots(答)$$

(キク，ケコサ)

$\sum_{k=2}^{100}\left(\frac{1}{k-1}-\frac{1}{k}\right)$ は部分分数分解型のΣ計算の問題で，これは途中の項がすべて消去されて，初めの1項と最後の1項だけが残るんだね。

次に，

$$\sum_{k=2}^{20}\frac{1}{b_k b_{k+2}}=\sum_{k=2}^{20}\underbrace{\frac{1}{(k-1)(k+1)}}_{\frac{1}{2}\left(\frac{1}{k-1}-\frac{1}{k+1}\right)}$$

部分分数に分解

$$=\frac{1}{2}\sum_{k=2}^{20}\left(\frac{1}{k-1}-\frac{1}{k+1}\right)$$

$$=\frac{1}{2}\sum_{k=2}^{20}\left\{\left(\frac{1}{1}-\frac{1}{3}\right)+\left(\frac{1}{2}-\frac{1}{4}\right)+\right.$$

$$+\left(\frac{1}{3}-\frac{1}{5}\right)+\left(\frac{1}{4}-\frac{1}{6}\right)+\cdots$$

$$\left.+\left(\frac{1}{18}-\frac{1}{20}\right)+\left(\frac{1}{19}-\frac{1}{21}\right)\right\}$$

$$=\frac{1}{2}\left(1+\frac{1}{2}-\frac{1}{20}-\frac{1}{21}\right)$$

$$=\frac{1}{2}\left(\underbrace{\frac{3}{2}-\frac{1}{20}}_{\frac{29}{20}}-\frac{1}{21}\right)$$

$$=\frac{1}{2}\left(\frac{29}{20}-\frac{1}{21}\right)$$

$$=\frac{1}{2}\cdot\frac{29\cdot 21-20}{20\cdot 21}$$

$$=\frac{589}{840} \quad \cdots\cdots\cdots\cdots(答)$$

(シスセ，ソタチ)

$\frac{1}{2}\sum_{k=2}^{20}\left(\frac{1}{k-1}-\frac{1}{k+1}\right)$ の形の部分分数分解型の $\sum$ 計算では，初めの 2 項と最後の 2 項だけが残るんだね。

(2) $c_n = n\cdot a_n = n\cdot 3\cdot 2^{n-1}$

（n：等差数列）（$3\cdot 2^{n-1}$：等比数列）

ここで，$T_n = \sum_{k=1}^{n} c_k = 3\sum_{k=1}^{n} k\cdot 2^{k-1}$

とおくと，

$$\frac{T_n}{3} = 1\cdot 1 + 2\cdot 2 + 3\cdot 2^2 + \cdots + n\cdot 2^{n-1} \cdots ③$$

$$2\cdot\frac{T_n}{3} = 1\cdot 2 + 2\cdot 2^2 + \cdots + (n-1)\cdot 2^{n-1} + n\cdot 2^n \cdots ④$$

（2：等比数列の公比）

③ − ④より，

$$-\frac{T_n}{3} = 1 + 2 + 2^2 + \cdots + 2^{n-1} - n\cdot 2^n$$

$$1 + 2 + 2^2 + \cdots + 2^{n-1} = \frac{1\cdot(1-2^n)}{1-2} = 2^n - 1 \quad \text{（等比数列の和）}$$

$$\therefore T_n = -3(2^n - 1 - n\cdot 2^n)$$

$$= 3(n-1)\cdot 2^n + 3 \quad \cdots\cdots\cdots\cdots\text{(答)}$$

（ツ，テ，ト，ナ）

この数列 $\{c_n\}$ のように，等差数列と等比数列の積の形の数列の $\sum$ 計算では，まず，この数列の和を示し，その下に，公比倍した式を列記して，③−④の引き算を行えば，等比数列の和の部分が現れるので，うまく計算できるんだね。この解法パターンも頭に入れておこう。

第4問（選択問題）（配点　20）

三角形 **OAB** について，

$\overrightarrow{OA}=\vec{a}$，$\overrightarrow{OB}=\vec{b}$ とおくと，

$|\vec{a}|=3$，$|\vec{b}|=2$，$\vec{a}\cdot\vec{b}=-1$

である。また，

辺 **OA** を **2：1** に内分する点を **P**，

辺 **AB** を $t:1-t$ に内分する点を

Q とおく。（ただし，$0<t<1$ とする。）

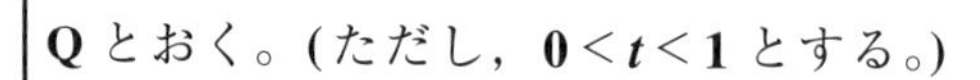

また，線分 **PB** と線分 **OQ** の交点を **R** とおく。このとき，$AB=\sqrt{\boxed{アイ}}$ である。

(1) $\overrightarrow{PB}=-\dfrac{\boxed{ウ}}{\boxed{エ}}\vec{a}+\vec{b}$ であり，

$\overrightarrow{OQ}=(\boxed{オ}-t)\vec{a}+\boxed{カ}\,t\vec{b}$ であり，

$\overrightarrow{OR}=\dfrac{\boxed{キ}(1-t)}{\boxed{ク}-t}\vec{a}+\dfrac{\boxed{ケ}\,t}{\boxed{コ}-t}\vec{b}$ である。

(2) $\angle ORB=90^\circ$ のとき，$t=\dfrac{\boxed{サ}}{\boxed{シ}}$ である。

このとき，$|\overrightarrow{OR}|=\dfrac{\sqrt{\boxed{スセ}}}{\boxed{ソ}}$，$|\overrightarrow{RB}|=\dfrac{\sqrt{\boxed{タチ}}}{\boxed{ツ}}$ である。

ヒント！ △**OAB** についての平面ベクトルの問題なんだね。内分点の公式と内積の演算を利用して，テンポよく解いていくことが重要だ！

解答＆解説

△**OAB** について，$\overrightarrow{OA}=\vec{a}$，$\overrightarrow{OB}=\vec{b}$

とおくと，

$|\vec{a}|=3$，$|\vec{b}|=2$，$\vec{a}\cdot\vec{b}=-1$ より，

$$AB^2=|\overrightarrow{AB}|^2=|\vec{b}-\vec{a}|^2=|\vec{a}-\vec{b}|^2$$

$$=\underbrace{|\vec{a}|^2}_{3^2}-2\underbrace{\vec{a}\cdot\vec{b}}_{-1}+\underbrace{|\vec{b}|^2}_{2^2}$$

$$=9+2+4=15$$

$\therefore\ AB=\sqrt{15}$ …………(答)（アイ）

(1)・$\overrightarrow{PB}$ について，

$\overrightarrow{OP}=\dfrac{2}{3}\vec{a}$

より，

$$\overrightarrow{PB}=\overrightarrow{OB}-\overrightarrow{OP}$$

$$=\vec{b}-\frac{2}{3}\vec{a}$$

$\therefore\ \overrightarrow{PB}=-\dfrac{2}{3}\vec{a}+\vec{b}$ ………(答)

（ウ，エ）

・$\overrightarrow{\mathrm{OQ}}$ について，

点 Q は辺 AB を $t:1-t$ に内分するので，

$\overrightarrow{\mathrm{OQ}}=(1-t)\vec{a}+1\cdot t\vec{b}$ ……①(答)

(オ，カ)

・$\overrightarrow{\mathrm{OR}}$ について，

$\overrightarrow{\mathrm{OR}}=k\overrightarrow{\mathrm{OQ}}$ $(0<k<1)$ とおくと，

①より，

$$\overrightarrow{\mathrm{OR}}=k\{(1-t)\vec{a}+t\vec{b}\}$$
$$=k(1-t)\vec{a}+kt\vec{b}\ \cdots\cdots②$$
$$=\underbrace{\frac{3k(1-t)}{2}}_{1-s}\underbrace{\frac{2}{3}\vec{a}}_{\overrightarrow{\mathrm{OP}}}+\underbrace{kt}_{s}\cdot\underbrace{\vec{b}}_{\overrightarrow{\mathrm{OB}}}$$

ここで，PR：RB $=s:1-s$

とおくと，

$\overrightarrow{\mathrm{OR}}=(1-s)\overrightarrow{\mathrm{OP}}+s\overrightarrow{\mathrm{OB}}$ より，

$$\underbrace{\frac{3k(1-t)}{2}}_{1-s}+\underbrace{kt}_{s}=1$$

$1-s+s=1$ のこと

$$k(3-3t+2t)=2$$

$$k=\frac{2}{3-t}\ \cdots\cdots③$$

③を②に代入して，

$\overrightarrow{\mathrm{OR}}=\dfrac{2(1-t)}{3-t}\vec{a}+\dfrac{2t}{3-t}\vec{b}$ …④(答)

(キ，ク，ケ，コ)

OQ：OR $=1:k$

より，

OR：RQ

$=k:1-k$

よって，メネラウスの定理より，

$$\frac{1}{1-t}\times\frac{2}{1}\times\frac{1-k}{k}=1$$

$\dfrac{②}{①}\times\dfrac{④}{③}\times\dfrac{⑥}{⑤}=1$

$$2(1-k)=(1-t)k$$
$$2-2k=(1-t)k$$
$$(3-t)k=2\qquad\therefore\ k=\frac{2}{3-t}$$

と求めてもいい。

(2) $\angle\mathrm{ORB}=90^\circ$ となるとき，

$\overrightarrow{\mathrm{PB}}\perp\overrightarrow{\mathrm{OQ}}$ より，

$$\underbrace{\overrightarrow{\mathrm{PB}}}_{-\frac{2}{3}\vec{a}+\vec{b}}\cdot\underbrace{\overrightarrow{\mathrm{OQ}}}_{(1-t)\vec{a}+t\vec{b}}=0$$

$$\left(-\frac{2}{3}\vec{a}+\vec{b}\right)\cdot\{(1-t)\vec{a}+t\vec{b}\}=0$$

$$\frac{2}{3}(t-1)\underbrace{|\vec{a}|^2}_{3^2}+\left(1-t-\frac{2}{3}t\right)\underbrace{\vec{a}\cdot\vec{b}}_{-1}+t\underbrace{|\vec{b}|^2}_{2^2}=0$$

$$6(t-1)-\left(1-\frac{5}{3}t\right)+4t=0$$

$$\frac{35}{3}\cdot t-7=0$$

$$t=\frac{21}{35}=\frac{3}{5}\cdots⑤\quad\cdots(答)\ (サ，シ)$$

⑤を④に代入して，

$$\overrightarrow{\mathrm{OR}}=\frac{2\left(1-\frac{3}{5}\right)}{3-\frac{3}{5}}\vec{a}+\frac{2\cdot\frac{3}{5}}{3-\frac{3}{5}}\vec{b}$$
$$=\frac{4}{12}\vec{a}+\frac{6}{12}\vec{b}$$
$$=\frac{1}{3}\vec{a}+\frac{1}{2}\vec{b}$$

$\overrightarrow{OR} = \frac{1}{3}\vec{a} + \frac{1}{2}\vec{b}$ より，

$$|\overrightarrow{OR}|^2 = \left|\frac{1}{3}\vec{a} + \frac{1}{2}\vec{b}\right|^2$$

$$= \frac{1}{9}\underbrace{|\vec{a}|^2}_{3^2} + \frac{1}{3}\underbrace{\vec{a}\cdot\vec{b}}_{-1} + \frac{1}{4}\underbrace{|\vec{b}|^2}_{2^2}$$

$$= 1 - \frac{1}{3} + 1 = \frac{5}{3}$$

$\therefore |\overrightarrow{OR}| = \sqrt{\frac{5}{3}} = \frac{\sqrt{15}}{3}$ …………(答)

（スセ，ソ）

②より，

$$s = kt$$

$$= \frac{2}{3-t}\cdot t \qquad \left(k = \frac{2}{3-t} \cdots ③より\right)$$

$$= \frac{2}{3-\frac{3}{5}}\cdot\frac{3}{5} \qquad (⑤より)$$

$$= \frac{6}{12} = \frac{1}{2}$$

よって，点 R は線分 PB の中点である。

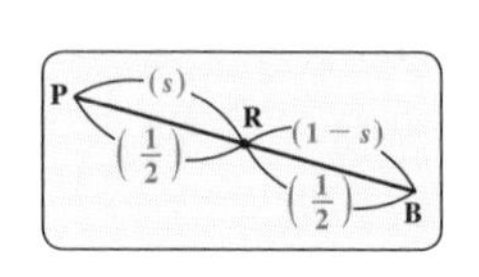

ここで，

$\overrightarrow{PB} = \vec{b} - \frac{2}{3}\vec{a}$ より，

$$|\overrightarrow{PB}|^2 = \left|\vec{b} - \frac{2}{3}\vec{a}\right|^2$$

$$= \underbrace{|\vec{b}|^2}_{2^2} - \frac{4}{3}\underbrace{\vec{a}\cdot\vec{b}}_{-1} + \frac{4}{9}\underbrace{|\vec{a}|^2}_{3^2}$$

$$= 4 + \frac{4}{3} + 4 = \frac{28}{3}$$

$$\therefore |\overrightarrow{PB}| = \sqrt{\frac{28}{3}} = \frac{2\sqrt{7}}{\sqrt{3}} = \frac{2\sqrt{21}}{3}$$

$\therefore |\overrightarrow{RB}| = \frac{1}{2}|\overrightarrow{PB}| = \frac{\sqrt{21}}{3}$ ………(答)

（タチ，ツ）

第 5 問 (選択問題) (配点 20)

白玉 3 個, 赤玉 2 個, 青玉 1 個の入った箱から無作為に 1 個を取り出し, それが,

(i) 白玉ならば, 0 点とし,

(ii) 赤玉ならば, サイコロを 1 回振って出た目をそのまま得点とし,

(iii) 青玉ならば, サイコロを 1 回振って出た目の 2 倍を得点とする

ゲームを 1 回行う。この得点を X とおくと, X の取り得る値は,

$X=0, 1, 2, 3, 4, 5, 6,$ ア , イウ , 12 となる。

$X=k$ となる確率を P_k とおくと,

(ただし, 確率, 期待値, 分散はすべて既約分数で答えよ。)

$P_0=\frac{1}{\boxed{エ}}$, $P_1=\frac{1}{\boxed{オカ}}$, $P_2=\frac{1}{\boxed{キク}}$,

$P_3=\frac{1}{\boxed{ケコ}}$, $P_4=\frac{1}{\boxed{サシ}}$, $P_5=\frac{1}{\boxed{スセ}}$, $P_6=\frac{1}{\boxed{ソタ}}$ である。

X の期待値 $E(X)$ は $\frac{\boxed{チ}}{\boxed{ツ}}$ である。分散 $V(X)$ は $\frac{\boxed{テトナ}}{\boxed{ニヌ}}$ である。

X を使って, 新たな変数 Y を $Y=3X+2$ で定義する。この Y の期待値 $E(Y)$ と分散 $V(Y)$ は,

$E(Y)=\boxed{ネ}$ であり, $V(Y)=\frac{\boxed{ノハヒ}}{\boxed{フ}}$ である。

ヒント! 玉を取り出す試行とサイコロを振る試行を組み合わせた確率の問題なんだね。たとえば, $X=6$ となるとき, (i) 赤玉を出して 6 の目を出す場合と, (ii) 青玉を出して 3 の目を出す場合の 2 通りがあることに注意しよう。

解答&解説

このゲームを 1 回行って得られる得点 X の取り得る値は,

$X=0, 1, 2, 3, 4, 5, 6, 8, 10, 12$

の 10 通りである。…(答)(ア, イウ)

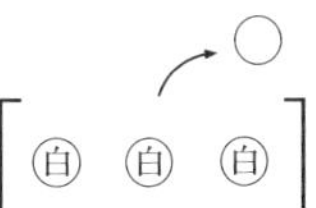

(i) 白玉ならば, 0 点

(ii) 赤玉ならサイコロの目が得点

(iii) 青玉ならサイコロの目の 2 倍が得点

白玉，赤玉，青玉を取り出す確率は，それぞれ$\frac{1}{2}$，$\frac{1}{3}$，$\frac{1}{6}$である。

ここで，$X=k\ (k=0,1,2,3,4,5,6,8,10,12)$となる確率を$P_k$とおくと，

$P_0=\frac{1}{2}\cdot 1=\frac{1}{2}$ ……………(答)(エ)

（白玉）（すべての目）

$P_1=\frac{1}{3}\cdot\frac{1}{6}=\frac{1}{18}$ ……(答)(オカ)

（赤玉）（1の目）

$P_2=\frac{1}{3}\cdot\frac{1}{6}+\frac{1}{6}\cdot\frac{1}{6}=\frac{3}{36}=\frac{1}{12}$…(答)(キク)

（赤玉）（2の目）（青玉）（1の目）

$X=2$となるとき，(ⅰ)赤玉かつ2の目が出るか，または(ⅱ)青玉かつ1の目が出る場合の2通りがある。以下，$X=4$，6のときも同様だね。

$P_3=\frac{1}{3}\cdot\frac{1}{6}=\frac{1}{18}$ ………(答)(ケコ)

（赤玉）（3の目）

$P_4=\frac{1}{3}\cdot\frac{1}{6}+\frac{1}{6}\cdot\frac{1}{6}=\frac{1}{12}$ ……(答)(サシ)

（赤玉）（4の目）（青玉）（2の目）

$P_5=\frac{1}{3}\cdot\frac{1}{6}=\frac{1}{18}$ ………(答)(スセ)

（赤玉）（5の目）

$P_6=\frac{1}{3}\cdot\frac{1}{6}+\frac{1}{6}\cdot\frac{1}{6}=\frac{1}{12}$ ……(答)(ソタ)

（赤玉）（6の目）（青玉）（3の目）

$P_8=\frac{1}{6}\cdot\frac{1}{6}=\frac{1}{36}$

（青玉）（4の目）

$P_{10}=\frac{1}{6}\cdot\frac{1}{6}=\frac{1}{36}$

（青玉）（5の目）

$P_{12}=\frac{1}{6}\cdot\frac{1}{6}=\frac{1}{36}$

（青玉）（6の目）

ここで，$P_0\sim P_{12}$の和が全確率1となることを確認しておこう。

$P_0+P_1+P_2+\cdots+P_{12}$

$=\frac{1}{2}+\frac{1}{18}+\frac{1}{12}+\frac{1}{18}+\frac{1}{12}+\frac{1}{18}+\frac{1}{12}+\frac{1}{36}+\frac{1}{36}+\frac{1}{36}$

$=\frac{1}{36}(18+2+3+2+3+2+3+1+1+1)$

$=\frac{36}{36}=1$（全確率）となって大丈夫だね！

以上より，得点Xの確率分布は次のようになる。

X	0	1	2	3	4	5
P	$\frac{1}{2}$	$\frac{1}{18}$	$\frac{1}{12}$	$\frac{1}{18}$	$\frac{1}{12}$	$\frac{1}{18}$

X	6	8	10	12
P	$\frac{1}{12}$	$\frac{1}{36}$	$\frac{1}{36}$	$\frac{1}{36}$

以上より，得点Xの期待値（平均）$E(X)$を求めると，

$$E(X) = \cancel{0 \cdot P_0} + 1 \cdot P_1 + 2 \cdot P_2 + \cdots + 12 \cdot P_{12}$$

$$= 1 \cdot \frac{1}{18} + 2 \cdot \frac{1}{12} + 3 \cdot \frac{1}{18} + 4 \cdot \frac{1}{12} + 5 \cdot \frac{1}{18} + 6 \cdot \frac{1}{12} + 8 \cdot \frac{1}{36} + 10 \cdot \frac{1}{36} + 12 \cdot \frac{1}{36}$$

$$= \frac{1}{36}(2 + 6 + 6 + 12 + 10 + 18 + 8 + 10 + 12)$$

$$= \frac{84}{36} = \frac{7}{3} \quad \cdots\cdots\cdots (答)(チ, ツ)$$

X の分散 $V(X)$ を求めると，

$$V(X) = \cancel{0^2 \cdot P_0} + 1^2 \cdot P_1 + 2^2 \cdot P_2 + \cdots + 12^2 \cdot P_{12} - \{\underbrace{E(X)}_{\frac{7}{3}}\}^2$$

$$= 1^2 \cdot \frac{1}{18} + 2^2 \cdot \frac{1}{12} + 3^2 \cdot \frac{1}{18} + 4^2 \cdot \frac{1}{12} + 5^2 \cdot \frac{1}{18} + 6^2 \cdot \frac{1}{12} + 8^2 \cdot \frac{1}{36} + 10^2 \cdot \frac{1}{36} + 12^2 \cdot \frac{1}{36} - \left(\frac{7}{3}\right)^2$$

$$= \frac{1}{18} + \frac{1}{3} + \frac{1}{2} + \frac{4}{3} + \frac{25}{18} + 3 + \frac{16}{9} + \frac{25}{9} + 4 - \frac{49}{9}$$

$$= \frac{13 + 16 + 25 - 49}{9} + \frac{2 + 3 + 8}{6} + 7$$

$$= \frac{5}{9} + \frac{13}{6} + 7 = \frac{10 + 39 + 126}{18}$$

$$\therefore\ V(X) = \frac{175}{18} \quad \cdots(答)(テトナ, ニヌ)$$

ここで，$Y = 3X + 2$ で定義される確率変数 Y の期待値 $E(Y)$ と分散 $V(Y)$ は，

$$E(Y) = E(3X + 2)$$

$$= 3\underbrace{E(X)}_{\frac{7}{3}} + 2 = 9 \quad \cdots\cdots (答)(ネ)$$

$$V(Y) = V(3X + 2)$$

$$= 3^2 \cdot \underbrace{V(X)}_{\frac{175}{18}} = \frac{175}{2} \quad \cdots\cdots\cdots (答)$$

(ノハヒ, フ)

第1問（必答問題）（配点　30）

[1] (1) 次の**問題A**について考えよう。

> **問題A** 関数 $y=\sin\theta+\sqrt{3}\cos\theta\ \left(0 \leqq \theta \leqq \dfrac{\pi}{2}\right)$ の最大値を求めよ。

$\sin\dfrac{\pi}{\boxed{\text{ア}}}=\dfrac{\sqrt{3}}{2}$，$\cos\dfrac{\pi}{\boxed{\text{ア}}}=\dfrac{1}{2}$ であるから，三角関数の合成により

$y=\boxed{\text{イ}}\sin\left(\theta+\dfrac{\pi}{\boxed{\text{ア}}}\right)$ と変形できる。よって，

y は $\theta=\dfrac{\pi}{\boxed{\text{ウ}}}$ で最大値 $\boxed{\text{エ}}$ をとる。

(2) p を定数とし，次の**問題B**について考えよう。

> **問題B** 関数 $y=\sin\theta+p\cos\theta\ \left(0 \leqq \theta \leqq \dfrac{\pi}{2}\right)$ の最大値を求めよ。

(i) $p=0$ のとき，y は $\theta=\dfrac{\pi}{\boxed{\text{オ}}}$ で最大値 $\boxed{\text{カ}}$ をとる。

(ii) $p>0$ のときは，加法定理

$\cos(\theta-\alpha)=\cos\theta\cos\alpha+\sin\theta\sin\alpha$ を用いると

$y=\sin\theta+p\cos\theta=\sqrt{\boxed{\text{キ}}}\cos(\theta-\alpha)$ と表すことができる。

ただし，α は $\sin\alpha=\dfrac{\boxed{\text{ク}}}{\sqrt{\boxed{\text{キ}}}}$，$\cos\alpha=\dfrac{\boxed{\text{ケ}}}{\sqrt{\boxed{\text{キ}}}}$，$0<\alpha<\dfrac{\pi}{2}$ を

満たすものとする。このとき，y は $\theta=\boxed{\text{コ}}$ で最大値 $\sqrt{\boxed{\text{サ}}}$ をとる。

(iii) $p<0$ のとき，y は $\theta=\boxed{\text{シ}}$ で最大値 $\boxed{\text{ス}}$ をとる。

$\boxed{\text{キ}}$～$\boxed{\text{ケ}}$，$\boxed{\text{サ}}$，$\boxed{\text{ス}}$ の解答群（同じものを繰り返し選んでもよい。）

⓪ -1	① 1	② $-p$
③ p	④ $1-p$	⑤ $1+p$
⑥ $-p^2$	⑦ p^2	⑧ $1-p^2$
⑨ $1+p^2$	ⓐ $(1-p)^2$	ⓑ $(1+p)^2$

$\boxed{\text{コ}}$，$\boxed{\text{シ}}$ の解答群（同じものを繰り返し選んでもよい。）

⓪ 0	① α	② $\dfrac{\pi}{2}$

ヒント！ 三角関数の合成と最大値の標準問題なので，テンポよく解いていこう！

解答＆解説

[1] (1) $y=1\cdot\sin\theta+\sqrt{3}\cdot\cos\theta\ \left(0\leqq\theta\leqq\frac{\pi}{2}\right)$

$=2\left(\frac{1}{2}\cdot\sin\theta+\frac{\sqrt{3}}{2}\cdot\cos\theta\right)$

（$2=\sqrt{1^2+(\sqrt{3})^2}$，$\frac{1}{2}=\cos\frac{\pi}{3}$，$\frac{\sqrt{3}}{2}=\sin\frac{\pi}{3}$）

$=2\left(\sin\theta\cdot\cos\frac{\pi}{3}+\cos\theta\cdot\sin\frac{\pi}{3}\right)$

………(答)(ア)

$\therefore y=2\sin\left(\theta+\frac{\pi}{3}\right)$ ……(答)(イ)

ここで，$\frac{\pi}{3}\leqq\theta+\frac{\pi}{3}\leqq\frac{5}{6}\pi$ より，

（$\frac{\pi}{3}=0+\frac{\pi}{3}$，$\frac{5}{6}\pi=\frac{\pi}{2}+\frac{\pi}{3}$）

y は，$\theta+\frac{\pi}{3}=\frac{\pi}{2}$，すなわち

$\theta=\frac{\pi}{6}$ のとき，最大値 2 をとる。

………(答)(ウ，エ)

(2) $y=1\cdot\sin\theta+p\cdot\cos\theta$ ……①

$\left(0\leqq\theta\leqq\frac{\pi}{2}\right)$ について，

(i) $p=0$ のとき，①は，

$y=\sin\theta\ \left(0\leqq\theta\leqq\frac{\pi}{2}\right)$ より，

y は，$\theta=\frac{\pi}{2}$ のとき，最大値

1 をとる。……(答)(オ，カ)

(ii) $p>0$ のとき，①を変形して，

$y=\sqrt{1+p^2}\left(\frac{p}{\sqrt{1+p^2}}\cos\theta+\frac{1}{\sqrt{1+p^2}}\cdot\sin\theta\right)$

（$\frac{p}{\sqrt{1+p^2}}=\cos\alpha$，$\frac{1}{\sqrt{1+p^2}}=\sin\alpha$）

$\therefore y=\sqrt{1+p^2}(\cos\theta\cos\alpha+\sin\theta\sin\alpha)$

$=\sqrt{1+p^2}\cos(\theta-\alpha)$

$\left(\sin\alpha=\frac{1}{\sqrt{1+p^2}},\ \cos\alpha=\frac{p}{\sqrt{1+p^2}}\right)$ より，

⑨…(答)(キ)，①…(答)(ク)

③…(答)(ケ)

$\sin\alpha>0$，$\cos\alpha>0$ より，

$0<\alpha<\frac{\pi}{2}$

ここで，$-\alpha\leqq\theta-\alpha\leqq\frac{\pi}{2}-\alpha$

（$-\alpha=0-\alpha$，$\frac{\pi}{2}-\alpha$）

$\therefore y$ は，$\theta-\alpha=0$，

すなわち $\theta=\alpha$

のとき，

最大値

$y=\sqrt{1+p^2}\times1$

$=\sqrt{1+p^2}$

をとる。

$\therefore$ ①…(答)(コ)，⑨…(答)(サ)

(iii) $p<0$ のとき，①は，

$y=\sqrt{1+p^2}\cos(\theta-\alpha)$

$\left(\sin\alpha=\frac{1}{\sqrt{1+p^2}},\ \cos\alpha=\frac{p}{\sqrt{1+p^2}}\ (<0)\right)$

$\sin\alpha>0$，$\cos\alpha<0$ より，

$\frac{\pi}{2}<\alpha<\pi$　ここで，

$-\alpha\leqq\theta-\alpha\leqq\frac{\pi}{2}-\alpha$

$\therefore y$ は，

$\theta-\alpha=\frac{\pi}{2}-\alpha$

すなわち，

$\theta=\frac{\pi}{2}$ のとき，

①より，最大値

$y=\sin\frac{\pi}{2}+p\cdot\cos\frac{\pi}{2}=1$ をとる。

$\therefore$ ②…(答)(シ)，①…(答)(ス)

第１問（必答問題）（配点　30）

[2] 二つの関数 $f(x)=\dfrac{2^x+2^{-x}}{2}$，$g(x)=\dfrac{2^x-2^{-x}}{2}$ について考える。

(1) $f(0)=$ セ，$g(0)=$ ソ である。また，$f(x)$ は相加平均と相乗平均の関係から，$x=$ タ で最小値 チ をとる。

$g(x)=-2$ となる x の値は $\log_2\left(\sqrt{ツ}-テ\right)$ である。

(2) 次の①〜④は，x にどのような値を代入してもつねに成り立つ。

$f(-x)=$ ト　　　……………①

$g(-x)=$ ナ　　　……………②

$\{f(x)\}^2-\{g(x)\}^2=$ ニ　　　……………③

$g(2x)=$ ヌ $f(x)g(x)$　　　……………④

ト，ナ の解答群（同じものを繰り返し選んでもよい。）

⓪ $f(x)$	① $-f(x)$	② $g(x)$	③ $-g(x)$

(3) 花子さんと太郎さんは，$f(x)$ と $g(x)$ の性質について話している。

花子：①〜④は三角関数の性質に似ているね。
太郎：三角関数の加法定理に類似した式 (A)〜(D) を考えてみたけど，つねに成り立つ式はあるのだろうか。
花子：成り立たない式を見つけるために，式 (A)〜(D) の β に何か具体的な値を代入して調べてみたらどうかな。

太郎さんが考えた式

$f(\alpha-\beta)=f(\alpha)g(\beta)+g(\alpha)f(\beta)$ ……………(A)

$f(\alpha+\beta)=f(\alpha)f(\beta)+g(\alpha)g(\beta)$ ……………(B)

$g(\alpha-\beta)=f(\alpha)f(\beta)+g(\alpha)g(\beta)$ ……………(C)

$g(\alpha+\beta)=f(\alpha)g(\beta)-g(\alpha)f(\beta)$ ……………(D)

(1)，(2) で示されたことのいくつかを利用すると，式 (A)〜(D) のうち，ネ 以外の三つは成り立たないことがわかる。ネ は左辺と右辺をそれぞれ計算することによって成り立つことが確かめられる。

ネ の解答群

⓪ (A)	① (B)	② (C)	③ (D)

ヒント！ 易しい指数・対数関数の問題だ。冗長な文章から，本質的な流れをとらえて短時間に解いていくことがポイントになる。

解答＆解説

[2] $f(x)=\dfrac{2^x+2^{-x}}{2}$ ……①,

$g(x)=\dfrac{2^x-2^{-x}}{2}$ ……② とおく。

(1) ①, ②に $x=0$ を代入して，

$f(0)=\dfrac{2^0+2^{-0}}{2}=\dfrac{1+1}{2}=1$ ………(答)(セ)

$g(0)=\dfrac{2^0-2^{-0}}{2}=\dfrac{1-1}{2}=0$ ………(答)(ソ)

・$2^x>0$, $2^{-x}>0$ より，相加・相乗平均の式から，

$2^x+2^{-x}\geqq 2\sqrt{\underbrace{2^x\cdot 2^{-x}}_{1}}$

相加・相乗平均の式
$a>0$, $b>0$ のとき，
$a+b\geqq 2\sqrt{ab}$
(等号成立条件：$a=b$)

$2^x+2^{-x}\geqq 2$ (等号成立条件：$x=0$)

よって， ($2^x=2^{-x}$ より，$2^{2x}=1(=2^0)$)

$f(x)=\dfrac{2^x+2^{-x}}{2}\geqq 1$ より，

$f(x)$は, $x=0$で最小値1をとる。 ………(答)(タ, チ)

・$g(x)=\dfrac{2^x-2^{-x}}{2}=-2$ のとき，

$2^x=X$ とおくと，

$2^{-x}=\dfrac{1}{X}$ より，$\dfrac{1}{2}\left(X-\dfrac{1}{X}\right)=-2$

$X-\dfrac{1}{X}=-4 \quad X^2+4X-1=0$

$\therefore X=-2\pm\sqrt{4+1}=-2\pm\sqrt{5}$

ここで，$X=2^x>0$ より，

$X=2^x=\sqrt{5}-2$ となる。よって，

$x=\log_2(\sqrt{5}-2)$ …(答)(ツ, テ)

(2) ・$f(-x)=\dfrac{2^{-x}+2^x}{2}=f(x)$ ∴⓪…(答)(ト)

・$g(-x)=\dfrac{2^{-x}-2^x}{2}=-\dfrac{2^x-2^{-x}}{2}=-g(x)$

∴③ ……………………(答)(ナ)

・$\{f(x)\}^2-\{g(x)\}^2$

$=\dfrac{1}{4}(2^x+2^{-x})^2-\dfrac{1}{4}(2^x-2^{-x})^2$

$=\dfrac{1}{4}(2^{2x}+\underbrace{2}_{2\cdot 2^x\cdot 2^{-x}}+2^{-2x})-\dfrac{1}{4}(2^{2x}-\underbrace{2}_{2\cdot 2^x\cdot 2^{-x}}+2^{-2x})$

$=\dfrac{1}{2}+\dfrac{1}{2}=1$ ………(答)(ニ)

・$g(2x)=\dfrac{2^{2x}-2^{-2x}}{2}$

$=2\cdot\dfrac{(2^x+2^{-x})(2^x-2^{-x})}{4}$

$=2\cdot\dfrac{2^x+2^{-x}}{2}\cdot\dfrac{2^x-2^{-x}}{2}$

$=2\cdot f(x)\cdot g(x)$ ………(答)(ヌ)

(3) $\beta=0$ を(A), (B), (C), (D)に代入すると，

(A) $f(\alpha)=f(\alpha)\cdot\underbrace{g(0)}_{0}+g(\alpha)\cdot\underbrace{f(0)}_{1}=g(\alpha)$

となって，成り立たない。

(B) $f(\alpha)=f(\alpha)\cdot\underbrace{f(0)}_{1}+g(\alpha)\cdot\underbrace{g(0)}_{0}=f(\alpha)$

となって，成り立つ。

(C) $g(\alpha)=f(\alpha)\cdot\underbrace{f(0)}_{1}+g(\alpha)\cdot\underbrace{g(0)}_{0}=f(\alpha)$

となって，成り立たない。

(D) $g(\alpha)=f(\alpha)\cdot\underbrace{g(0)}_{0}-g(\alpha)\cdot\underbrace{f(0)}_{1}=-g(\alpha)$

となって，成り立たない。

∴① ……………………(答)(ネ)

((B)式が本当に成り立つのかについてマーク式のテストなので調べる必要はない。)

第2問（必答問題）（配点 30）

(1) 座標平面上で，次の二つの **2** 次関数のグラフについて考える。

$y=3x^2+2x+3$ ……①　　$y=2x^2+2x+3$ ……②

①，②の **2** 次関数のグラフには次の共通点がある。

共通点

・y 軸との交点の y 座標は ア である。

・y 軸との交点における接線の方程式は $y=$ イ $x+$ ウ である。

次の⓪～⑤の **2** 次関数のグラフのうち，y 軸との交点における接線の方程式が $y=$ イ $x+$ ウ となるものは エ である。

エ の解答群

⓪ $y=3x^2-2x-3$	① $y=-3x^2+2x-3$
② $y=2x^2+2x-3$	③ $y=2x^2-2x+3$
④ $y=-x^2+2x+3$	⑤ $y=-x^2-2x+3$

a, b, c を **0** でない実数とする。

曲線 $y=ax^2+bx+c$ 上の点 $(0,$ オ $)$ における接線を l とすると，その方程式は $y=$ カ $x+$ キ である。

接線 l と x 軸との交点の x 座標は $\dfrac{\text{クケ}}{\text{コ}}$ である。

a, b, c が正の実数であるとき，曲線 $y=ax^2+bx+c$ と接線 l および直線 $x=\dfrac{\text{クケ}}{\text{コ}}$ で囲まれた図形の面積を S とすると，$S=\dfrac{ac^{\text{サ}}}{\text{シ}\,b^{\text{ス}}}$ …③ である。

③において，$a=1$ とし，S の値が一定となるように正の実数 b, c の値を変化させる。このとき，b と c の関数を表すグラフの概形は セ である。

セ については，最も適当なものを，次の⓪～⑤のうちから一つ選べ。

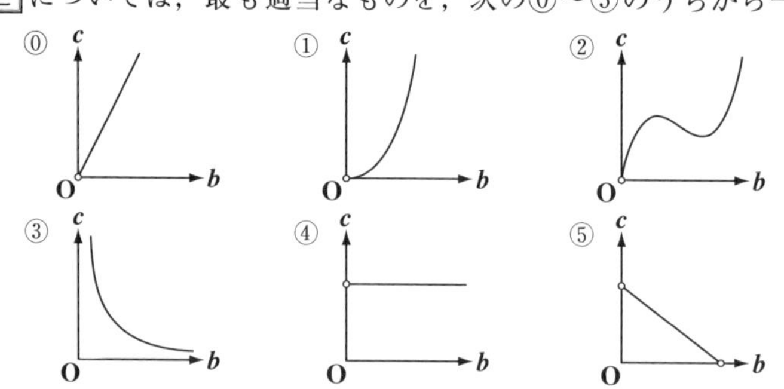

(2) 座標平面上で，次の三つの **3** 次関数のグラフについて考える。

$y=4x^3+2x^2+3x+5$ ……④　　$y=-2x^3+7x^2+3x+5$ ……⑤

$y=5x^3-x^2+3x+5$ ……⑥

④，⑤，⑥の **3** 次関数のグラフには次の共通点がある。

共通点

・y 軸との交点の y 座標は $\boxed{\text{ソ}}$ である。

・y 軸との交点における接線の方程式は $y=\boxed{\text{タ}}\,x+\boxed{\text{チ}}$ である。

$a,\ b,\ c,\ d$ を **0** でない実数とする。

曲線 $y=ax^3+bx^2+cx+d$ 上の点 $\left(0,\ \boxed{\text{ツ}}\right)$ における接線の方程式は $y=\boxed{\text{テ}}\,x+\boxed{\text{ト}}$ である。

次に，$f(x)=ax^3+bx^2+cx+d$，$g(x)=\boxed{\text{テ}}\,x+\boxed{\text{ト}}$ とし，$f(x)-g(x)$ について考える。

$h(x)=f(x)-g(x)$ とおく。$a,\ b,\ c,\ d$ が正の実数であるとき，$y=h(x)$ のグラフの概形は $\boxed{\text{ナ}}$ である。

$y=f(x)$ のグラフと $y=g(x)$ のグラフの共有点の x 座標は $\dfrac{\boxed{\text{ニヌ}}}{\boxed{\text{ネ}}}$ と $\boxed{\text{ノ}}$ である。また，x が $\dfrac{\boxed{\text{ニヌ}}}{\boxed{\text{ネ}}}$ と $\boxed{\text{ノ}}$ の間を動くとき，

$|f(x)-g(x)|$ の値が最大となるのは，$x=\dfrac{\boxed{\text{ハヒフ}}}{\boxed{\text{ヘホ}}}$ のときである。

$\boxed{\text{ナ}}$ については，最も適当なものを，次の⓪～⑤のうちから一つ選べ。

⓪
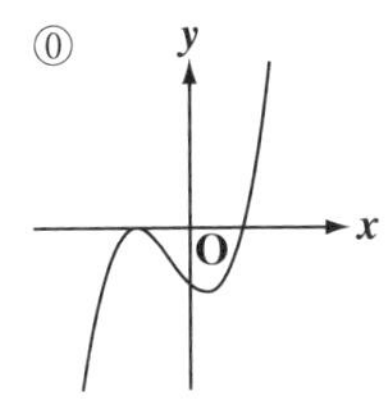

①
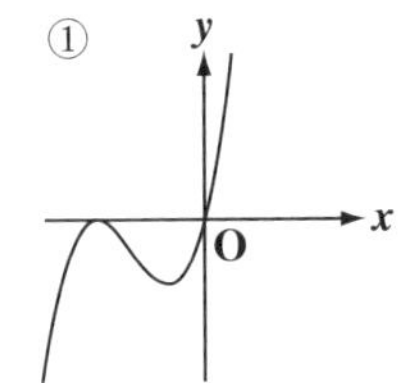

②
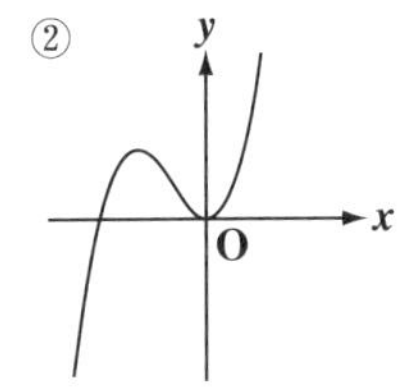

③
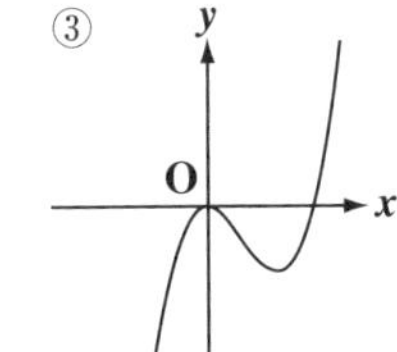

④
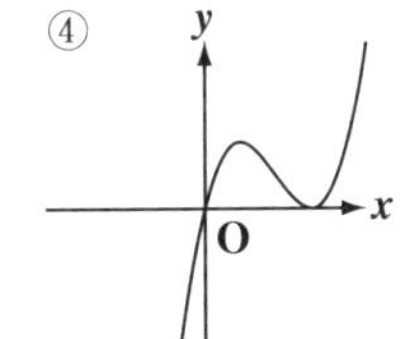

⑤
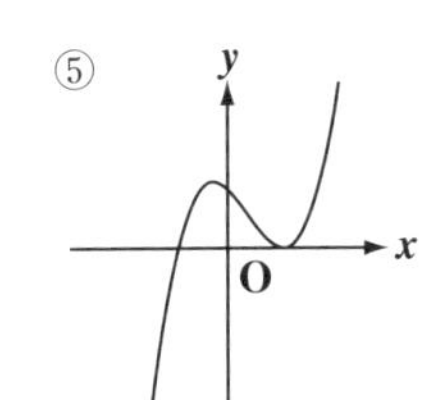

ヒント！ **2** 次関数や **3** 次関数の接線を中心とした，微分積分の基本問題だね。問題文は長いけれど，考え方も計算も易しいので **10** 分以内でテンポよく解いていこう。

解答＆解説

(1) $y=f_1(x)=3x^2+2x+3\cdots$①

$y=f_2(x)=2x^2+2x+3\cdots$②とおく。

・$x=0$ のとき，①，②は，

$f_1(0)=3$，$f_2(0)=3$ より，①と②の y 切片は 3 ……………(答)(ア)

・$f_1'(x)=6x+2$，$f_2'(x)=4x+2$

より，$f_1'(0)=f_2'(0)=2$ となる。

よって，点 $(0,\ 3)$ における①と②の共通接線は

$y=2x+3$…………(答)(イ，ウ)

・よって，同じ点 $(0,\ 2)$ においてこれと同じ接線をもつ **2** 次関数は，

④ $y=-x^2+2x+3$　∴④…(答)(エ)

（$2x$：傾き，3：y 切片）

・同様に，曲線 $y=ax^2+bx+c\cdots$㋐

（b：傾き，c：y 切片）

$(a\neq0,\ b\neq0,\ c\neq0)$ 上の点 $(0,\ c)$ における接線 l の方程式は，

$y=bx+c\cdots$⓪…(答)(オ，カ，キ)

$y=0$ のとき⓪は，$bx+c=0$ より，

$x=\dfrac{-c}{b}$　よって，l と x 軸との交点の x 座標は $\dfrac{-c}{b}$ である。

………(答)(クケ，コ)

$a>0$，$b>0$，$c>0$ のとき，㋐と接線 l と直線 $x=-\dfrac{c}{b}$ とで囲まれる図形の面積 S を求めると，

$$S=\int_{-\frac{c}{b}}^{0}\{ax^2+bx+c-(bx+c)\}dx$$

$$=\frac{a}{3}\left[x^3\right]_{-\frac{c}{b}}^{0}=\frac{a}{3}\left\{0-\left(-\frac{c}{b}\right)^3\right\}$$

$$=\frac{a}{3}\cdot\frac{c^3}{b^3}=\frac{ac^3}{3b^3}\cdots\cdots③ \text{ である。}$$

………(答)(サ，シ，ス)

$S=\dfrac{a}{3}\cdot\dfrac{c^3}{b^3}$ において，$a=1$，

$S=$(定数)とすると，$\left(\dfrac{c}{b}\right)^3=\dfrac{3S}{a}$

両辺を $\dfrac{1}{3}$ 乗して，$\dfrac{c}{b}=\left(\dfrac{3S}{a}\right)^{\frac{1}{3}}$（定数 k とおく）

となる。ここで，$\left(\dfrac{3S}{a}\right)^{\frac{1}{3}}=k$(定数)とおくと，$c=k\cdot b$ となって，これは bc 平面上の原点を通る半直線となる。

∴⓪……(答)(セ)

(2) $y=g_1(x)=4x^3+2x^2+3x+5\cdots$④

$y=g_2(x)=-2x^3+7x^2+3x+5\cdots$⑤

$y=g_3(x)=5x^3-x^2+3x+5\cdots$⑥

とおく。$g_1(0)=g_2(0)=g_3(0)=5$

より，④，⑤，⑥の y 切片は 5

………(答)(ソ)

次に $g_1'(x)=12x^2+4x+3$

$g_2'(x)=-6x^2+14x+3$

$g_3'(x)=15x^2-2x+3$ より，

$g_1'(0)=g_2'(0)=g_3'(0)=3$ となるので，④，⑤，⑥は共有点 $(0,\ 5)$ において共通接線をもち，その方程式は，$y=3x+5$ である。

………(答)(タ，チ)

・$y=f(x)=ax^3+bx^2+cx+d$…㋑
（c：傾き，d：y切片）

$(a\neq 0,\ b\neq 0,\ c\neq 0,\ d\neq 0)$とおく。
$f(0)=d,\ f'(x)=3ax^2+2bx+c,$
$f'(0)=c$ より，
$y=f(x)$ 上の点 $(0,\ d)$ における
………(答)(ツ)
㋑の接線の方程式は，
$y=g(x)=cx+d$ である。
………(答)(テ，ト)

$h(x)=f(x)-g(x)$
$(a>0,\ b>0,\ c>0,\ d>0)$
について，
$h(x)=ax^3+bx^2+\cancel{cx}+\cancel{d}-(\cancel{cx}+\cancel{d})$
$=ax^3+bx^2=x^2(ax+b)$
（a：⊕，b：⊕）
となる。
よって，$h(x)=0$ のとき，
$x=0$（重解），$-\dfrac{b}{a}$ より，（$-\dfrac{b}{a}$：⊖）

3 次関数（曲線）
$y=h(x)$ は，
x 軸と $x=-\dfrac{b}{a}$
で交わり，$x=0$
で接し，かつ
$a>0$ より，右上図
のような N 字型の曲線となる。

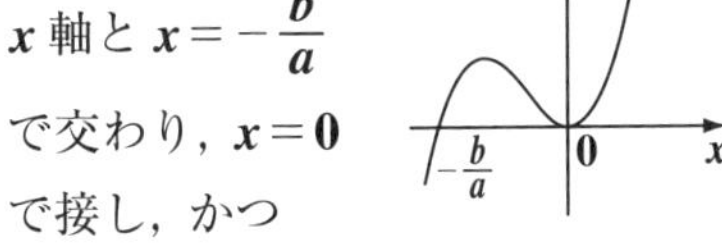

∴ ② ………………………(答)(ナ)

これから，$y=f(x)$ と $y=g(x)$
の共有点の x 座標は，
$x=\dfrac{-b}{a}$ と 0 である。
………(答)(ニヌ，ネ，ノ)

よって，関数 $y=|h(x)|$
$\left(-\dfrac{b}{a}\leqq x\leqq 0\right)$，
すなわち，
関数 $y=h(x)$
$\left(-\dfrac{b}{a}\leqq x\leqq 0\right)$
について，

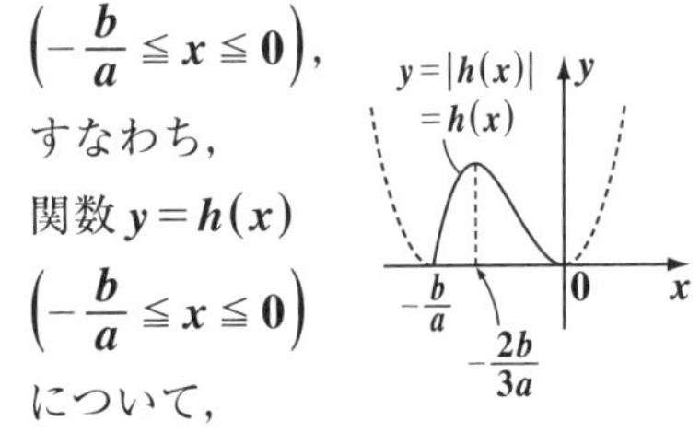

$y'=h'(x)=3ax^2+2bx$
$=x(3ax+2b)$
$h'(x)=0$ のとき，$x=-\dfrac{2b}{3a},\ 0$
となる。

$h(x)\ \left(-\dfrac{b}{a}\leqq x\leqq 0\right)$ の増減表

x	$-\frac{b}{a}$		$-\frac{2b}{3a}$		0
$h'(x)$		$+$	0	$-$	0
$h(x)$	0	↗	極大	↘	0

よって，増減表より，$y=|h(x)|$
$=h(x)$ が最大となるのは，
$x=\dfrac{-2b}{3a}$ のときである。
………(答)(ハヒフ，ヘホ)

第３問（選択問題）（配点　20）

Q 高校の校長先生は，ある日，新聞で高校生の読書に関する記事を読んだ。そこで，Q 高校の生徒全員を対象に，直前の 1 週間の読書時間に関して，100 人の生徒を無作為に抽出して調査を行った。その結果，100 人の生徒のうち，この 1 週間に全く読書をしなかった生徒が 36 人であり，100 人の生徒のこの 1 週間の読書時間 (分) の平均値は 204 であった。Q 高校の生徒全員のこの 1 週間の読書時間の母平均を m，母標準偏差を 150 とする。

(1)　全く読書をしなかった生徒の母比率を 0.5 とする。このとき，100 人の無作為標本のうちで全く読書をしなかった生徒の数を表す確率変数を X とすると，X は［ア］に従う。また，X の平均 (期待値) は［イウ］，標準偏差は［エ］である。

［ア］については，最も適当なものを，次の⓪～⑤のうちから一つ選べ。

⓪ 正規分布 $N(0, 1)$	① 二項分布 $B(0, 1)$
② 正規分布 $N(100, 0.5)$	③ 二項分布 $B(100, 0.5)$
④ 正規分布 $N(100, 36)$	⑤ 二項分布 $B(100, 36)$

(2)　標本の大きさ 100 は十分に大きいので，100 人のうち全く読書をしなかった生徒の数は近似的に正規分布に従う。

全く読書をしなかった生徒の母比率を 0.5 とするとき，全く読書をしなかった生徒が 36 人以下となる確率を p_5 とおく。p_5 の近似値を求めると，［オ］である。

また，全く読書をしなかった生徒の母比率を 0.4 とするとき，全く読書をしなかった生徒が 36 人以下となる確率を p_4 とおくと，［カ］である。

［オ］については，最も適当なものを，次の⓪～⑤のうちから一つ選べ。

⓪ 0.001	① 0.003	② 0.026
③ 0.050	④ 0.133	⑤ 0.497

［カ］の解答群

⓪ $p_4 < p_5$	① $p_4 = p_5$	② $p_4 > p_5$

(3)　1 週間の読書時間の母平均 m に対する信頼度 95% の信頼区間を $C_1 \leqq m \leqq C_2$ とする。標本の大きさ 100 は十分大きいことと，1 週間の読書時間の標本平均が 204，母標準偏差が 150 であることを用いると，

$C_1+C_2=$ キクケ ，$C_2-C_1=$ コサ . シ であることがわかる。

また，母平均 m と C_1，C_2 については， ス 。

ス の解答群

⓪ $C_1 \leqq m \leqq C_2$ が必ず成り立つ
① $m \leqq C_2$ は必ず成り立つが，$C_1 \leqq m$ が成り立つとは限らない
② $C_1 \leqq m$ は必ず成り立つが，$m \leqq C_2$ が成り立つとは限らない
③ $C_1 \leqq m$ も $m \leqq C_2$ も成り立つとは限らない

(4) Q 高校の図書委員長も，校長先生と同じ新聞記事を読んだため，校長先生が調査をしていることを知らずに，図書委員会として校長先生と同様の調査を独自に行った。ただし，調査期間は校長先生による調査と同じ直前の **1** 週間であり，対象を Q 高校の生徒全員として **100** 人の生徒を無作為に抽出した。その調査における，全く読書をしなかった生徒の数を n とする。

校長先生の調査結果によると全く読書をしなかった生徒は **36** 人であり， セ 。

セ の解答群

⓪ n は必ず **36** に等しい	① n は必ず **36** 未満である
② n は必ず **36** より大きい	③ n と **36** との大小はわからない

(5) **(4)** の図書委員会が行った調査結果による母平均 m に対する信頼度 **95%** の信頼区間を $D_1 \leqq m \leqq D_2$，校長先生が行った調査結果による母平均 m に対する信頼度 **95%** の信頼区間を **(3)** の $C_1 \leqq m \leqq C_2$ とする。ただし，母集団は同一であり，**1** 週間の読書時間の母標準偏差は **150** とする。

このとき，次の⓪～⑤のうち，正しいものは ソ と タ である。

ソ ， タ の解答群（解答の順序は問わない。）

⓪ $C_1=D_1$ と $C_2=D_2$ が必ず成り立つ。
① $C_1<D_2$ または $D_1<C_2$ のどちらか一方のみが必ず成り立つ。
② $D_2<C_1$ または $C_2<D_1$ となる場合もある。
③ $C_2-C_1>D_2-D_1$ が必ず成り立つ。
④ $C_2-C_1=D_2-D_1$ が必ず成り立つ。
⑤ $C_2-C_1<D_2-D_1$ が必ず成り立つ。

(必要であれば，下の正規分布表を用いてもよい。)

正規分布表

次の表は，標準正規分布の分布曲線における右図の灰色部分の面積の値をまとめたものである。

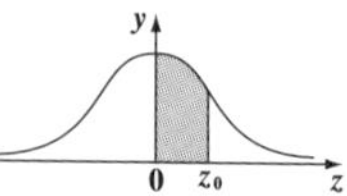

z_0	0.00	0.01	0.02	0.03	0.04	0.05	0.06	0.07	0.08	0.09
0.0	0.0000	0.0040	0.0080	0.0120	0.0160	0.0199	0.0239	0.0279	0.0319	0.0359
0.1	0.0398	0.0438	0.0478	0.0517	0.0557	0.0596	0.0636	0.0675	0.0714	0.0753
0.2	0.0793	0.0832	0.0871	0.0910	0.0948	0.0987	0.1026	0.1064	0.1103	0.1141
0.3	0.1179	0.1217	0.1255	0.1293	0.1331	0.1368	0.1406	0.1443	0.1480	0.1517
0.4	0.1554	0.1591	0.1628	0.1664	0.1700	0.1736	0.1772	0.1808	0.1844	0.1879
0.5	0.1915	0.1950	0.1985	0.2019	0.2054	0.2088	0.2123	0.2157	0.2190	0.2224
0.6	0.2257	0.2291	0.2324	0.2357	0.2389	0.2422	0.2454	0.2486	0.2517	0.2549
0.7	0.2580	0.2611	0.2642	0.2673	0.2704	0.2734	0.2764	0.2794	0.2823	0.2852
0.8	0.2881	0.2910	0.2939	0.2967	0.2995	0.3023	0.3051	0.3078	0.3106	0.3133
0.9	0.3159	0.3186	0.3212	0.3238	0.3264	0.3289	0.3315	0.3340	0.3365	0.3389
1.0	0.3413	0.3438	0.3461	0.3485	0.3508	0.3531	0.3554	0.3577	0.3599	0.3621
1.1	0.3643	0.3665	0.3686	0.3708	0.3729	0.3749	0.3770	0.3790	0.3810	0.3830
1.2	0.3849	0.3869	0.3888	0.3907	0.3925	0.3944	0.3962	0.3980	0.3997	0.4015
1.3	0.4032	0.4049	0.4066	0.4082	0.4099	0.4115	0.4131	0.4147	0.4162	0.4177
1.4	0.4192	0.4207	0.4222	0.4236	0.4251	0.4265	0.4279	0.4292	0.4306	0.4319
1.5	0.4332	0.4345	0.4357	0.4370	0.4382	0.4394	0.4406	0.4418	0.4429	0.4441
1.6	0.4452	0.4463	0.4474	0.4484	0.4495	0.4505	0.4515	0.4525	0.4535	0.4545
1.7	0.4554	0.4564	0.4573	0.4582	0.4591	0.4599	0.4608	0.4616	0.4625	0.4633
1.8	0.4641	0.4649	0.4656	0.4664	0.4671	0.4678	0.4686	0.4693	0.4699	0.4706
1.9	0.4713	0.4719	0.4726	0.4732	0.4738	0.4744	0.4750	0.4756	0.4761	0.4767
2.0	0.4772	0.4778	0.4783	0.4788	0.4793	0.4798	0.4803	0.4808	0.4812	0.4817
2.1	0.4821	0.4826	0.4830	0.4834	0.4838	0.4842	0.4846	0.4850	0.4854	0.4857
2.2	0.4861	0.4864	0.4868	0.4871	0.4875	0.4878	0.4881	0.4884	0.4887	0.4890
2.3	0.4893	0.4896	0.4898	0.4901	0.4904	0.4906	0.4909	0.4911	0.4913	0.4916
2.4	0.4918	0.4920	0.4922	0.4925	0.4927	0.4929	0.4931	0.4932	0.4934	0.4936
2.5	0.4938	0.4940	0.4941	0.4943	0.4945	0.4946	0.4948	0.4949	0.4951	0.4952
2.6	0.4953	0.4955	0.4956	0.4957	0.4959	0.4960	0.4961	0.4962	0.4963	0.4964
2.7	0.4965	0.4966	0.4967	0.4968	0.4969	0.4970	0.4971	0.4972	0.4973	0.4974
2.8	0.4974	0.4975	0.4976	0.4977	0.4977	0.4978	0.4979	0.4979	0.4980	0.4981
2.9	0.4981	0.4982	0.4982	0.4984	0.4984	0.4964	0.4985	0.4985	0.4986	0.4986
3.0	0.4987	0.4987	0.4987	0.4968	0.4968	0.4989	0.4989	0.4989	0.4990	0.4990

ヒント！ 二項分布 $B(n,\ p)$ と正規分布 $N(m,\ \sigma^2)$，および母平均の **95**% 信頼区間など，統計の標準問題だね。公式と正規分布をうまく利用して解いていこう。

解答＆解説

(1) 標本数 $n = 100$，全く読書をしなかった生徒の母比率 $p = 0.5$ とすると，この全く読書をしなかった生徒の数を表す確率変数 X は，二項分布 $B(100,\ 0.5)$ に従う。

∴ ③ ……………………………(答)(ア)

X の平均 $m = np = 100 \times 0.5 = 50$

………(答)(イウ)

X の分散 $\sigma^2 = npq$　（$q = 1-p$）

$= 100 \times 0.5 \times 0.5 = 25$

より，X の標準偏差 $\sigma = \sqrt{25} = 5$

………(答)(エ)

(2) $n = 100$ を十分に大きな数と考えると，

X は近似的に正規分布 $N(m,\ \sigma^2) = N(50,\ 25)$ に従う。（m: np、σ^2: npq）

よって，$X \leqq 36$ 以下となる確率 $p_5 = p(X \leqq 36)$ は，標準化変数 $z = \dfrac{X-m}{\sigma} = \dfrac{X-50}{5}$ を用いると，

$X - 50 \leqq 36 - 50$ より，

$Z = \dfrac{X-50}{5} \leqq -\dfrac{14}{5} = -2.8$ となるので，

（Z は，$N(0,\ 1)$ に従う。）

$p_5 = p(X \leqq 36) = p(Z \leqq -2.8)$

$= 0.5 - p(0 \leqq Z \leqq 2.8)$ （0.4974（表より））

$= 0.0026 \fallingdotseq 0.003$

∴ ① ……………………（答）（オ）

・次に，母比率 $p = 0.4$ のとき，

X は正規分布 $N(m,\ \sigma^2) = N(np,\ npq) = N(40,\ 24)$ に従う。

（$np = 100\times0.4$，$npq = 100\times0.4\times0.6$，$\sigma = \sqrt{24} = 2\sqrt{6}$）

よって，このとき，$X \leqq 36$ となる確率 $p_4 = p(X \leqq 36)$ は同様に計算して，

$X - 40 \leqq 36 - 40$ より，

$Z = \dfrac{X-40}{2\sqrt{6}} \leqq -\dfrac{4}{2\sqrt{6}} = -\dfrac{2}{\sqrt{6}}$ （$-0.81\cdots$）

となるので，

$p_4 = p(X \leqq 36) \fallingdotseq p(Z \leqq -0.81)$

∴ $p_4 > p_5$　②…………（答）（カ）

(3) 1 週間の読書時間の標本平均 $\overline{X} = 204$，母標準偏差 $\sigma = 150$，標本数 $n = 100$ とし，$n = 100$ は十分に大きいと考えて，この読書時間の母平均 m の 95% 信頼区間は，

$$\underbrace{\overline{X} - 1.96\cdot\frac{\sigma}{\sqrt{n}}}_{C_1} \leqq m \leqq \underbrace{\overline{X} + 1.96\cdot\frac{\sigma}{\sqrt{n}}}_{C_2}$$ …(＊)となる。（公式）

> 公式：m の 99% 信頼区間
> $\overline{X} - 2.58\cdot\dfrac{\sigma}{\sqrt{n}} \leqq m \leqq \overline{X} + 2.58\cdot\dfrac{\sigma}{\sqrt{n}}$

∴ $C_1 + C_2 = 2\overline{X} = 2\times204 = 408$

………（答）（キクケ）

$C_2 - C_1 = 2\times1.96\times\dfrac{\sigma}{\sqrt{n}}$

$= 3.92\times\dfrac{150}{\sqrt{100}} = 58.8$

………（答）（コサ，シ）

(＊)は，あくまでも m の推定式なので，$C_1 \leqq m$ も $m \leqq C_2$ も成り立つとは限らない。

∴ ③ ……………………（答）（ス）

(4) 図書委員会の調査による標本数が 100 で，読書をしない母比率 p も同じであったとしても，その読書しない生徒数 n の実現値が，校長のものと一致するとは限らず，n と 36 との大小関係はわからない。

∴ ③ ……………………（答）（セ）

(5) 図書委員会による読書時間の母平均 m に対する 95% 信頼区間は，標本平均を $\overline{X}'$ とおくと，$\sigma = 150$，$n = 100$ に変化はないので，

$$\underbrace{\overline{X}' - 1.96\cdot\frac{\sigma}{\sqrt{n}}}_{D_1} \leqq m \leqq \underbrace{\overline{X}' + 1.96\cdot\frac{\sigma}{\sqrt{n}}}_{D_2}$$

……(＊)′となる。

(＊)と(＊)′の区間の幅は等しいので，$C_2 - C_1 = D_2 - D_1$ となる。

また，右図のように $D_2 < C_1$ または $C_2 < D_1$ となる場合もある。

$D_1\ D_2\ C_1\ C_2\ m$

$C_1\ C_2\ D_1\ D_2\ m$

∴ ②，④……（答）（ソ，タ）

第４問（選択問題）（配点　20）

初項 3，公差 p の等差数列を $\{a_n\}$ とし，初項 3，公比 r の等比数列を $\{b_n\}$ とする。ただし，$p \fallingdotseq 0$ かつ $r \fallingdotseq 0$ とする。さらに，これらの数列が次を満たすとする。

$a_n b_{n+1} - 2a_{n+1} b_n + 3b_{n+1} = 0 \quad (n = 1, 2, 3, \cdots)$ ……①

(1) p と r の値を求めよう。自然数 n について，a_n，a_{n+1}，b_n はそれぞれ

$a_n = \boxed{ア} + (n-1)p$ ……②　$a_{n+1} = \boxed{ア} + np$ ……③　$b_n = \boxed{イ}\, r^{n-1}$

と表される。$r \fallingdotseq 0$ により，すべての自然数 n について，$b_n \fallingdotseq 0$ となる。

$\dfrac{b_{n+1}}{b_n} = r$ であることから，①の両辺を b_n で割ることにより

$\boxed{ウ}\, a_{n+1} = r\left(a_n + \boxed{エ}\right)$ ……………………④

が成り立つことがわかる。④に②と③を代入すると

$\left(r - \boxed{オ}\right)pn = r\left(p - \boxed{カ}\right) + \boxed{キ}$ ……⑤

となる。⑤がすべての n で成り立つことおよび $p \fallingdotseq 0$ により，$r = \boxed{オ}$ を得る。さらに，このことから，$p = \boxed{ク}$ を得る。

以上から，すべての自然数 n について，a_n と b_n が正であることもわかる。

(2) $p = \boxed{ク}$，$r = \boxed{オ}$ であることから，$\{a_n\}$，$\{b_n\}$ の初項から第 n 項までの和は，それぞれ次の式で与えられる。

$$\sum_{k=1}^{n} a_k = \frac{\boxed{ケ}}{\boxed{コ}}\, n\left(n + \boxed{サ}\right) \qquad \sum_{k=1}^{n} b_k = \boxed{シ}\left(\boxed{オ}^{\,n} - \boxed{ス}\right)$$

(3) 数列 $\{a_n\}$ に対して，初項 3 の数列 $\{c_n\}$ が次を満たすとする。

$a_n c_{n+1} - 4a_{n+1} c_n + 3c_{n+1} = 0 \quad (n = 1, 2, 3, \cdots)$ ……⑥

a_n が正であることから，⑥を変形して，$c_{n+1} = \dfrac{\boxed{セ}\, a_{n+1}}{a_n + \boxed{ソ}}\, c_n$ を得る。

さらに，$p = \boxed{ク}$ であることから，数列 $\{c_n\}$ は $\boxed{タ}$ ことがわかる。

$\boxed{タ}$ の解答群

⓪ すべての項が同じ値をとる数列である
① 公差が 0 でない等差数列である
② 公比が 1 より大きい等比数列である
③ 公比が 1 より小さい等比数列である
④ 等差数列でも等比数列でもない

(4) u, q は定数で，$q \neq 0$ とする。数列 $\{b_n\}$ に対して，初項 3 の数列 $\{d_n\}$ が次を満たすとする。

$d_n b_{n+1} - q d_{n+1} b_n + u b_{n+1} = 0 \quad (n = 1, 2, 3, \cdots)$ ……⑦

$r =$ [オ] であることから，⑦を変形して，$d_{n+1} = \dfrac{\boxed{チ}}{q}(d_n + u)$

を得る。したがって，数列 $\{d_n\}$ が，公比が 0 より大きく 1 より小さい等比数列となるための必要十分条件は，$q >$ [ツ] かつ $u =$ [テ] である。

ヒント！ 等差数列と等比数列の漸化式，および Σ 計算も含めた，数列の総合問題といえる。難度は高くないので，導入に従って，順に解いていけばいい。

解答&解説

(1) $\{a_n\}$ は初項 3，公差 p の等差数列より，

$a_n = 3 + (n-1)p$ …②……(答)(ア)

$a_{n+1} = 3 + np$ ……③ $(p \neq 0)$

$\{b_n\}$ は初項 3，公比 r の等比数列より，

$b_n = 3r^{n-1} \quad (r \neq 0)$ ……(答)(イ)

$\{a_n\}$ と $\{b_n\}$ は

$a_n b_{n+1} - 2a_{n+1} b_n + 3b_{n+1} = 0$ ……①

をみたす。ここで，

$\dfrac{b_{n+1}}{b_n} = r$ より，①の両辺を b_n で割ると，

$a_n \cdot \underbrace{\dfrac{b_{n+1}}{b_n}}_{r} - 2a_{n+1} + 3 \cdot \underbrace{\dfrac{b_{n+1}}{b_n}}_{r} = 0$ より，

$2a_{n+1} = r(a_n + 3)$ …④

………(答)(ウ，エ)

④に②，③を代入して，

$2(3 + np) = r\{3 + (n-1)p + 3\}$

$6 + 2np = 6r + r \cdot np - rp$

$(r-2)pn = r(p-6) + 6$ ……⑤

………(答)(オ，カ，キ)

一般に，任意の自然数 n に対して，
等式 $\alpha \cdot n = \beta$ ……㋐ $(\alpha, \beta$: 定数$)$
（n は $1, 2, 3, \cdots$）
が成り立つためには，左辺の $\alpha \cdot n$ は $\alpha \neq 0$ ならば，$\alpha \cdot n$ は定数 β と等しくなることはない。よって，$\alpha = 0$ である。
次に $\alpha = 0$ を㋐に代入すると，$\beta = 0$ となる。
つまり，㋐が恒等的に成り立つ条件は，$\alpha = 0$ かつ $\beta = 0$ なんだね。

任意の自然数 n に対して，⑤式が恒等的に成り立つ条件は，

$(r-2)p = 0$ かつ $r(p-6) + 6 = 0$ である。（$p \neq 0$）

$\therefore r = 2, \ p = 3$ である。

……(答)(ク)

$r = 2$ より，
$2(p-6) + 6 = 0$
$2p = 6 \quad \therefore p = 3$

(2) 以上より，

$a_n = 3 + (n-1) \cdot 3 = 3n$ ……②′

$b_n = 3 \cdot 2^{n-1}$

となる。

$\therefore \displaystyle\sum_{k=1}^{n} a_k = \sum_{k=1}^{n} 3k = 3 \cdot \frac{1}{2} n(n+1)$

$= \dfrac{3}{2} n(n+1)$

………(答)(ケ，コ，サ)

$$\sum_{k=1}^{n} b_k = \sum_{k=1}^{n} 3\cdot 2^{k-1} = \frac{3(1-2^n)}{1-2}$$

$$= 3(2^n - 1)$$

………(答)(シ, ス)

(3) $a_n = 3n$ ……②´ $(n = 1, 2, 3, \cdots)$

に対して，初項3の数列$\{c_n\}$は次式：

$a_n c_{n+1} - 4a_{n+1}c_n + 3c_{n+1} = 0$ ……⑥

$(n=1, 2, 3, \cdots)$をみたす。⑥より，

$(a_n + 3)c_{n+1} = 4a_{n+1}c_n$

$c_{n+1} = \dfrac{4a_{n+1}}{a_n + 3}c_n$………(答)(セ, ソ)

これに②´を代入して，

$c_{n+1} = \dfrac{4\cdot 3(n+1)}{3n+3}c_n = \dfrac{12(n+1)}{3(n+1)}c_n$

$c_{n+1} = 4c_n$ より，$\{c_n\}$は初項3，

公比4の等比数列である。

∴② ………………………(答)(タ)

(4) $b_n = 3\cdot 2^{n-1}$ $(n = 1, 2, 3, \cdots)$

に対して，初項3の数列$\{d_n\}$は次式：

$d_n b_{n+1} - q d_{n+1} b_n + u b_{n+1} = 0$ ……⑦

$(n=1, 2, 3, \cdots)$

$(q, u$：定数，$q \neq 0)$

をみたす。

⑦の両辺をb_nで割ると，

$d_n \cdot 2 - q\cdot d_{n+1} + u\cdot 2 = 0$

（$2 = \dfrac{b_{n+1}}{b_n}$，$2 = \dfrac{b_{n+1}}{b_n}$）

$q d_{n+1} = 2d_n + 2u$

$d_{n+1} = \dfrac{2}{q}(d_n + u)$…………(答)(チ)

よって，$\{d_n\}$が，公比が0より大，1より小の等比数列となるための条件は，$u = 0$ かつ $0 < \dfrac{2}{q} < 1$ より，

> $0 < \dfrac{2}{q}$ より $q > 0$ であるから，上の $\dfrac{2}{q} < 1$ の両辺に $q(>0)$ をかけて，$2 < q$ となる。

$q > 2$ かつ $u = 0$ である。

………(答)(ツ, テ)

第 5 問（選択問題）（配点 20）

1 辺の長さが 1 の正五角形の対角線の長さを a とする。

(1) 1 辺の長さが 1 の正五角形 $\mathrm{OA_1B_1C_1A_2}$ を考える。

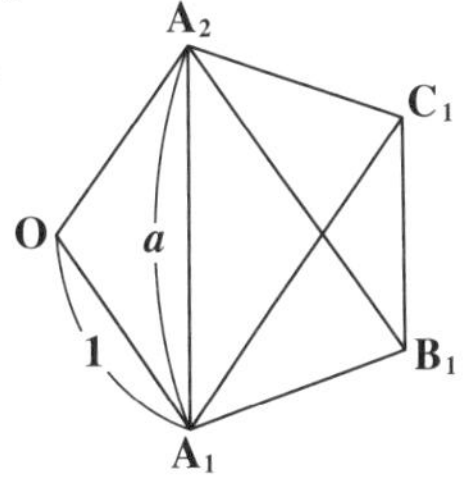

$\angle\mathrm{A_1C_1B_1} = \boxed{\text{アイ}}^\circ$，$\angle\mathrm{C_1A_1A_2} = \boxed{\text{アイ}}^\circ$ となることから，$\overrightarrow{\mathrm{A_1A_2}}$ と $\overrightarrow{\mathrm{B_1C_1}}$ は平行である。ゆえに，

$\overrightarrow{\mathrm{A_1A_2}} = \boxed{\text{ウ}}\,\overrightarrow{\mathrm{B_1C_1}}$ であるから，

$$\overrightarrow{\mathrm{B_1C_1}} = \frac{1}{\boxed{\text{ウ}}}\overrightarrow{\mathrm{A_1A_2}} = \frac{1}{\boxed{\text{ウ}}}\left(\overrightarrow{\mathrm{OA_2}} - \overrightarrow{\mathrm{OA_1}}\right)$$

また，$\overrightarrow{\mathrm{OA_1}}$ と $\overrightarrow{\mathrm{A_2B_1}}$ は平行で，さらに，$\overrightarrow{\mathrm{OA_2}}$ と $\overrightarrow{\mathrm{A_1C_1}}$ も平行であることから

$$\begin{aligned}\overrightarrow{\mathrm{B_1C_1}} &= \overrightarrow{\mathrm{B_1A_2}} + \overrightarrow{\mathrm{A_2O}} + \overrightarrow{\mathrm{OA_1}} + \overrightarrow{\mathrm{A_1C_1}}\\ &= -\boxed{\text{ウ}}\,\overrightarrow{\mathrm{OA_1}} - \overrightarrow{\mathrm{OA_2}} + \overrightarrow{\mathrm{OA_1}} + \boxed{\text{ウ}}\,\overrightarrow{\mathrm{OA_2}}\\ &= \left(\boxed{\text{エ}} - \boxed{\text{オ}}\right)\left(\overrightarrow{\mathrm{OA_2}} - \overrightarrow{\mathrm{OA_1}}\right)\end{aligned}$$

となる。したがって

$$\frac{1}{\boxed{\text{ウ}}} = \boxed{\text{エ}} - \boxed{\text{オ}}$$

が成り立つ。$a>0$ に注意してこれを解くと，$a = \dfrac{1+\sqrt{5}}{2}$ を得る。

(2) 右の図のような，1 辺の長さが 1 の正十二面体を考える。正十二面体とは，どの面もすべて合同な正五角形であり，どの頂点にも三つの面が集まっているへこみのない多面体のことである。

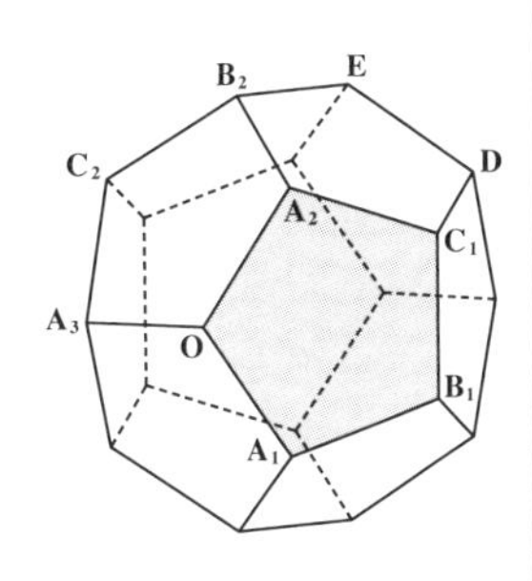

面 $\mathrm{OA_1B_1C_1A_2}$ に着目する。$\overrightarrow{\mathrm{OA_1}}$ と $\overrightarrow{\mathrm{A_2B_1}}$ が平行であることから，

$\overrightarrow{\mathrm{OB_1}} = \overrightarrow{\mathrm{OA_2}} + \overrightarrow{\mathrm{A_2B_1}} = \overrightarrow{\mathrm{OA_2}} + \boxed{\text{ウ}}\,\overrightarrow{\mathrm{OA_1}}$ である。また

$$\left|\overrightarrow{\mathrm{OA_2}} - \overrightarrow{\mathrm{OA_1}}\right|^2 = \left|\overrightarrow{\mathrm{A_1A_2}}\right|^2 = \frac{\boxed{\text{カ}} + \sqrt{\boxed{\text{キ}}}}{\boxed{\text{ク}}}$$

に注意すると

$$\overrightarrow{\mathrm{OA_1}}\cdot\overrightarrow{\mathrm{OA_2}} = \frac{\boxed{\text{ケ}} - \sqrt{\boxed{\text{コ}}}}{\boxed{\text{サ}}}$$

を得る。

次に，面 $\mathbf{OA_2B_2C_2A_3}$ に着目すると

$\overrightarrow{\mathbf{OB_2}}=\overrightarrow{\mathbf{OA_3}}+$ [ウ] $\overrightarrow{\mathbf{OA_2}}$ である。さらに

$$\overrightarrow{\mathbf{OA_2}}\cdot\overrightarrow{\mathbf{OA_3}}=\overrightarrow{\mathbf{OA_3}}\cdot\overrightarrow{\mathbf{OA_1}}=\frac{\boxed{ケ}-\sqrt{\boxed{コ}}}{\boxed{サ}}$$

が成り立つことがわかる。ゆえに

$\overrightarrow{\mathbf{OA_1}}\cdot\overrightarrow{\mathbf{OB_2}}=$ [シ]，$\overrightarrow{\mathbf{OB_1}}\cdot\overrightarrow{\mathbf{OB_2}}=$ [ス] である。

[シ]，[ス] の解答群 (同じものを繰り返し選んでもよい。)

⓪ $\mathbf{0}$	① $\mathbf{1}$	② $\mathbf{-1}$	③ $\dfrac{\mathbf{1+\sqrt{5}}}{\mathbf{2}}$
④ $\dfrac{\mathbf{1-\sqrt{5}}}{\mathbf{2}}$	⑤ $\dfrac{\mathbf{-1+\sqrt{5}}}{\mathbf{2}}$	⑥ $\dfrac{\mathbf{-1-\sqrt{5}}}{\mathbf{2}}$	⑦ $-\dfrac{\mathbf{1}}{\mathbf{2}}$
⑧ $\dfrac{\mathbf{-1+\sqrt{5}}}{\mathbf{4}}$	⑨ $\dfrac{\mathbf{-1-\sqrt{5}}}{\mathbf{4}}$		

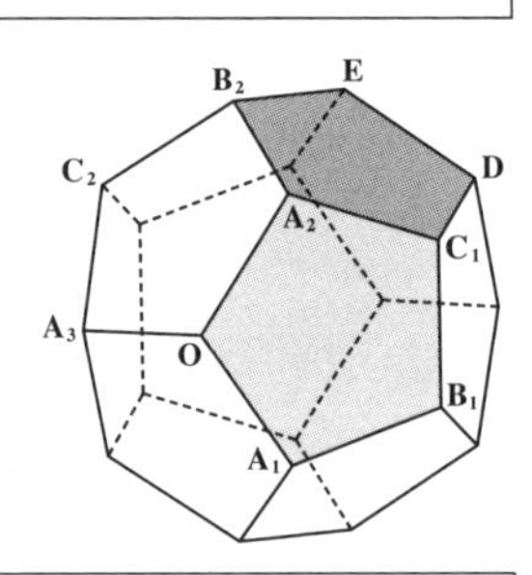

最後に，面 $\mathbf{A_2C_1DEB_2}$ に着目する。

$\overrightarrow{\mathbf{B_2D}}=$ [ウ] $\overrightarrow{\mathbf{A_2C_1}}=\overrightarrow{\mathbf{OB_1}}$

であることに注意すると，**4** 点 $\mathbf{O}$，$\mathbf{B_1}$，$\mathbf{D}$，$\mathbf{B_2}$ は同一平面上にあり，四角形 $\mathbf{OB_1DB_2}$ は [セ] ことがわかる。

[セ] の解答群

⓪ 正方形である
① 正方形ではないが，長方形である
② 正方形ではないが，ひし形である
③ 長方形でもひし形でもないが，平行四辺形である
④ 平行四辺形ではないが，台形である
⑤ 台形ではない

ただし，少なくとも一組の対辺が平行な四角形を台形という。

ヒント！ 正五角形や正十二面体についてのベクトルの問題で，今年の選択問題の中では正五角形に対する予備知識も必要であり，計算力も必要なので，難度がかなり高い問題だね。このような問題は，導入に従って，できるだけ得点を重ねていくことがポイントになる。

Baba のレクチャー

正五角形の問題は，受験では頻出なので，ここで，正五角形を極めておこう。

図ア

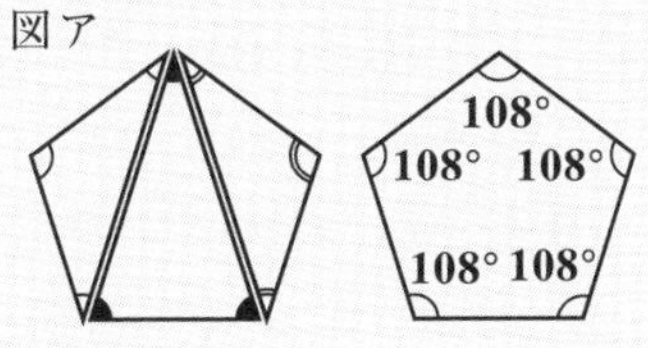

正五角形は，図アのように $\mathbf{3}$ つの三角形に分割されるので，その内角の総和は，$\mathbf{180^\circ \times 3 = 540^\circ}$ となる。よって，正五角形の $\mathbf{1}$ つの頂角 (内角) は，これを $\mathbf{5}$ で割った，$\mathbf{108^\circ}$ になるんだね。

図イ

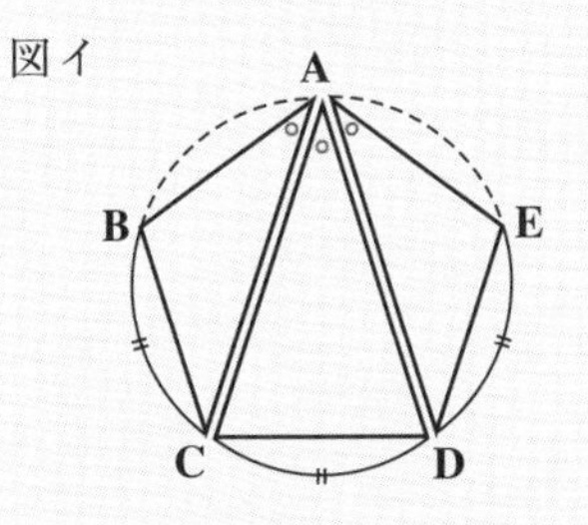

次に，図イのように，正五角形 **ABCDE** の外接円を考える。$\mathbf{3}$ つの円弧 $\overset{\frown}{\mathbf{BC}}$，$\overset{\frown}{\mathbf{CD}}$，$\overset{\frown}{\mathbf{DE}}$ の長さは等しいので，同じ長さの円弧に対する円周角は等しい。それを，図イでは "○" で示した。この "○" は頂角 $\angle \mathbf{A} = \mathbf{108^\circ}$ を $\mathbf{3}$ 等分した $\mathbf{36^\circ}$ を表す。

図ウ

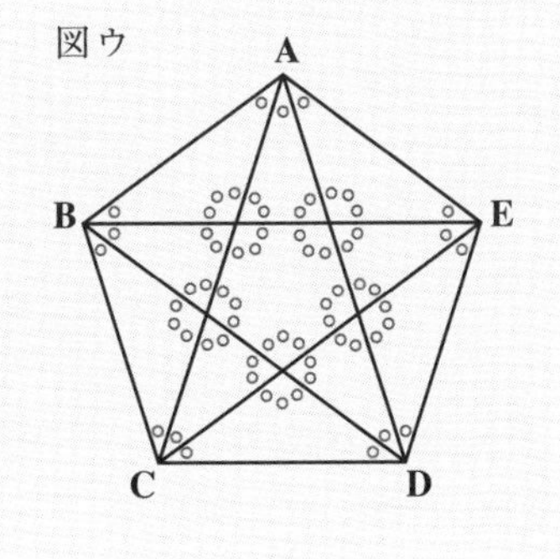

正五角形 **ABCDE** に各対角線を引いて，同様に $\mathbf{36^\circ}$ を "○" で表したものが，図ウだよ。これから，△ と ◁ の $\mathbf{2}$ つのタイプの相似な三角形がたくさん出てくるのが分かると思う。

解答＆解説

(1) $\angle \mathbf{A_1C_1B_1} = \mathbf{36^\circ}$，

$\angle \mathbf{C_1A_1A_2} = \mathbf{36^\circ}$

……(答)(ア，イ)

よって，

$\overrightarrow{\mathbf{B_1C_1}} \,/\!/\, \overrightarrow{\mathbf{A_1A_2}}$

かつ

$\overline{\mathbf{B_1C_1}} = \mathbf{1}$，$\overline{\mathbf{A_1A_2}} = \boldsymbol{a}$

より，

$\overrightarrow{\mathbf{A_1A_2}} = \boldsymbol{a}\,\overrightarrow{\mathbf{B_1C_1}}$ …………(答)(ウ)

$\therefore \overrightarrow{\mathbf{B_1C_1}} = \dfrac{\mathbf{1}}{\boldsymbol{a}}\overrightarrow{\mathbf{A_1A_2}}$

$= \dfrac{\mathbf{1}}{\boldsymbol{a}}\left(\overrightarrow{\mathbf{OA_2}} - \overrightarrow{\mathbf{OA_1}}\right)$ ……①

・また，$\overrightarrow{\mathbf{OA_1}} \,/\!/\, \overrightarrow{\mathbf{A_2B_1}}$，

$\overrightarrow{\mathbf{OA_2}} \,/\!/\, \overrightarrow{\mathbf{A_1C_1}}$ より，

$\overrightarrow{B_1C_1}=\underbrace{\overrightarrow{B_1A_2}}_{a\overrightarrow{A_1O}=-a\overrightarrow{OA_1}}+\underbrace{\overrightarrow{A_2O}}_{-\overrightarrow{OA_2}}+\overrightarrow{OA_1}+\underbrace{\overrightarrow{A_1C_1}}_{a\overrightarrow{OA_2}}$

$=-a\overrightarrow{OA_1}-\overrightarrow{OA_2}+\overrightarrow{OA_1}+a\overrightarrow{OA_2}$

$=a\left(\overrightarrow{OA_2}-\overrightarrow{OA_1}\right)-\left(\overrightarrow{OA_2}-\overrightarrow{OA_1}\right)$

$\therefore\overrightarrow{B_1C_1}=(a-1)\left(\overrightarrow{OA_2}-\overrightarrow{OA_1}\right)$ …②

………(答)(エ，オ)

$\begin{cases}\overrightarrow{B_1C_1}=\dfrac{1}{a}\left(\overrightarrow{OA_2}-\overrightarrow{OA_1}\right) & \cdots\cdots① \\ \overrightarrow{B_1C_1}=(a-1)\left(\overrightarrow{OA_2}-\overrightarrow{OA_1}\right) & \cdots② \end{cases}$

より，$\dfrac{1}{a}=a-1$

$1=a^2-a \qquad a^2-a-1=0$

$\therefore a=\dfrac{1\pm\sqrt{1+4}}{2}=\dfrac{1\pm\sqrt{5}}{2}$

ここで，$a>0$ より，

$a=\dfrac{1+\sqrt{5}}{2}$ ……③

(2) 正十二面体の1面 $OA_1B_1C_1A_2$ について，

B₂ E C₂ D A₂ C₁ A₃ O B₁ A₁

$\overrightarrow{OA_1}\,/\!/\,\overrightarrow{A_2B_1}$ より，

$\overrightarrow{OB_1}=\overrightarrow{OA_2}+\underbrace{\overrightarrow{A_2B_1}}_{a\overrightarrow{OA_1}}$

$=\overrightarrow{OA_2}+a\overrightarrow{OA_1}$ ……④

また，$\left|\overrightarrow{A_1A_2}\right|=a=\dfrac{1+\sqrt{5}}{2}$ …③

より，

$\left|\overrightarrow{OA_2}-\overrightarrow{OA_1}\right|^2=\left|\overrightarrow{A_1A_2}\right|^2=a^2$

$=\left(\dfrac{1+\sqrt{5}}{2}\right)^2=\dfrac{6+2\sqrt{5}}{4}=\dfrac{3+\sqrt{5}}{2}$

……⑤ ……(答)(カ，キ，ク)

⑤より，

$\underbrace{\left|\overrightarrow{OA_2}-\overrightarrow{OA_1}\right|^2}_{\underbrace{\left|\overrightarrow{OA_2}\right|^2}_{1^2}-2\overrightarrow{OA_1}\cdot\overrightarrow{OA_2}+\underbrace{\left|\overrightarrow{OA_1}\right|^2}_{1^2}}=\dfrac{3+\sqrt{5}}{2}$

$2-2\overrightarrow{OA_1}\cdot\overrightarrow{OA_2}=\dfrac{3+\sqrt{5}}{2}$

$2\overrightarrow{OA_1}\cdot\overrightarrow{OA_2}=\dfrac{1-\sqrt{5}}{2}$

$\therefore\overrightarrow{OA_1}\cdot\overrightarrow{OA_2}=\dfrac{1-\sqrt{5}}{4}$

……⑥ ……(答)(ケ，コ，サ)

次に，面 $OA_2B_2C_2A_3$ に着目すると，同様に

B₂ E C₂ D A₂ C₁ A₃ O B₁ A₁

$\overrightarrow{OB_2}=\overrightarrow{OA_3}+\underbrace{\overrightarrow{A_3B_2}}_{a\overrightarrow{OA_2}}$

$=\overrightarrow{OA_3}+a\overrightarrow{OA_2}$ ……⑦

さらに，同様に

$\overrightarrow{OA_2}\cdot\overrightarrow{OA_3}=\overrightarrow{OA_3}\cdot\overrightarrow{OA_1}=\dfrac{1-\sqrt{5}}{4}$

(⑥より)

よって，

$\cdot\overrightarrow{OA_1}\cdot\overrightarrow{OB_2}=\overrightarrow{OA_1}\cdot\left(\overrightarrow{OA_3}+a\overrightarrow{OA_2}\right)$

(⑦より)

$=\underbrace{\overrightarrow{OA_1}\cdot\overrightarrow{OA_3}}_{\frac{1-\sqrt{5}}{4}}+a\underbrace{\overrightarrow{OA_1}\cdot\overrightarrow{OA_2}}_{\frac{1-\sqrt{5}}{4}}$

$=(\underbrace{a}_{\frac{1+\sqrt{5}}{2}}+1)\cdot\dfrac{1-\sqrt{5}}{4}=\dfrac{3+\sqrt{5}}{2}\cdot\dfrac{1-\sqrt{5}}{4}$

$$= \frac{1}{8}(3 - 3\sqrt{5} + \sqrt{5} - 5)$$

$$= \frac{-1-\sqrt{5}}{4}$$

$\therefore$ ⑨ ……………………(答)(シ)

$\cdot\ \overrightarrow{OB_1}\cdot\overrightarrow{OB_2} = (\overrightarrow{OA_2} + a\overrightarrow{OA_1})\cdot(\overrightarrow{OA_3} + a\overrightarrow{OA_2})$

($a\overrightarrow{OA_1} = \overrightarrow{A_2B_1}$)(④, ⑦より)

$$= \overrightarrow{OA_2}\cdot\overrightarrow{OA_3} + a|\overrightarrow{OA_2}|^2$$

($\overrightarrow{OA_2}\cdot\overrightarrow{OA_3} = \frac{1-\sqrt{5}}{4}$, $|\overrightarrow{OA_2}|^2 = 1^2$)

$$+ a\,\overrightarrow{OA_1}\cdot\overrightarrow{OA_3} + a^2\,\overrightarrow{OA_1}\cdot\overrightarrow{OA_2}$$

($\overrightarrow{OA_1}\cdot\overrightarrow{OA_3} = \frac{1-\sqrt{5}}{4}$, $\overrightarrow{OA_1}\cdot\overrightarrow{OA_2} = \frac{1-\sqrt{5}}{4}$)

$$= \frac{1-\sqrt{5}}{4}(1 + a + a^2) + a$$

($1 + a + a^2 = 1 + \frac{1+\sqrt{5}}{2} + \frac{3+\sqrt{5}}{2}$, $a = \frac{1+\sqrt{5}}{2}$)

$$= \frac{1-\sqrt{5}}{4}\cdot(3+\sqrt{5}) + \frac{1+\sqrt{5}}{2} = 0 \quad \cdots\cdots ⑧$$

($\frac{1}{4}(3 + \sqrt{5} - 3\sqrt{5} - 5) = \frac{-1-\sqrt{5}}{2}$)

$\therefore$ ⓪ ……………………(答)(ス)

次に,

面 $A_2C_1DEB_2$ に着目すると,

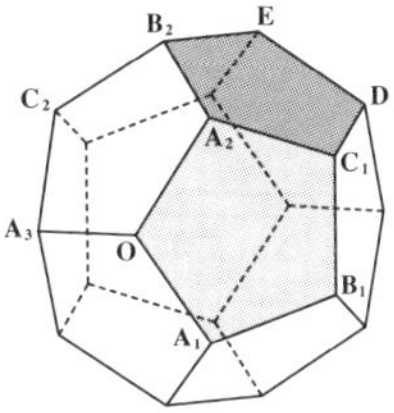

$$\overrightarrow{B_2D} = a\overrightarrow{A_2C_1} = \overrightarrow{OB_1}$$

よって,

4点 O, B_1, D, B_2 は同一平面上にあり, 四角形 OB_1DB_2 の4辺は, いずれも合同な正五角形の対角線より,

$$\overline{OB_1} = \overline{B_1D} = \overline{DB_2} = \overline{B_2O} = a$$

である。さらに,

$$\overrightarrow{OB_1}\cdot\overrightarrow{OB_2} = 0 \quad \cdots\cdots ⑧$$

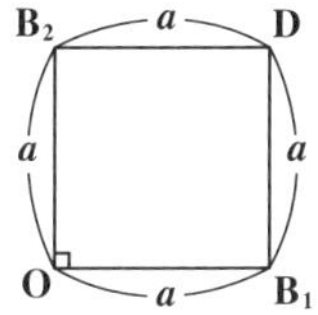

より,

$$\angle B_1OB_2 = 90^\circ$$

である。

以上より, 四角形 OB_1DB_2 は正方形であることが分かる。

$\therefore$ ⓪ ……………………(答)(セ)

第1問（必答問題）（配点　30）

[1] 三角関数の値の大小関係について考えよう。

(1) $x=\frac{\pi}{6}$ のとき $\sin x$ [ア] $\sin 2x$ であり，$x=\frac{2}{3}\pi$ のとき

$\sin x$ [イ] $\sin 2x$ である。

[ア]，[イ] の解答群（同じものを繰り返し選んでもよい。）

⓪ ＜	① ＝	② ＞

(2) $\sin x$ と $\sin 2x$ の値の大小関係を詳しく調べよう。

$\sin 2x - \sin x = \sin x\left(\boxed{ウ}\cos x - \boxed{エ}\right)$

であるから，$\sin 2x - \sin x > 0$ が成り立つことは

「$\sin x > 0$ かつ $\boxed{ウ}\cos x - \boxed{エ} > 0$」……①

または，「$\sin x < 0$ かつ $\boxed{ウ}\cos x - \boxed{エ} < 0$」……②

が成り立つことと同値である。$0 \leqq x \leqq 2\pi$ のとき，①が成り立つような x の値の範囲は，$0 < x < \frac{\pi}{\boxed{オ}}$ であり，

②が成り立つような x の値の範囲は，$\pi < x < \frac{\boxed{カ}}{\boxed{キ}}\pi$

である。よって，$0 \leqq x \leqq 2\pi$ のとき，$\sin 2x > \sin x$ が成り立つような x の値の範囲は，$0 < x < \frac{\pi}{\boxed{オ}}$，$\pi < x < \frac{\boxed{カ}}{\boxed{キ}}\pi$ である。

(3) $\sin 3x$ と $\sin 4x$ の値の大小関係を調べよう。

三角関数の加法定理を用いると，等式

$\sin(\alpha+\beta) - \sin(\alpha-\beta) = 2\cos\alpha\sin\beta$ ……③

が得られる。$\alpha+\beta=4x$，$\alpha-\beta=3x$ を満たす α，β に対して③を用いることにより，$\sin 4x - \sin 3x > 0$ が成り立つことは

「$\cos\boxed{ク} > 0$ かつ $\sin\boxed{ケ} > 0$」……④

または，「$\cos\boxed{ク} < 0$ かつ $\sin\boxed{ケ} < 0$」……⑤

が成り立つことと同値であることがわかる。

$0 \leqq x \leqq \pi$ のとき，④，⑤により，$\sin 4x > \sin 3x$ が成り立つような x の値の範囲は，

$0 < x < \frac{\pi}{\boxed{コ}}$，$\frac{\boxed{サ}}{\boxed{シ}}\pi < x < \frac{\boxed{ス}}{\boxed{セ}}\pi$ である。

[ク]，[ケ] の解答群（同じものを繰り返し選んでもよい。）

⓪ 0	① x	② $2x$	③ $3x$
④ $4x$	⑤ $5x$	⑥ $6x$	⑦ $\frac{x}{2}$
⑧ $\frac{3}{2}x$	⑨ $\frac{5}{2}x$	ⓐ $\frac{7}{2}x$	ⓑ $\frac{9}{2}x$

(4) (2)，(3) の考察から，$0 \leqq x \leqq \pi$ のとき，$\sin 3x > \sin 4x > \sin 2x$ が成り立つような x の値の範囲は，

$\frac{\pi}{\boxed{コ}} < x < \frac{\pi}{\boxed{ソ}}$，$\frac{\boxed{ス}}{\boxed{セ}}\pi < x < \frac{\boxed{タ}}{\boxed{チ}}\pi$ であることがわかる。

ヒント！ 三角不等式の応用問題だね。図を描きながら，10分程度で完答しよう！

解答&解説

[1] (1) ・$x = \frac{\pi}{6}$ のとき，$\sin x < \sin 2x$

$\left(\sin\frac{\pi}{6} = \frac{1}{2}\right)$ $\left(\sin\frac{\pi}{3} = \frac{\sqrt{3}}{2}\right)$

∴ ⓪ ……………………(答)(ア)

・$x = \frac{2}{3}\pi$ のとき，$\sin x > \sin 2x$

$\left(\sin\frac{2}{3}\pi = \frac{\sqrt{3}}{2}\right)$ $\left(\sin\frac{4}{3}\pi = -\frac{\sqrt{3}}{2}\right)$

∴ ② ……………………(答)(イ)

(2) $\sin 2x - \sin x = \sin x(2\cos x - 1)$ より，

$\sin 2x = 2\sin x\cos x$（2倍角の公式）

………(答)(ウ，エ)

$\sin 2x - \sin x = \sin x(2\cos x - 1) > 0$

(i) ⊕×⊕
(ii) ⊖×⊖

が成り立つとき，

(i) $\sin x > 0$ かつ $2\cos x - 1 > 0$ …① より，

$\sin x > 0$ かつ $\cos x > \frac{1}{2}$

$\left[\ Y > 0 \text{ かつ } X > \frac{1}{2}\ \right]$

または，

(ii) $\sin x < 0$ かつ $2\cos x - 1 < 0$ …② より，

$\sin x < 0$ かつ $\cos x < \frac{1}{2}$

$\left[\ Y < 0 \text{ かつ } X < \frac{1}{2}\ \right]$

$0 \leqq x \leqq 2\pi$ のとき，

(i) ①の解は，

$0 < x < \frac{\pi}{3}$

(ii) ②の解は，

$\pi < x < \frac{5}{3}\pi$

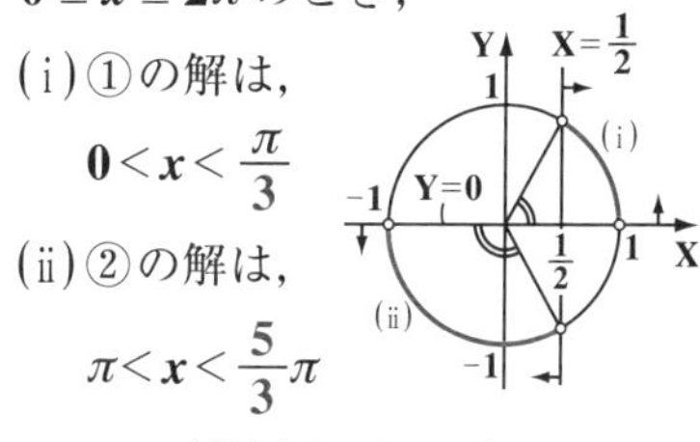

……(答)(オ，カ，キ)

以上(i)(ii)で, $0 \leqq x \leqq 2\pi$ のとき,

$\sin 2x > \sin x$ …㋐が成り立つような x の範囲は, $0 < x < \dfrac{\pi}{3}$,

$\pi < x < \dfrac{5}{3}\pi$ である。

(3) $\underline{\sin 4x - \sin 3x = 2\cos\dfrac{7}{2}x\sin\dfrac{x}{2}}$

差→積の公式：
$\sin A - \sin B = 2\cos\dfrac{A+B}{2}\cdot\sin\dfrac{A-B}{2}$

∴ⓐ…(答)(ク), ⑦…(答)(ケ)

$\sin 4x - \sin 3x > 0$ となる条件は,

(i) $\cos\dfrac{7}{2}x > 0$ かつ $\sin\dfrac{x}{2} > 0$…④

または,

(ii) $\cos\dfrac{7}{2}x < 0$ かつ $\sin\dfrac{x}{2} < 0$…⑤

となる。$0 \leqq x \leqq \pi$ のとき,

$\sin 4x > \sin 3x$ …㋑が成り立つような x の範囲は,

(i)・$\cos\dfrac{7}{2}x > 0$ $\left(0 \leqq \dfrac{7}{2}x \leqq \dfrac{7}{2}\pi\right)$ より,

$0 \leqq \dfrac{7}{2}x < \dfrac{\pi}{2}$,

$\dfrac{3}{2}\pi < \dfrac{7}{2}x < \dfrac{5}{2}\pi$

となる。

∴ $0 \leqq x < \dfrac{\pi}{7}$, または

$\dfrac{3}{7}\pi < x < \dfrac{5}{7}\pi$

・$\sin\dfrac{x}{2} > 0$ $\left(0 \leqq \dfrac{x}{2} \leqq \dfrac{\pi}{2}\right)$ より,

$\dfrac{x}{2} \neq 0$　∴ $x \neq 0$

以上より,

$0 < x < \dfrac{\pi}{7}$, $\dfrac{3}{7}\pi < x < \dfrac{5}{7}\pi$

……(答)(コ, サ, シ, ス, セ)

(ii)では, $0 \leqq \dfrac{x}{2} \leqq \dfrac{\pi}{2}$ より, $\sin\dfrac{x}{2} \geqq 0$ となって, $\sin\dfrac{x}{2} < 0$ となる x は存在しない。よって, 上記の結果は, (i)と(ii)を併せたものである。

(4) 以上より, $0 \leqq x \leqq \pi$ のとき,

$\underbrace{\sin 3x > \sin 4x}_{(i)}$ ＞ $\sin 2x$ となる x の範囲を求める。（(ii): $\sin 4x > \sin 2x$）

(i) $\sin 3x > \sin 4x$ となるとき,

(3)より,

∴ $\dfrac{\pi}{7} < x < \dfrac{3}{7}\pi$, $\dfrac{5}{7}\pi < x < \pi$

(ii) $\sin 4x > \sin 2x$ となるとき,

$0 \leqq 2x \leqq 2\pi$ より, (2)から,

$0 < 2x < \dfrac{\pi}{3}$, $\pi < 2x < \dfrac{5}{3}\pi$

∴ $0 < x < \dfrac{\pi}{6}$, $\dfrac{\pi}{2} < x < \dfrac{5}{6}\pi$

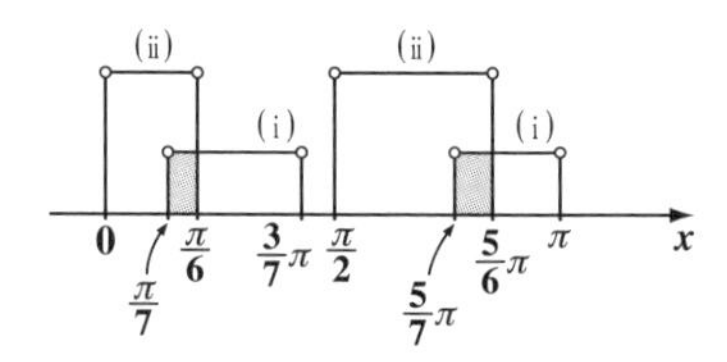

以上(i)かつ(ii)より,

$\dfrac{\pi}{7} < x < \dfrac{\pi}{6}$, $\dfrac{5}{7}\pi < x < \dfrac{5}{6}\pi$

……(答)(ソ, タ, チ)

[2] (1) $a>0$，$a\neq 1$，$b>0$ のとき，$\log_a b=x$ とおくと，ツ が成り立つ。

ツ の解答群

⓪ $x^a=b$	① $x^b=a$
② $a^x=b$	③ $b^x=a$
④ $a^b=x$	⑤ $b^a=x$

(2) 様々な対数の値が有理数か無理数かについて考えよう。

(i) $\log_5 25=$ テ，$\log_9 27=\dfrac{\text{ト}}{\text{ナ}}$ であり，どちらも有理数である。

(ii) $\log_2 3$ が有理数と無理数のどちらであるかを考えよう。

$\log_2 3$ が有理数であると仮定すると，$\log_2 3>0$ であるので，

二つの自然数 p，q を用いて $\log_2 3=\dfrac{p}{q}$ と表すことができる。

このとき，(1)により $\log_2 3=\dfrac{p}{q}$ は ニ と変形できる。いま，

2 は偶数であり 3 は奇数であるので，ニ を満たす自然数 p，q は存在しない。

したがって，$\log_2 3$ は無理数であることがわかる。

(iii) a，b を 2 以上の自然数とするとき，(ii)と同様に考えると，

「ヌ ならば $\log_a b$ はつねに無理数である」ことがわかる。

ニ の解答群

⓪ $p^2=3q^2$	① $q^2=p^3$	② $2^q=3^p$
③ $p^3=2q^3$	④ $p^2=q^3$	⑤ $2^p=3^q$

ヌ の解答群

⓪ a が偶数

① b が偶数

② a が奇数

③ b が奇数

④ a と b がともに偶数，または a と b がともに奇数

⑤ a と b のいずれか一方が偶数で，もう一方が奇数

ヒント！ 対数と整数問題の融合問題だけれど比較的解きやすい問題なので，6分位で解いてみよう。

解答＆解説

[2] (1) $\log_a b = x$

$(a>0,\ a \neq 1,\ b>0)$ より，

$a^x = b$ となる。

∴ ② ……………………(答)(ツ)

(2) (i) $\log_5 25 = 2$ ………(答)(テ)

$\log_9 27 = \dfrac{\log_3 27}{\log_3 9} = \dfrac{3}{2}$

………(答)(ト，ナ)

(ii) $\log_2 3$ を有理数であると仮定すると，

$\log_2 3 = \dfrac{p}{q}$ とおける。

よって，$2^{\frac{p}{q}} = 3$ より，

$2^p = 3^q$ となる。

（2^p：偶数）（3^q：奇数）

∴ ⑤ ………………(答)(ニ)

(iii) $\log_a b$ が無理数となる十分条件を調べる。

$\log_a b$ が有理数と仮定すると，

$\log_a b = \dfrac{p}{q}$ （p，q：自然数）

とおける。

$a^{\frac{p}{q}} = b$ より，$a^p = b^q$ ……あ

よって，a と b のいずれか一方が偶数で，もう一方が奇数ならば，あ式は

(偶数)＝(奇数) または

(奇数)＝(偶数) となって

矛盾する。

よって，$\log_a b$ が無理数となる十分条件は，⑤である。

………(答)(ヌ)

第２問（必答問題）（配点　30）

[1] (1) k を正の定数とし，次の 3 次関数を考える。

$f(x)=x^2(k-x)$

$y=f(x)$ のグラフと x 軸との共有点の座標は $(0,\ 0)$ と $(\boxed{ア},\ 0)$ である。$f(x)$ の導関数 $f'(x)$ は，$f'(x)=\boxed{イウ}x^2+\boxed{エ}kx$ である。

$x=\boxed{オ}$ のとき，$f(x)$ は極小値 $\boxed{カ}$ をとる。

$x=\boxed{キ}$ のとき，$f(x)$ は極大値 $\boxed{ク}$ をとる。

また，$0<x<k$ の範囲において $x=\boxed{キ}$ のとき $f(x)$ は最大となることがわかる。

$\boxed{ア}$，$\boxed{オ}$ ～ $\boxed{ク}$ の解答群（同じものを繰り返し選んでもよい。）

⓪ 0	① $\frac{1}{3}k$	② $\frac{1}{2}k$	③ $\frac{2}{3}k$
④ k	⑤ $\frac{3}{2}k$	⑥ $-4k^2$	⑦ $\frac{1}{8}k^2$
⑧ $\frac{2}{27}k^3$	⑨ $\frac{4}{27}k^3$	ⓐ $\frac{4}{9}k^3$	ⓑ $4k^3$

(2) 後の図のように底面が半径 9 の円で高さが 15 の円錐（すい）に内接する円柱を考える。円柱の底面の半径と体積をそれぞれ x，V とする。V を x の式で表すと，

$V=\dfrac{\boxed{ケ}}{\boxed{コ}}\pi x^2(\boxed{サ}-x)$　$(0<x<9)$ である。

(1) の考察より，$x=\boxed{シ}$ のとき

V は最大となることがわかる。

V の最大値は $\boxed{スセソ}\pi$ である。

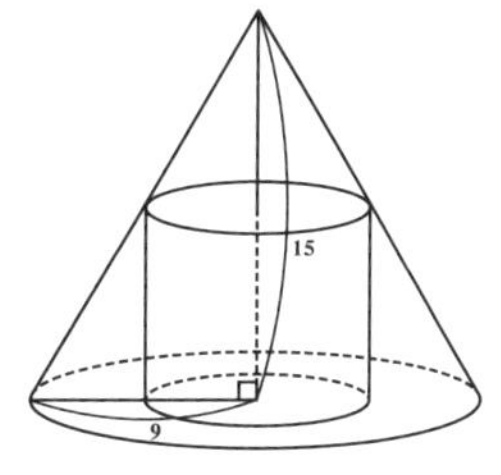

ヒント！ 3 次関数と最大値の基本問題で，とても易しい問題になっている。5 分程度で完答しよう！

解答＆解説

[1] (1) $y=f(x)=x^2(k-x)=-x^2(x-k)$

（k：正の定数）とおくと，右図に示すように，これは x 軸と点 $(0,\ 0)$ で接し，点 $(k,\ 0)$ で交わる曲線である。∴④…(答)(ア)

$f(x)=-x^3+kx^2$

を x で微分すると，

$f'(x)=-3x^2+2kx$

……(答)(イウ，エ)

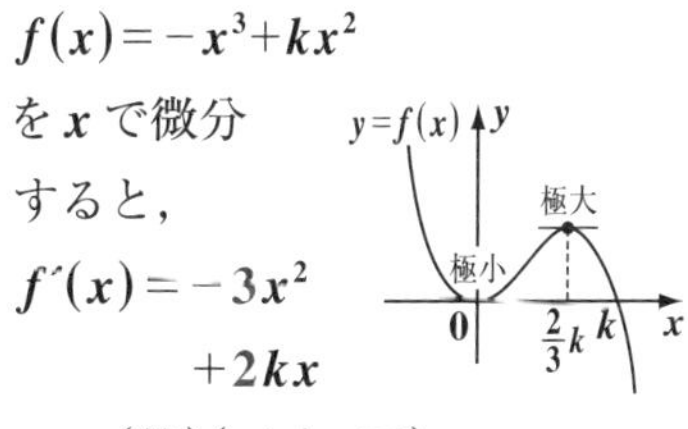

よって，$f'(x)=-3x^2+2kx$

$=-x(3x-2k)=0$ のとき，

$x=0$，$\frac{2}{3}k$ より，$y=f(x)$ は，

・$x=0$ で，極小値 $f(0)=0$ をとる。

∴ ⓪…(答)(オ)，⓪…(答)(カ)

・$x=\frac{2}{3}k$ で，極大値

$f\left(\frac{2}{3}k\right)=\frac{4}{9}k^2\cdot\left(k-\frac{2}{3}k\right)=\frac{4}{27}k^3$

をとる。

∴ ③…(答)(キ)，⑨…(答)(ク)

また，$0<x<k$ のとき，$f(x)$ は，

$x=\frac{2}{3}k$ で最大値 $\frac{4}{27}k^3$ をもつ。

(2) 右図のような円すいに内接する円柱の半径を x，体積を V とおくと，

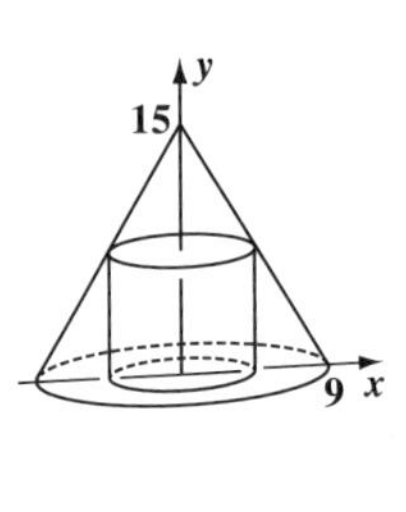

この円柱は右図の網目部の回転体になるので，その体積は，

$V=\pi x^2\cdot\left(15-\frac{5}{3}x\right)$

$=\frac{5}{3}\pi x^2\cdot(9-x)$

$(0<x<9)$

となる。

$f(x)=x^2(9-x)$ とみると，$x=\frac{2}{3}\cdot 9=6$ のとき，最大値 $\frac{4}{27}\cdot 9^3=108$ となる。

……(答)(ケ，コ，サ)

よって，(1)の結果より，

$x=6$ のとき，

……(答)(シ)

V は最大値

$V=\frac{5}{3}\pi\cdot f(6)=180\pi$ をとる。

$f(6)=108$ ……(答)(スセソ)

この問題は，(2)だけで十分で，(1)は短いけれど，やはり冗長な問題になっているんだね。

---

[2] **(1)** 定積分 $\int_0^{30}\left(\frac{1}{5}x+3\right)dx$ の値は $\boxed{タチツ}$ である。

また，関数 $\frac{1}{100}x^2-\frac{1}{6}x+5$ の不定積分は

$$\int\left(\frac{1}{100}x^2-\frac{1}{6}x+5\right)dx=\frac{1}{\boxed{テトナ}}x^3-\frac{1}{\boxed{ニヌ}}x^2+\boxed{ネ}x+C$$

である。ただし，C は積分定数とする。

(2) ある地域では，毎年3月頃「ソメイヨシノ(桜の種類)の開花予想日」が話題になる。太郎さんと花子さんは，開花日時を予想する方法の一つに，2月に入ってからの気温を時間の関数とみて，その関数を積分

した値をもとにする方法があることを知った。ソメイヨシノの開花日時を予想するために，二人は図 1 の 6 時間ごとの気温の折れ線グラフを見ながら，次のように考えることにした。

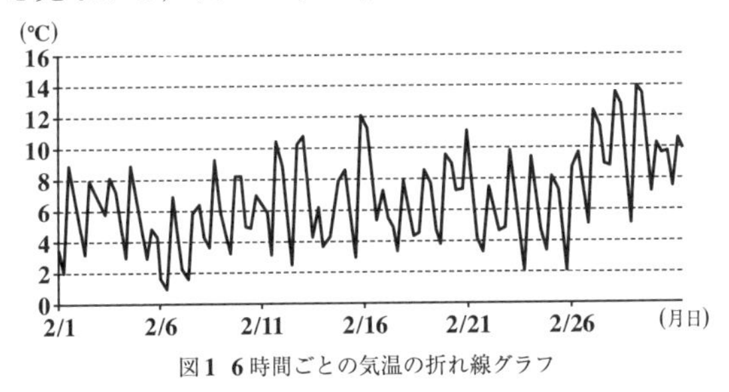

図 1　6 時間ごとの気温の折れ線グラフ

x の値の範囲を 0 以上の実数全体として，2 月 1 日午前 0 時から $24x$ 時間経った時点を x 日後とする。(例えば，10.3 日後は 2 月 11 日午前 7 時 12 分を表す。) また，x 日後の気温を y℃ とする。このとき，y は x の関数であり，これを $y=f(x)$ とおく。ただし，y は負にはならないものとする。

気温を表す関数 $f(x)$ を用いて二人はソメイヨシノの開花日時を次の設定で考えることにした。

設定

正の実数 t に対して，$f(x)$ を 0 から t まで積分した値を $S(t)$ とする。すなわち，$S(t)=\int_0^t f(x)dx$ とする。この $S(t)$ が 400 に到達したとき，ソメイヨシノが開花する。

設定のもと，太郎さんは気温を表す関数 $y=f(x)$ のグラフを図 2 のように直線とみなしてソメイヨシノの開花日時を考えることにした。

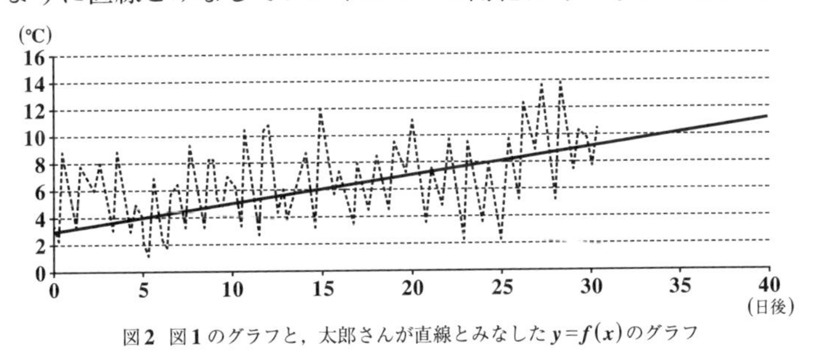

図 2　図 1 のグラフと，太郎さんが直線とみなした $y=f(x)$ のグラフ

(i) 太郎さんは$f(x)=\frac{1}{5}x+3$として考えた。このとき，ソメイヨシノの開花日時は2月に入ってから［ノ］となる。

［ノ］の解答群（同じものを繰り返し選んでもよい。）

⓪ 30日後	① 35日後	② 40日後
③ 45日後	④ 50日後	⑤ 55日後
⑥ 60日後	⑦ 65日後	

(ii) 太郎さんと花子さんは，2月に入ってから30日後以降の気温について話をしている。

太郎：1次関数を用いてソメイヨシノの開花日時を求めてみたよ。
花子：気温の上がり方から考えて，2月に入ってから30日後以降の気温を表す関数が2次関数の場合も考えてみようか。

花子さんは気温を表す関数$f(x)$を，$0 \leqq x \leqq 30$のときは太郎さんと同じように

$f(x)=\frac{1}{5}x+3$ ………………①とし，$x \geqq 30$のときは

$f(x)=\frac{1}{100}x^2-\frac{1}{6}x+5$ ……②

として考えた。なお，$x=30$のとき①の右辺の値と②の右辺の値は一致する。花子さんの考えた式を用いて，ソメイヨシノの開花日時を考えよう。(1)より

$\int_0^{30}\left(\frac{1}{5}x+3\right)dx=$［タチツ］であり，

$\int_{30}^{40}\left(\frac{1}{100}x^2-\frac{1}{6}x+5\right)dx=115$ となることがわかる。

また，$x \geqq 30$の範囲において$f(x)$は増加する。よって

$\int_{30}^{40}f(x)dx$ ［ハ］ $\int_{40}^{50}f(x)dx$

であることがわかる。以上より，ソメイヨシノの開花日時は2月に入ってから［ヒ］となる。

八 の解答群

⓪ $<$　　① $=$　　② $>$

ヒ の解答群

⓪ **30**日後より前
① **30**日後
② **30**日後より後，かつ**40**日後より前
③ **40**日後
④ **40**日後より後，かつ**50**日後より前
⑤ **50**日後
⑥ **50**日後より後，かつ**60**日後より前
⑦ **60**日後
⑧ **60**日後より後

ヒント！ 極めて冗長な問題だけれど，定積分の結果が**400**に達したらサクラが咲くという単純な問題なんだね。どうせ「気にするな！大したことは書いてない！」の精神で制限時間**10**分程度の範囲でサクサク解いていこう！

解答＆解説

[2] (1) $\int_0^{30}\left(\frac{1}{5}x+3\right)dx=\left[\frac{1}{10}x^2+3x\right]_0^{30}$

$=90+90=180$

……(答)(タチツ)

$\int\left(\frac{1}{100}x^2-\frac{1}{6}x+5\right)dx$

$=\frac{1}{300}x^3-\frac{1}{12}x^2+5x+C$

……(答)(テトナ，ニヌ，ネ)

(2) (ⅰ) $f(x)=\frac{1}{5}x+3$ について，

$S(t)=\int_0^t f(x)dx=\frac{1}{10}t^2+3t$

とおくと，

$S(40)=160+120=280$

$S(50)=250+150=400$

∴④ ………………(答)(ノ)

(ⅱ) $f(x)=\begin{cases}\frac{1}{5}x+3 \cdots\cdots① \ (0\leqq x\leqq 30)\\ \frac{1}{100}x^2-\frac{1}{6}x+5 \cdots② \ (30\leqq x)\end{cases}$

$\int_0^{30}f(x)dx=180$ ((1)より)

$\int_{30}^{40}f(x)dx=115$ (②より)

頂点のx座標 $x=\frac{25}{3}$

$x\geqq 30$ のとき，

$f(x)$ (②) は単調増加関数より，

$\int_{30}^{40}f(x)dx<\int_{40}^{50}f(x)dx$ となる。

∴⓪ ………………(答)(八)

$\underbrace{\int_0^{30}f(x)dx}_{180}+\underbrace{\int_{30}^{40}f(x)dx}_{115}+\underbrace{\int_{40}^{50}f(x)dx}_{115\text{より大}}$

より，サクラの開花は，**40**日後より後，**50**日後より前となる。

∴④ ………………(答)(ヒ)

第３問（選択問題）（配点　20）

以下の問題を解答するにあたっては，必要に応じて正規分布表を用いてもよい。

(1) ある生産地で生産されるピーマン全体を母集団とし，この母集団におけるピーマン **1** 個の重さ (単位は **g**) を表す確率変数を X とする。m と σ を正の実数とし，X は正規分布 $N(m,\ \sigma^2)$ に従うとする。

(i) この母集団から **1** 個のピーマンを無作為に抽出したとき，重さが m**g** 以上である確率 $P(X \geqq m)$ は

$$P(X \geqq m) = P\left(\frac{X-m}{\sigma} \geqq \boxed{ア}\right) = \frac{\boxed{イ}}{\boxed{ウ}}$$ である。

(ii) 母集団から無作為に抽出された大きさ n の標本 $X_1,\ X_2,\ \cdots,\ X_n$ の標本平均を $\overline{X}$ とする。$\overline{X}$ の平均 (期待値) と標準偏差はそれぞれ

$E(\overline{X}) = \boxed{エ}$，$\sigma(\overline{X}) = \boxed{オ}$ となる。

$n = 400$，標本平均が **30.0g**，標本の標準偏差が **3.6g** のとき，m の信頼度 **90**％の信頼区間を次の方針で求めよう。

方針

Z を標準正規分布 $N(0,\ 1)$ に従う確率変数として，$P(-z_0 \leqq Z \leqq z_0) = 0.901$ となる z_0 を正規分布表から求める。この z_0 を用いると m の信頼度 **90.1**％の信頼区間が求められるが，これを信頼度 **90**％の信頼区間とみなして考える。

方針において，$z_0 = \boxed{カ}.\boxed{キク}$ である。

一般に，標本の大きさ n が大きいときには，母標準偏差の代わりに，標本の標準偏差を用いてよいことが知られている。$n = 400$ は十分に大きいので，**方針**に基づくと，m の信頼度 **90**％の信頼区間は $\boxed{ケ}$ となる。

$\boxed{エ}$，$\boxed{オ}$ の解答群 (同じものを繰り返し選んでもよい。)

⓪ σ	① σ^2	② $\dfrac{\sigma}{\sqrt{n}}$	③ $\dfrac{\sigma^2}{n}$
④ m	⑤ $2m$	⑥ m^2	⑦ $\sqrt{m}$
⑧ $\dfrac{\sigma}{n}$	⑨ $n\sigma$	ⓐ nm	ⓑ $\dfrac{m}{n}$

ケ については，最も適当なものを，次の⓪～⑤のうちから一つ選べ。

⓪ $28.6 \leqq m \leqq 31.4$	① $28.7 \leqq m \leqq 31.3$	② $28.9 \leqq m \leqq 31.1$
③ $29.6 \leqq m \leqq 30.4$	④ $29.7 \leqq m \leqq 30.3$	⑤ $29.9 \leqq m \leqq 30.1$

(2) **(1)** の確率変数 X において，$m=30.0$，$\sigma=3.6$ とした母集団から無作為にピーマンを **1** 個ずつ抽出し，ピーマン **2** 個を **1** 組にしたものを袋に入れていく。このようにしてピーマン **2** 個を **1** 組にしたものを **25** 袋作る。その際，**1** 袋ずつの重さの分散を小さくするために，次の**ピーマン分類法**を考える。

ピーマン分類法

無作為に抽出したいくつかのピーマンについて，重さが **30.0g** 以下のときを **S** サイズ，**30.0g** を超えるときは **L** サイズと分類する。そして，分類されたピーマンから **S** サイズと **L** サイズのピーマンを一つずつ選び，ピーマン **2** 個を **1** 組とした袋を作る。

(i) ピーマンを無作為に **50** 個抽出したとき，**ピーマン分類法**で **25** 袋作ることができる確率 p_0 を考えよう。無作為に **1** 個抽出したピーマンが **S** サイズである確率は $\dfrac{\boxed{コ}}{\boxed{サ}}$ である。ピーマンを無作為に **50** 個抽出したときの **S** サイズのピーマンの個数を表す確率変数を U_0 とすると，U_0 は二項分布 $B\left(50,\ \dfrac{\boxed{コ}}{\boxed{サ}}\right)$ に従うので

$$p_0={}_{50}\mathrm{C}_{\boxed{シス}}\times\left(\frac{\boxed{コ}}{\boxed{サ}}\right)^{\boxed{シス}}\times\left(1-\frac{\boxed{コ}}{\boxed{サ}}\right)^{50-\boxed{シス}}$$ となる。

p_0 を計算すると $p_0=0.1122\cdots$ となることから，ピーマンを無作為に **50** 個抽出したとき，**25** 袋作ることができる確率は **0.11** 程度とわかる。

(ii) **ピーマン分類法**で **25** 袋作ることができる確率が **0.95** 以上となるようなピーマンの個数を考えよう。

k を自然数とし，ピーマンを無作為に $(50+k)$ 個抽出したとき，**S** サイズのピーマンの個数を表す確率変数を U_k とすると，U_k は二項分布 $B\left(50+k,\ \dfrac{\boxed{コ}}{\boxed{サ}}\right)$ に従う。

$(50+k)$ は十分に大きいので，U_k は近似的に正規分布 $N\left(\boxed{セ},\ \boxed{ソ}\right)$ に従い，$Y=\dfrac{U_k-\boxed{セ}}{\sqrt{\boxed{ソ}}}$ とすると，Y は近似的に標準正規分布 $N(0,\ 1)$ に従う。

よって，**ピーマン分類法**で，25袋作ることができる確率を p_k とすると

$p_k=P(25 \leqq U_k \leqq 25+k)=P\left(-\dfrac{\boxed{タ}}{\sqrt{50+k}} \leqq Y \leqq \dfrac{\boxed{タ}}{\sqrt{50+k}}\right)$ となる。

$\boxed{タ}=\alpha$，$\sqrt{50+k}=\beta$ とおく。

$p_k \geqq 0.95$ になるような $\dfrac{\alpha}{\beta}$ について，正規分布表から $\dfrac{\alpha}{\beta} \geqq 1.96$ を満たせばよいことがわかる。ここでは，$\dfrac{\alpha}{\beta} \geqq 2$ ……①

を満たす自然数 k を考えることとする。①の両辺は正であるから，$\alpha^2 \geqq 4\beta^2$ を満たす最小の k を k_0 とすると，$k_0=\boxed{チツ}$ であることがわかる。ただし，$\boxed{チツ}$ の計算においては，$\sqrt{51}=7.14$ を用いてもよい。

したがって，少なくとも $\left(50+\boxed{チツ}\right)$ 個のピーマンを抽出しておけば，**ピーマン分類法**で25袋作ることができる確率は0.95以上となる。

$\boxed{セ}$ ～ $\boxed{タ}$ の解答群（同じものを繰り返し選んでもよい。）

⓪ k	① $2k$	② $3k$	③ $\dfrac{50+k}{2}$
④ $\dfrac{25+k}{2}$	⑤ $25+k$	⑥ $\dfrac{\sqrt{50+k}}{2}$	⑦ $\dfrac{50+k}{4}$

正規分布表

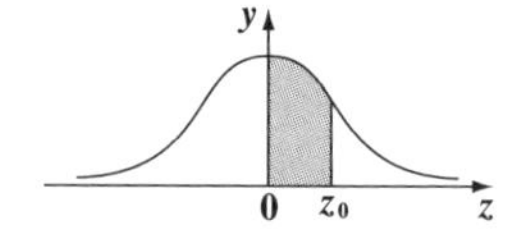

z_0	0.00	0.01	0.02	0.03	0.04	0.05	0.06	0.07	0.08	0.09
0.0	0.0000	0.0040	0.0080	0.0120	0.0160	0.0199	0.0239	0.0279	0.0319	0.0359
⋮	⋮	⋮	⋮	⋮	⋮	⋮	⋮	⋮	⋮	⋮
1.6	0.4452	0.4463	0.4474	0.4484	0.4495	0.4505	0.4515	0.4525	0.4535	0.4545
1.7	0.4554	0.4564	0.4573	0.4582	0.4591	0.4599	0.4608	0.4616	0.4625	0.4633
1.8	0.4641	0.4649	0.4656	0.4664	0.4671	0.4678	0.4686	0.4693	0.4699	0.4706
1.9	0.4713	0.4719	0.4726	0.4732	0.4738	0.4744	0.4750	0.4756	0.4761	0.4767
2.0	0.4772	0.4778	0.4783	0.4788	0.4793	0.4798	0.4803	0.4808	0.4812	0.4817

ヒント！ この選択問題も冗長な長文問題になっており，14分の制限時間はかなり厳しいと思うけれど，問題の本質(信頼区間，二項分布と標準正規分布)を押さえて，解けるところまで，サクサク解いていこう！

解答＆解説

(1) ピーマンを作物 A とおく。A の重さ X(g) は正規分布 $N(m,\ \sigma^2)$ に従う。

(i) X の標準化変数を $Z = \frac{X-m}{\sigma}$ とおくと，

確率 $P(X \geqq m) = P(Z \geqq 0) = \frac{1}{2}$

$X-m \geqq 0,\ \frac{X-m}{\sigma} \geqq 0,\ Z \geqq 0$

となる。………(答)(ア，イ，ウ)

(ii) 母集団から無作為抽出された n 個の標本 $X_1, X_2, \cdots, X_n$ の標本平均を $\overline{X}$ とおくと，$\overline{X}$ は正規分布 $N\left(m, \frac{\sigma^2}{n}\right)$ に従う。

$\therefore E(\overline{X}) = m,\ \sigma(\overline{X}) = \frac{\sigma}{\sqrt{n}}$

となる。よって，

④ …(答)(エ)，② …(答)(オ)

・$n = 400$，$\overline{X} = 30$，標本標準偏差 $S = 3.6$ のとき，m の 90% 信頼区間を求める。

標準化変数 Z は，$N(0, 1)$ に従うので，確率 $P(-z_0 \leqq Z \leqq z_0) = 0.901$ をみたす z_0 を数表から求めると，

$z_0 = 1.65$ である。

………(答)(カ，キク)

$-z_0 \leqq Z \leqq z_0$

よって，$-1.65 \leqq \frac{\overline{X}-m}{\frac{S}{\sqrt{n}}} \leqq 1.65$ より，

$n=400$ は十分大きいので，σ の代わりに S を使用

$$\overline{X} - 1.65\frac{S}{\sqrt{n}} \leqq m \leqq \overline{X} + 1.65\frac{S}{\sqrt{n}}$$

$30 - 1.65 \times \frac{3.6}{20} \fallingdotseq 29.7$ （$1.65 \times \frac{3.6}{20} \fallingdotseq 0.3$）

$30 + 0.3 = 30.3$

$\therefore$ ④ ……………………(答)(ケ)

(2) (i) A 分類法で，50 個の A を無作為抽出して，L と S サイズで 1 組として，25 組できる確率 p_0 を求める。抽出した 1 個が S である確率は $p = \frac{1}{2}$ …(答)(コ，サ)

より，50 個抽出したときの S サイズの個数を U_0 とおくと，U_0 は二項分布 $B\left(50, \frac{1}{2}\right)$ に従う。

$$\therefore p_0 = {}_{50}C_{25}\left(\frac{1}{2}\right)^{25} \cdot \left(1-\frac{1}{2}\right)^{50-25} \fallingdotseq 0.11$$

………(答)(シス)

(ii) A 分類法で，S サイズを 25 個抽出する確率が 0.95 以上となるような A の抽出個数を $50+k$ とおく。S サイズの個数を U_k とおくと，U_k は二項分布 $B\left(50+k, \frac{1}{2}\right)$ に従う。

$50+k$ を十分に大きいと考えると，

これは，正規分布

$N\left(\dfrac{50+k}{2},\ \dfrac{50+k}{4}\right)$ に従う。

$m=n\cdot p=(50+k)\cdot\frac{1}{2}$　$\sigma^2=np(1-p)$

よって，

$m=\dfrac{50+k}{2}$，$\sigma^2=\dfrac{50+k}{4}$ より，

③ …(答)(セ)，⑦ …(答)(ソ)

よって，U_k の標準化変数を Y とおくと，

$$Y=\frac{U_k-m}{\sigma}=\frac{U_k-\frac{50+k}{2}}{\frac{\sqrt{50+k}}{2}}$$

であり，これは，標準正規分布 $N(0,\ 1)$ に従う。

A分類法で，25袋作る(Sサイズ25個を取り出す)確率を p_k とおくと，

$p_k=P(25\leqq U_k\leqq 25+k)$ となる。

ここで，$25\leqq U_k\leqq 25+k$ より，

$$\frac{25-m}{\sigma}\leqq\frac{U_k-m}{\sigma}\leqq\frac{25+k-m}{\sigma}$$

$$\frac{25-\frac{50+k}{2}}{\frac{\sqrt{50+k}}{2}}\leqq Y\leqq\frac{25+k-\frac{50+k}{2}}{\frac{\sqrt{50+k}}{2}}$$

$$-\frac{k}{\sqrt{50+k}}\leqq Y\leqq\frac{k}{\sqrt{50+k}}$$

∴⓪……………………(答)(タ)

ここで，$k=\alpha$，$\sqrt{50+k}=\beta$ とおくと，

$p_k=0.95$ となるとき，

$p_k=P(25\leqq U_k\leqq 25+k)$

$=P\left(-\dfrac{\alpha}{\beta}\leqq Y\leqq\dfrac{\alpha}{\beta}\right)$ より，

-1.96　1.96 ← 標準正規分布表より

$p_k\geqq 0.95$ のとき，$\dfrac{\alpha}{\beta}\geqq 1.96$ となる。

ここで，$\dfrac{\alpha}{\beta}\geqq 2$ をみたす自然数 k を求めると，

$\alpha\geqq 2\beta$　両辺を2乗して，

$\alpha^2\geqq 4\beta^2$　$k^2\geqq 200+4k$

($\alpha^2=k^2$，$\beta^2=50+k$)

$k^2-4k-200\geqq 0$

ここで，$k>0$ より，

$k^2-4k-200=0$ の解は，
$k=2\pm\sqrt{4+200}=2\pm\sqrt{204}=2\pm 2\sqrt{51}$

$k\geqq 2+2\sqrt{51}=16.28$　($\sqrt{51}=7.14$)

∴これをみたす最小の k を k_0 とおくと，

$k_0=17$ である。……(答)(チツ)

第 4 問（選択問題）（配点　20）

花子さんは，毎年の初めに預金口座に一定額の入金をすることにした。この入金を始める前における花子さんの預金は **10** 万円である。ここで，預金とは預金口座にあるお金の額のことである。預金には年利 **1** % で利息がつき，ある年の初めの預金が x 万円であれば，その年の終わりには預金は $1.01x$ 万円となる。次の年の初めには $1.01x$ 万円に入金額を加えたものが預金となる。

毎年の初めの入金額を p 万円とし，n 年目の初めの預金を a_n 万円とおく。ただし，$p>0$ とし，n は自然数とする。

例えば，$a_1=10+p$，$a_2=1.01(10+p)+p$ である。

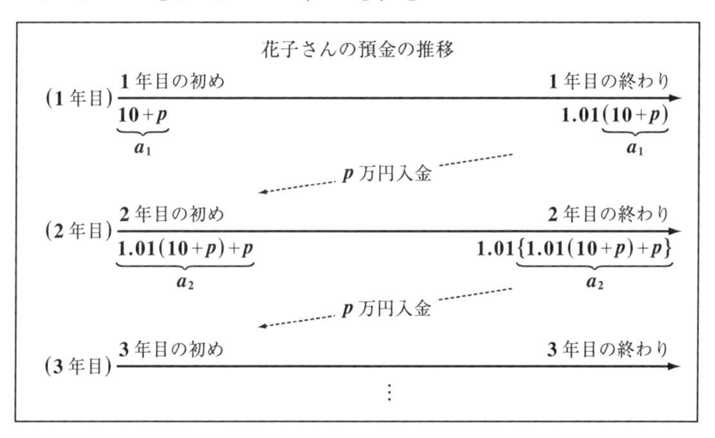

参考図

(1) a_n を求めるために二つの方針で考える。

方針 1

n 年目の初めの預金と $(n+1)$ 年目の初めの預金との関係に着目して考える。

3 年目の初めの預金 a_3 万円について，$a_3=$ ［ア］ である。すべての自然数 n について，$a_{n+1}=$ ［イ］a_n+ ［ウ］ が成り立つ。これは，

$$a_{n+1}+\boxed{\text{エ}}=\boxed{\text{オ}}\left(a_n+\boxed{\text{エ}}\right)$$

と変形でき，a_n を求めることができる。

ア の解答群

⓪ $1.01\{1.01(10+p)+p\}$	① $1.01\{1.01(10+p)+1.01p\}$
② $1.01\{1.01(10+p)+p\}+p$	③ $1.01\{1.01(10+p)+p\}+1.01p$
④ $1.01(10+p)+1.01p$	⑤ $1.01(10+1.01p)+1.01p$

イ ～ オ の解答群 (同じものを繰り返し選んでもよい。)

⓪ 1.01	① 1.01^{n-1}	② 1.01^{n}
③ p	④ $100p$	⑤ np
⑥ $100np$	⑦ $1.01^{n-1}\times 100p$	⑧ $1.01^{n}\times 100p$

方針2

もともと預金口座にあった**10**万円と毎年の初めに入金したp万円について，n年目の初めにそれぞれがいくらになるかに着目して考える。

もともと預金口座にあった**10**万円は，**2**年目の初めには10×1.01万円になり，**3**年目の初めには10×1.01^2万円になる。同様に考えるとn年目の初めには$10\times 1.01^{n-1}$万円になる。

・**1**年目の初めに入金したp万円は，n年目の初めには$p\times 1.01^{\boxed{カ}}$万円になる。
・**2**年目の初めに入金したp万円は，n年目の初めには$p\times 1.01^{\boxed{キ}}$万円になる。
・n年目の初めに入金したp万円は，n年目の初めにはp万円のままである。

これより，

$$a_n=10\times 1.01^{n-1}+p\times 1.01^{\boxed{カ}}+p\times 1.01^{\boxed{キ}}+\cdots+p$$
$$=10\times 1.01^{n-1}+p\sum_{k=1}^{n}1.01^{\boxed{ク}}$$

となることがわかる。ここで，$\displaystyle\sum_{k=1}^{n}1.01^{\boxed{ク}}=\boxed{ケ}$となるので，$a_n$を求めることができる。

カ ， キ の解答群 (同じものを繰り返し選んでもよい。)

⓪ $n+1$	① n	② $n-1$	③ $n-2$

ク の解答群

⓪ $k+1$	① k	② $k-1$	③ $k-2$

[ケ] の解答群

⓪ 100×1.01^{n}	① $100(1.01^{n}-1)$
② $100(1.01^{n-1}-1)$	③ $n+1.01^{n-1}-1$
④ $0.01(101n-1)$	⑤ $\dfrac{n \times 1.01^{n-1}}{2}$

(2)　花子さんは，10年目の終わりの預金が30万円以上になるための入金額について考えた。

10年目の終わりの預金が30万円以上であることを不等式を用いて表すと [コ] $\geqq 30$ となる。この不等式を p について解くと

$$p \geqq \frac{\boxed{サシ} - \boxed{スセ} \times 1.01^{10}}{101(1.01^{10}-1)}$$

となる。したがって，毎年の初めの入金額が例えば18000円であれば，10年目の終わりの預金が30万円以上になることがわかる。

[コ] の解答群

⓪ a_{10}	① $a_{10}+p$	② $a_{10}-p$
③ $1.01a_{10}$	④ $1.01a_{10}+p$	⑤ $1.01a_{10}-p$

(3)　1年目の入金を始める前における花子さんの預金が10万円ではなく，13万円の場合を考える。すべての自然数 n に対して，この場合の n 年目の初めの預金は a_n 万円よりも [ソ] 万円多い。なお，年利は1％であり，毎年の初めの入金額は p 万円のままである。

[ソ] の解答群

⓪ 3	① 13	② $3(n-1)$
③ $3n$	④ $13(n-1)$	⑤ $13n$
⑥ 3^{n}	⑦ $3+1.01(n-1)$	⑧ $3 \times 1.01^{n-1}$
⑨ 3×1.01^{n}	ⓐ $13 \times 1.01^{n-1}$	ⓑ $13 \times 1.01^{n-1}$

ヒント！ この問題は年利1％の積み立て貯金の問題で，これは等比関数列型漸化式：$F(n+1)=r \cdot F(n)$ に帰着するんだね。これも，冗長な長文問題で，誘導の仕方も何か変な問題だけれど，難しくはないので，テンポよく解いて，完答を目指そう！

解答＆解説

(1) ・1年目の初めの $a_1=10+p$（万円）が（以下，万円は略）

1年目の終わりに $1.01\cdot a_1=1.01(10+p)$ になり，

・2年目の初めに $a_2=1.01a_1+p$ となり，

2年目の終わりに $1.01\cdot a_2$ になる。そして，

・3年目の初めに $a_3=1.01a_2+p$ となるので，

$1.01a_1+p=1.01(10+p)+p$

$a_3=1.01\{1.01(10+p)+p\}+p$ となる。

∴②　…………………………(答)(ア)

一般に $r=1,\ 2,\ 3,\ \cdots$ について，

同様に考えて

$a_{n+1}=1.01a_n+p$ ……①　となる。

①は，$a_{n+1}=pa_n+q$ の形の漸化式より，
特性方程式：$x=1.01\cdot x+p$ から，
$0.01x=-p\quad x=-100p$

①を変形すると，（等比関数列型漸化式）

$a_{n+1}-(-100p)=1.01\{a_n-(-100p)\}$ …②

$a_{n+1}+100p=1.01(a_n+100p)$

$[\ F(n+1)\ =\ r\ \cdot\ F(n)\ ]$

⓪……(答)(イ)，③……(答)(ウ)

④……(答)(エ)，⓪……(答)(オ)

②より，一気に，一般項は次のようにスグに求められる。
$a_n+100p=(a_1+100p)\cdot 1.01^{n-1}$　（$a_1=10+p$）
$[\ F(n)\ =\ F(1)\ \cdot\ r^{n-1}\ ]$
$a_n=(10+101p)\cdot 1.01^{n-1}-100p$
$\therefore a_n=10\times 1.01^{n-1}+100p\times 1.01^n-100p$
$=10\times 1.01^{n-1}+100p\times(1.01^n-1)$
しかし，また冗長な誘導になっている。

$a_3=1.01^2\cdot 10+p(1.01^2+1.01+1)$ より，

a_n は次のように表されると類推できる。

$a_n=10\times 1.01^{n-1}+p\times 1.01^{n-1}+p\times 1.01^{n-2}+\cdots+p$

∴②……(答)(カ)，③……(答)(キ)

$a_n=10\times 1.01^{n-1}+p\sum_{k=1}^{n}1.01^{k-1}$

∴②　…………………………(答)(ク)

$\sum_{k=1}^{n}1.01^{k-1}=\dfrac{1\cdot(1-1.01^n)}{1-1.01}=100(1.01^n-1)$

$\sum_{k=1}^{n}r^{k-1}=1+r+r^2+\cdots+r^{n-1}=\dfrac{1\cdot(1-r^n)}{1-r}$

∴①　…………………………(答)(ケ)

$\therefore a_n=10\times 1.01^{n-1}+100p(1.01^n-1)$ …③

(2) $1.01a_{10}\geqq 30$ を解く。（10年目の終わりの預金）

∴③　…………………………(答)(コ)

$1.01\{10\times 1.01^9+100p(1.01^{10}-1)\}\geqq 30$

$100p(1.01^{10}-1)\geqq\dfrac{30}{1.01}-10\times 1.01^9$　$\left(=\dfrac{30-10\times 1.01^{10}}{1.01}\right)$

$\therefore p\geqq\dfrac{30-10\times 1.01^{10}}{101(1.01^{10}-1)}$

………(答)(サシ，スセ)

(3) 初めの貯金のみが10の代わりに13の場合の n 年目の初めの預金を $b_n(n=1,\ 2,\ 3,\ \cdots)$ で表すと，同様に，

$b_n=13\times 1.01^{n-1}+100p(1.01^n-1)$ …④

となる。よって，④－③を実行すると，それぞれの右辺の第2項は同じものなので打ち消し合って，

$b_n-a_n=13\times 1.01^{n-1}-10\times 1.01^{n-1}$

$=(13-10)\times 1.01^{n-1}=3\times 1.01^{n-1}$

となる。

∴⑧　…………………………(答)(ソ)

第 5 問（選択問題）（配点 20）

三角錐(すい) PABC において，辺 BC の中点を M とおく。また，$\angle PAB = \angle PAC$ とし，この角度を θ とおく。ただし，$0^\circ < \theta < 90^\circ$ とする。

(1) $\overrightarrow{AM}$ は，$\overrightarrow{AM} = \dfrac{\boxed{ア}}{\boxed{イ}}\overrightarrow{AB} + \dfrac{\boxed{ウ}}{\boxed{エ}}\overrightarrow{AC}$ と表せる。また，

$$\frac{\overrightarrow{AP}\cdot\overrightarrow{AB}}{|\overrightarrow{AP}||\overrightarrow{AB}|} = \frac{\overrightarrow{AP}\cdot\overrightarrow{AC}}{|\overrightarrow{AP}||\overrightarrow{AC}|} = \boxed{オ} \quad \cdots\cdots①$$ である。

$\boxed{オ}$ の解答群

⓪ $\sin\theta$	① $\cos\theta$	② $\tan\theta$
③ $\dfrac{1}{\sin\theta}$	④ $\dfrac{1}{\cos\theta}$	⑤ $\dfrac{1}{\tan\theta}$
⑥ $\sin\angle BPC$	⑦ $\cos\angle BPC$	⑧ $\tan\angle BPC$

(2) $\theta = 45^\circ$ とし，さらに

$$|\overrightarrow{AP}| = 3\sqrt{2},\ |\overrightarrow{AB}| = |\overrightarrow{PB}| = 3,\ |\overrightarrow{AC}| = |\overrightarrow{PC}| = 3$$

が成り立つ場合を考える。このとき

$$\overrightarrow{AP}\cdot\overrightarrow{AB} = \overrightarrow{AP}\cdot\overrightarrow{AC} = \boxed{カ}$$

である。さらに，直線 AM 上の点 D が $\angle APD = 90^\circ$ を満たしているとする。このとき，$\overrightarrow{AD} = \boxed{キ}\,\overrightarrow{AM}$ である。

(3) $\overrightarrow{AQ} = \boxed{キ}\,\overrightarrow{AM}$

で定まる点を Q とおく。$\overrightarrow{PA}$ と $\overrightarrow{PQ}$ が垂直である三角錐 PABC はどのようなものかについて考えよう。例えば(2)の場合では，点 Q は点 D と一致し，$\overrightarrow{PA}$ と $\overrightarrow{PQ}$ は垂直である。

(i) $\overrightarrow{PA}$ と $\overrightarrow{PQ}$ が垂直であるとき，$\overrightarrow{PQ}$ を $\overrightarrow{AB}$，$\overrightarrow{AC}$，$\overrightarrow{AP}$ を用いて表して考えると，$\boxed{ク}$ が成り立つ。さらに①に注意すると，$\boxed{ク}$ から $\boxed{ケ}$ が成り立つことがわかる。

したがって，$\overrightarrow{PA}$ と $\overrightarrow{PQ}$ が垂直であれば，$\boxed{ケ}$ が成り立つ。逆に $\boxed{ケ}$ が成り立てば，$\overrightarrow{PA}$ と $\overrightarrow{PQ}$ は垂直である。

ク の解答群

⓪ $\overrightarrow{AP}\cdot\overrightarrow{AB}+\overrightarrow{AP}\cdot\overrightarrow{AC}=\overrightarrow{AP}\cdot\overrightarrow{AP}$
① $\overrightarrow{AP}\cdot\overrightarrow{AB}+\overrightarrow{AP}\cdot\overrightarrow{AC}=-\overrightarrow{AP}\cdot\overrightarrow{AP}$
② $\overrightarrow{AP}\cdot\overrightarrow{AB}+\overrightarrow{AP}\cdot\overrightarrow{AC}=\overrightarrow{AB}\cdot\overrightarrow{AC}$
③ $\overrightarrow{AP}\cdot\overrightarrow{AB}+\overrightarrow{AP}\cdot\overrightarrow{AC}=-\overrightarrow{AB}\cdot\overrightarrow{AC}$
④ $\overrightarrow{AP}\cdot\overrightarrow{AB}+\overrightarrow{AP}\cdot\overrightarrow{AC}=0$
⑤ $\overrightarrow{AP}\cdot\overrightarrow{AB}-\overrightarrow{AP}\cdot\overrightarrow{AC}=0$

ケ の解答群

⓪ $\lvert\overrightarrow{AB}\rvert+\lvert\overrightarrow{AC}\rvert=\sqrt{2}\lvert\overrightarrow{BC}\rvert$
① $\lvert\overrightarrow{AB}\rvert+\lvert\overrightarrow{AC}\rvert=2\lvert\overrightarrow{BC}\rvert$
② $\lvert\overrightarrow{AB}\rvert\sin\theta+\lvert\overrightarrow{AC}\rvert\sin\theta=\lvert\overrightarrow{AP}\rvert$
③ $\lvert\overrightarrow{AB}\rvert\cos\theta+\lvert\overrightarrow{AC}\rvert\cos\theta=\lvert\overrightarrow{AP}\rvert$
④ $\lvert\overrightarrow{AB}\rvert\sin\theta=\lvert\overrightarrow{AC}\rvert\sin\theta=2\lvert\overrightarrow{AP}\rvert$
⑤ $\lvert\overrightarrow{AB}\rvert\cos\theta=\lvert\overrightarrow{AC}\rvert\cos\theta=2\lvert\overrightarrow{AP}\rvert$

(ii) k を正の実数とし，$k\overrightarrow{AP}\cdot\overrightarrow{AB}=\overrightarrow{AP}\cdot\overrightarrow{AC}$
が成り立つとする。このとき，コ が成り立つ。

また，点 B から直線 AP に下ろした垂線と直線 AP との交点を B′ とし，同様に点 C から直線 AP に下ろした垂線と直線 AP との交点を C′ とする。

このとき，$\overrightarrow{PA}$ と $\overrightarrow{PQ}$ が垂直であることは，サ であることと同値である。特に $k=1$ のとき，$\overrightarrow{PA}$ と $\overrightarrow{PQ}$ が垂直であることは，シ であることと同値である。

コ の解答群

⓪ $k\lvert\overrightarrow{AB}\rvert=\lvert\overrightarrow{AC}\rvert$	① $\lvert\overrightarrow{AB}\rvert=k\lvert\overrightarrow{AC}\rvert$
② $k\lvert\overrightarrow{AP}\rvert=\sqrt{2}\lvert\overrightarrow{AB}\rvert$	③ $k\lvert\overrightarrow{AP}\rvert=\sqrt{2}\lvert\overrightarrow{AC}\rvert$

サ の解答群

⓪ B´とC´がともに線分APの中線
① B´とC´が線分APをそれぞれ $(k+1):1$ と $1:(k+1)$ に内分する点
② B´とC´が線分APをそれぞれ $1:(k+1)$ と $(k+1):1$ に内分する点
③ B´とC´が線分APをそれぞれ $k:1$ と $1:k$ に内分する点
④ B´とC´が線分APをそれぞれ $1:k$ と $k:1$ に内分する点
⑤ B´とC´がともに線分APを $k:1$ に内分する点
⑥ B´とC´がともに線分APを $1:k$ に内分する点

シ の解答群

⓪ △PABと△PACがともに正三角形
① △PABと△PACがそれぞれ∠PBA＝90°，∠PCA＝90°を満たす直角二等辺三角形
② △PABと△PACがそれぞれBP＝BA，CP＝CAを満たす二等辺三角形
③ △PABと△PACが合同
④ AP＝BC

ヒント！ 三角すい（空間図形）とベクトルの融合問題で，最後の2題を除くと，他は解きやすい問題になっている。よって，14分の制限時間でも8割程度は得点できるはずだ。頑張ろう！

解答＆解説

右図のような，∠PAB＝∠PAC＝θ（$0°<\theta<90°$）の三角すいPABCがある。MはBCの中点とする。

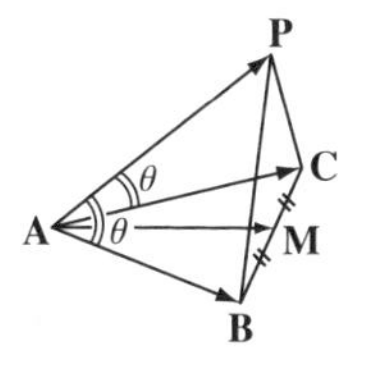

(1) $\overrightarrow{AM}=\frac{1}{2}(\overrightarrow{AB}+\overrightarrow{AC})=\frac{1}{2}\overrightarrow{AB}+\frac{1}{2}\overrightarrow{AC}$ ………(答)(ア，イ，ウ，エ)

$$\frac{\overrightarrow{AP}\cdot\overrightarrow{AB}}{|\overrightarrow{AP}||\overrightarrow{AB}|}=\frac{\overrightarrow{AP}\cdot\overrightarrow{AC}}{|\overrightarrow{AP}||\overrightarrow{AC}|}=\cos\theta\cdots①$$

より，∴① ………………(答)(オ)

(2) $\theta = 45°$, $|\overrightarrow{AP}| = 3\sqrt{2}$,
$|\overrightarrow{AB}| = |\overrightarrow{PB}| = 3$, $|\overrightarrow{AC}| = |\overrightarrow{PC}| = 3$
のとき,

・$\overrightarrow{AP}\cdot\overrightarrow{AB} = |\overrightarrow{AP}||\overrightarrow{AB}|\cos 45° = 3\sqrt{2} \times 3 \times \dfrac{1}{\sqrt{2}} = 9$

・$\overrightarrow{AP}\cdot\overrightarrow{AC} = |\overrightarrow{AP}||\overrightarrow{AC}|\cos 45° = 3\sqrt{2} \times 3 \times \dfrac{1}{\sqrt{2}} = 9$

$\therefore \overrightarrow{AP}\cdot\overrightarrow{AB} = \overrightarrow{AP}\cdot\overrightarrow{AC} = 9$
………(答)(カ)

さらに, 直線 AM 上の点 D が, $\angle APD = 90°$ をみたすとき, $\overrightarrow{AD} = l\overrightarrow{AM}$ とおくと,

$\overrightarrow{PA}\cdot\overrightarrow{PD} = 0$ より,

$\overrightarrow{PA} = -\overrightarrow{AP}$

$\overrightarrow{PD} = \overrightarrow{AD} - \overrightarrow{AP} = l\overrightarrow{AM} - \overrightarrow{AP} = \dfrac{l}{2}(\overrightarrow{AB} + \overrightarrow{AC}) - \overrightarrow{AP}$

$$\overrightarrow{AP}\cdot\left(\overrightarrow{AP} - \frac{l}{2}\overrightarrow{AB} - \frac{l}{2}\overrightarrow{AC}\right) = 0$$

$$|\overrightarrow{AP}|^2 - \frac{l}{2}\overrightarrow{AB}\cdot\overrightarrow{AP} - \frac{l}{2}\overrightarrow{AC}\cdot\overrightarrow{AP} = 0$$

($|\overrightarrow{AP}|^2 = (3\sqrt{2})^2$, $\overrightarrow{AB}\cdot\overrightarrow{AP} = 9$, $\overrightarrow{AC}\cdot\overrightarrow{AP} = 9$)

$18 - \dfrac{9}{2}l - \dfrac{9}{2}l = 0 \quad \therefore l = 2$

$\therefore \overrightarrow{AD} = 2\overrightarrow{AM}$ …………(答)(キ)

(3) $\overrightarrow{AQ} = 2\overrightarrow{AM}$ …②
であり,
$\overrightarrow{PA} \perp \overrightarrow{PQ}$
のときについて調べる。

(i) $\overrightarrow{PQ} = \overrightarrow{AQ} - \overrightarrow{AP}$

($\overrightarrow{AQ} = 2\overrightarrow{AM} = \overrightarrow{AB} + \overrightarrow{AC}$ (②より))

$= \overrightarrow{AB} + \overrightarrow{AC} - \overrightarrow{AP}$

ここで, $\overrightarrow{PA}\cdot\overrightarrow{PQ} = 0$ より, ($\overrightarrow{PA} = -\overrightarrow{AP}$)

$-\overrightarrow{AP}\cdot(\overrightarrow{AB} + \overrightarrow{AC} - \overrightarrow{AP}) = 0$

$\overrightarrow{AP}\cdot\overrightarrow{AP} - \overrightarrow{AP}\cdot\overrightarrow{AB} - \overrightarrow{AP}\cdot\overrightarrow{AC} = 0$

$\therefore \overrightarrow{AP}\cdot\overrightarrow{AB} + \overrightarrow{AP}\cdot\overrightarrow{AC} = \overrightarrow{AP}\cdot\overrightarrow{AP}$ …③

よって, ⓪……………(答)(ク)

③に①を代入すると,

$\overrightarrow{AP}\cdot\overrightarrow{AB} + \overrightarrow{AP}\cdot\overrightarrow{AC} = \overrightarrow{AP}\cdot\overrightarrow{AP}$ より,

($|\overrightarrow{AP}||\overrightarrow{AB}|\cos\theta$, $|\overrightarrow{AP}||\overrightarrow{AC}|\cos\theta$, $|\overrightarrow{AP}|^2$)

両辺を $|\overrightarrow{AP}|$ で割って,

$|\overrightarrow{AB}|\cos\theta + |\overrightarrow{AC}|\cos\theta = |\overrightarrow{AP}|$ …④

よって, ③……………(答)(ケ)

(ii) $k\overrightarrow{AP}\cdot\overrightarrow{AB} = \overrightarrow{AP}\cdot\overrightarrow{AC}$ …⑤
が成り立つとき, ⑤より,

$k|\overrightarrow{AP}||\overrightarrow{AB}|\cos\theta = |\overrightarrow{AP}||\overrightarrow{AC}|\cos\theta$

$k|\overrightarrow{AB}| = |\overrightarrow{AC}|$ ……⑥となる。

∴⓪……………………(答)(コ)

ここまで解けば, 第 **5** 問も **8** 割得点できたことになるので, ここまでは頑張って時間内に解けるようになろう! この後は急に解きづらくなって, 時間がかかることになる。

・B から AP に下ろした垂線の足を B′ とおき, B′ が線分 AP を 1 : t に内分するものとすると,

$\overrightarrow{BB'} = \overrightarrow{BA} + \overrightarrow{AB'} = -\overrightarrow{AB} + \dfrac{1}{1+t}\overrightarrow{AP}$

ここで, $\overrightarrow{AP} \perp \overrightarrow{BB'}$ より,

$\overrightarrow{AP}\cdot\overrightarrow{BB'} = \overrightarrow{AP}\cdot\left(-\overrightarrow{AB} + \dfrac{1}{1+t}\overrightarrow{AP}\right) = 0$ から,

$-|\overrightarrow{AP}||\overrightarrow{AB}|\cos\theta + \dfrac{1}{1+t}|\overrightarrow{AP}|^2 = 0$

$|\overrightarrow{AP}| = (1+t)|\overrightarrow{AB}|\cos\theta$ …⑦となる。

次に，⑥を④に代入して

$|\overrightarrow{AC}|$を消去すると，

$|\overrightarrow{AB}|\cos\theta+k|\overrightarrow{AB}|\cos\theta=|\overrightarrow{AP}|$より，（$k|\overrightarrow{AB}|=|\overrightarrow{AC}|$）

$|\overrightarrow{AP}|=(1+k)|\overrightarrow{AB}|\cos\theta$…⑧となる。

⑦と⑧を比較して，$t=k$

∴点B′は，線分APを$1:k$に内分する。

・CからAPに下ろした垂線の足をC′とおき，C′が線分APを$1:s$に内分するものとすると，

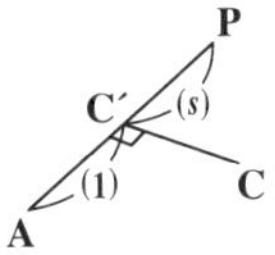

$\overrightarrow{CC'}=\overrightarrow{CA}+\overrightarrow{AC'}=-\overrightarrow{AC}+\dfrac{1}{1+s}\overrightarrow{AP}$

ここで，$\overrightarrow{AP}\perp\overrightarrow{CC'}$より，

$\overrightarrow{AP}\cdot\overrightarrow{CC'}=\overrightarrow{AP}\cdot\left(-\overrightarrow{AC}+\dfrac{1}{1+s}\overrightarrow{AP}\right)=0$から，

$-|\overrightarrow{AP}||\overrightarrow{AC}|\cos\theta+\dfrac{1}{1+s}|\overrightarrow{AP}|^2=0$

$|\overrightarrow{AP}|=(1+s)|\overrightarrow{AC}|\cos\theta$…⑨となる。

次に，⑥を④に代入して

$|\overrightarrow{AB}|$を消去すると，

$\dfrac{1}{k}|\overrightarrow{AC}|\cos\theta+|\overrightarrow{AC}|\cos\theta=|\overrightarrow{AP}|$より，（$\dfrac{1}{k}|\overrightarrow{AC}|=|\overrightarrow{AB}|$）

$|\overrightarrow{AP}|=\left(1+\dfrac{1}{k}\right)|\overrightarrow{AC}|\cos\theta$…⑩となる。

⑨と⑩を比較して，$s=\dfrac{1}{k}$

∴点C′は，線分APを$1:\dfrac{1}{k}=k:1$に内分する。

以上より，④ ………(答)(サ)

特に$k=1$のとき，右図のように，BもCも線分(辺AP)の垂直二等分線上にあるので，

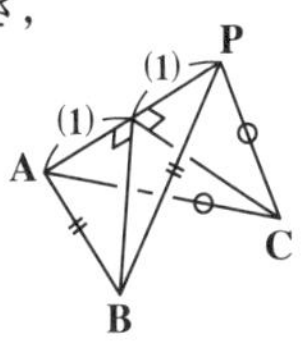

BA＝BP かつ

CA＝CP

∴② …………………(答)(シ)

第１問（必答問題）（配点　30）

[1](1) $k>0$, $k\neq 1$ とする。関数 $y=\log_k x$ と $y=\log_2 kx$ のグラフについて考えよう。

(i) $y=\log_3 x$ のグラフは点 $\left(27,\ \boxed{ア}\right)$ を通る。また，$y=\log_2 \dfrac{x}{5}$ のグラフは点 $\left(\boxed{イウ},\ 1\right)$ を通る。

(ii) $y=\log_k x$ のグラフは，k の値によらず定点 $\left(\boxed{エ},\ \boxed{オ}\right)$ を通る。

(iii) $k=2,\ 3,\ 4$ のとき，

$y=\log_k x$ のグラフの概形は $\boxed{カ}$

$y=\log_2 kx$ のグラフの概形は $\boxed{キ}$ である。

$\boxed{カ}$，$\boxed{キ}$ については，最も適当なものを，次の⓪～⑤のうちから一つずつ選べ。ただし，同じものを繰り返し選んでもよい。

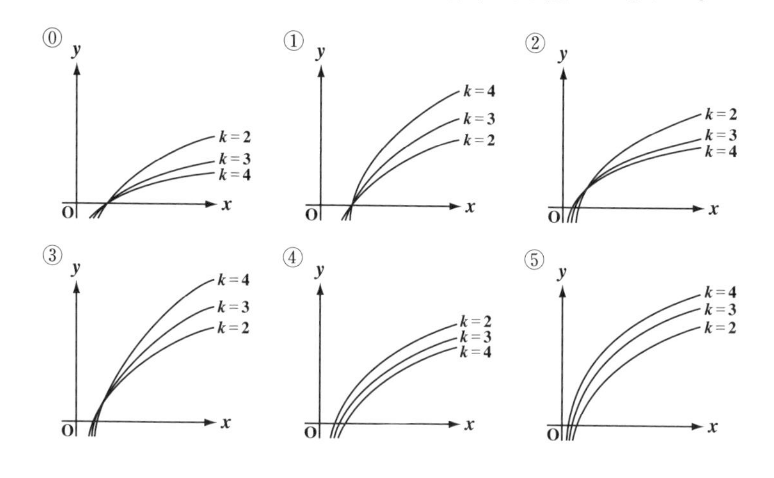

(2) $x>0$, $x\neq 1$, $y>0$ とする。$\log_x y$ について考えよう。

(i) 座標平面において，方程式 $\log_x y=2$ の表す図形を図示すると，

$\boxed{ク}$ の $x>0$, $x\neq 1$, $y>0$ の部分となる。

$\boxed{ク}$ については，次の⓪～⑤のうちから一つ選べ。

⓪
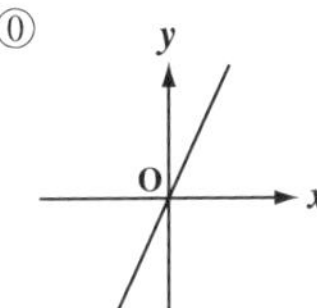

①
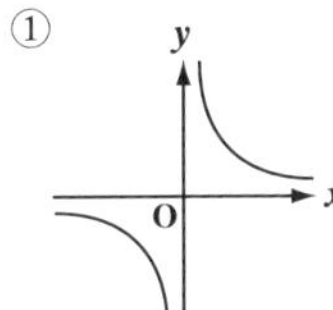

②
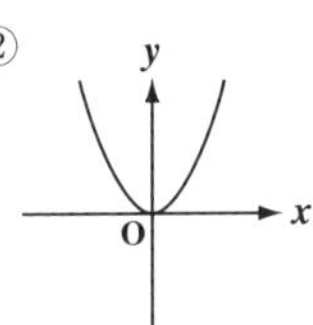

③
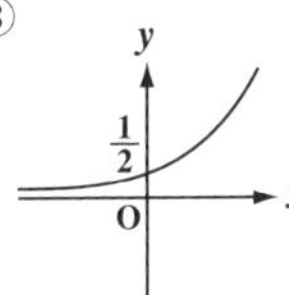

④
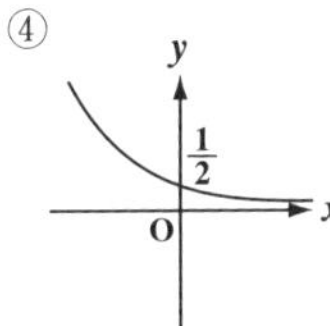

⑤
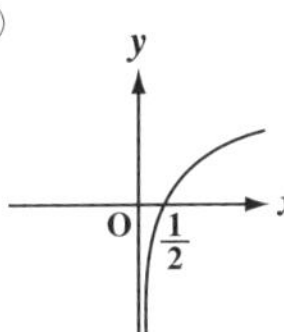

(ⅱ) 座標平面において，不等式 $0<\log_x y<1$ の表す領域を図示すると，

[ケ] の斜線部分となる。ただし，境界（境界線）は含まない。

[ケ] については，最も適当なものを，次の⓪～⑤のうちから一つ選べ。

⓪
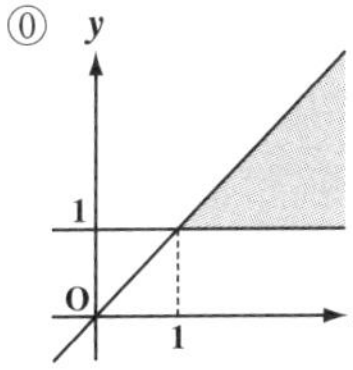

①
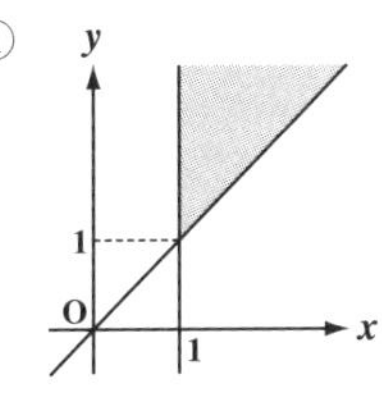

②
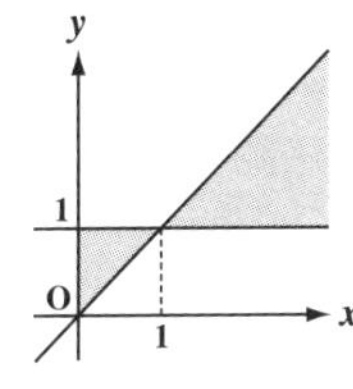

③
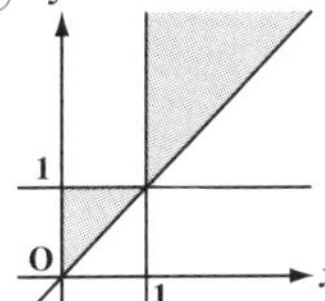

④
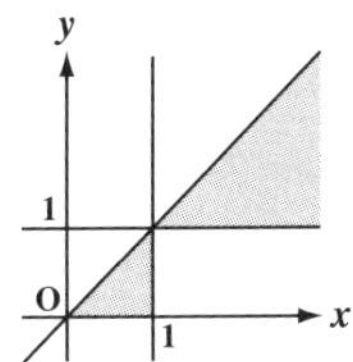

⑤
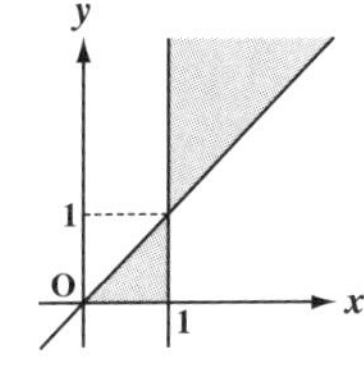

ヒント！ 対数関数とグラフについての基本的な問題だね。計算もほとんどしなくて良いので，出来れば，**6**, **7** 分程度で完答して，時間をセーブするように心がけよう。

解答＆解説

[1] (1) $y=\log_k x$ と $y=\log_2 kx$ $(k>0,\ k\neq 1)$ について，

（底の条件）

(ⅰ)・$y=\log_3 x$ のグラフは，

$x=27$ のとき，

$y=\log_3 27=3$ $(\because 3^3=27)$ より，

点 $(27,\ 3)$ を通る。…(答)(ア)

・$y=\log_2\dfrac{x}{5}$ に $y=1$ を代入すると，

$1=\log_2\dfrac{x}{5}$ より，$\dfrac{x}{5}=2^1$

$\therefore x=10$

よって，このグラフは点 $(10,\ 1)$ を通る。…(答)(イウ)

(ii) $y=\log_k x$ は，$k^y=x$
$(k>0,\ k\neq 1)$ と変形できるので，$y=0$ のとき，$x=k^0=1$ より，このグラフは k の値によらず，
定点 $(1,\ 0)$ を通る。

………(答)(エ，オ)

(iii) $k=2,\ 3,\ 4$ のとき，

・$y=\log_k x$ のグラフは，いずれも，定点 $(1,\ 0)$ を通り，
$\log_2 2=\log_3 3=\log_4 4=1$
より，次のようになる。

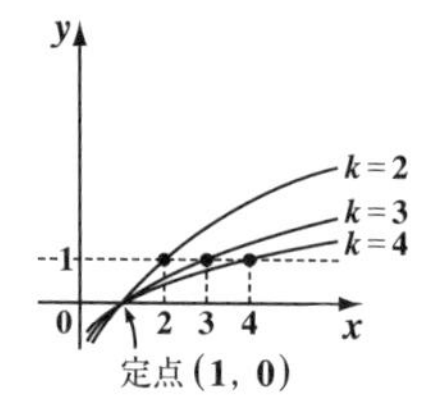

∴⓪ ………………(答)(カ)

・$y=\log_2 kx=\log_2 x+\log_2 k$

（y 軸方向の平行移動項）

について，
$\log_2 2<\log_2 3<\log_2 4$ より，
$k=2,\ 3,\ 4$ のときのグラフは，次のようになる。

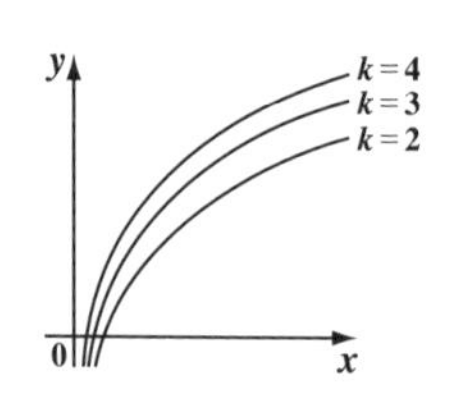

∴⑤ ………………(答)(キ)

(2) $\log_x y$ $(x>0,\ x\neq 1,\ y>0)$ について，

（$x>0,\ x\neq 1$：底の条件）（$y>0$：真数条件）

(i) $\log_x y=2$ のとき，
$y=x^2$ より，
これは右のグラフの $x>0$，
$x\neq 1$，$y>0$ の部分となる。，

∴② ………………(答)(ク)

(ii) $0<\log_x y<1$ ……⓪

（$0=\log_x 1$，$1=\log_x x$）

$(x>0,\ x\neq 1,\ y>0)$
について，

(ア) $1<x$ のとき，
$\log_x 1<\log_x y<\log_x x$ より，
$1<y<x$ ……① となる。

(イ) $0<x<1$ のとき，
$\log_x 1<\log_x y<\log_x x$ より，
$x<y<1$ ……② となる。

一般に，$\log_a \alpha<\log_a \beta$ $(a>0,\ a\neq 1,\ \alpha>0,\ \beta>0)$ について，
・$a>1$ のとき，$\alpha<\beta$ となり，（真数の大小関係に変化なし。）
・$0<a<1$ のとき，$\alpha>\beta$ となる。（真数の大小関係は逆転する。）

以上①，②より，⓪の表す領域は，次のようになる。

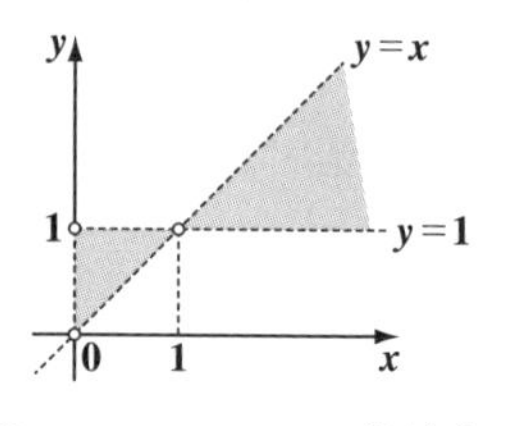

∴② ………………(答)(ケ)

[2]　$S(x)$ を x の 2 次式とする。x の整式 $P(x)$ を $S(x)$ で割ったときの商を $T(x)$，余りを $U(x)$ とする。ただし，$S(x)$ と $P(x)$ の係数は実数であるとする。

(1) $P(x)=2x^3+7x^2+10x+5$，$S(x)=x^2+4x+7$ の場合を考える。

方程式 $S(x)=0$ の解は $x=$ [コサ] $\pm\sqrt{\text{[シ]}}\,i$ である。

また，$T(x)=$ [ス] $x-$ [セ]，$U(x)=$ [ソタ] である。

(2) 方程式 $S(x)=0$ は異なる二つの解 α，β をもつとする。このとき

$P(x)$ を $S(x)$ で割った余りが定数になる

ことと同値な条件を考える。

(i) 余りが定数になるときを考えてみよう。

仮定から，定数 k を用いて $U(x)=k$ とおける。このとき，[チ]。

したがって，余りが定数になるとき，[ツ] が成り立つ。

[チ] については，最も適当なものを，次の⓪～③のうちから一つ選べ。

⓪　$P(\alpha)=P(\beta)=k$ が成り立つことから，$P(x)=S(x)T(x)+k$ となることが導かれる。また，$P(\alpha)=P(\beta)=k$ が成り立つことから，$S(\alpha)=S(\beta)=0$ となることが導かれる。

①　$P(x)=S(x)T(x)+k$ かつ $P(\alpha)=P(\beta)=k$ が成り立つことから，$S(\alpha)=S(\beta)=0$ となることが導かれる。

②　$S(\alpha)=S(\beta)=0$ が成り立つことから，$P(x)=S(x)T(x)+k$ となることが導かれる。また，$S(\alpha)=S(\beta)=0$ が成り立つことから，$P(\alpha)=P(\beta)=k$ となることが導かれる。

③　$P(x)=S(x)T(x)+k$ かつ $S(\alpha)=S(\beta)=0$ が成り立つことから，$P(\alpha)=P(\beta)=k$ となることが導かれる。

[ツ] の解答群

⓪ $T(\alpha)=T(\beta)$	① $P(\alpha)=P(\beta)$
② $T(\alpha)\neq T(\beta)$	③ $P(\alpha)\neq P(\beta)$

(ii) 逆に [ツ] が成り立つとき，余りが定数になるかを調べる。

$S(x)$ が 2 次式であるから，m，n を定数として $U(x)=mx+n$ とおける。$P(x)$ を $S(x)$，$T(x)$，m，n を用いて表すと，$P(x)=$ [テ] とな

る。この等式の x に α，β をそれぞれ代入すると [ト] となるので，[ツ] と $\alpha \neq \beta$ より [ナ] となる。以上から余りが定数になることがわかる。

[テ] の解答群

⓪ $(mx+n)S(x)T(x)$	① $S(x)T(x)+mx+n$
② $(mx+n)S(x)+T(x)$	③ $(mx+n)T(x)+S(x)$

[ト] の解答群

- ⓪ $P(\alpha)=T(\alpha)$ かつ $P(\beta)=T(\beta)$
- ① $P(\alpha)=m\alpha+n$ かつ $P(\beta)=m\beta+n$
- ② $P(\alpha)=(m\alpha+n)T(\alpha)$ かつ $P(\beta)=(m\beta+n)T(\beta)$
- ③ $P(\alpha)=P(\beta)=0$
- ④ $P(\alpha)\neq 0$ かつ $P(\beta)\neq 0$

[ナ] の解答群

⓪ $m\neq 0$	① $m\neq 0$ かつ $n=0$
② $m\neq 0$ かつ $n\neq 0$	③ $m=0$
④ $m=n=0$	⑤ $m=0$ かつ $n\neq 0$
⑥ $n=0$	⑦ $n\neq 0$

(ⅰ), (ⅱ) の考察から，方程式 $S(x)=0$ が異なる二つの解 α，β をもつとき，$P(x)$ を $S(x)$ で割った余りが定数になることと [ツ] であることは同値である。

(3) p を定数とし，$P(x)=x^{10}-2x^9-px^2-5x$，$S(x)=x^2-x-2$ の場合を考える。$P(x)$ を $S(x)$ で割った余りが定数になるとき，$p=$ [ニヌ] となり，その余りは [ネノ] となる。

ヒント！ 三角関数ではなく，珍しく，整式の除去の問題が出題されたんだね。前半は基本問題だけれど，後半は論証問題になっているんだね。しかし，導入があるので，これに従って解いていけばいい。

解答＆解説

[2] 整式 $P(x)$ を 2 次式 $S(x)$ で割ったときの商を $T(x)$，余りを $U(x)$ とおくと，

$$P(x)=S(x)\cdot\underbrace{T(x)}_{\text{商}}+\underbrace{U(x)}_{\text{余り}} \quad \cdots\cdots ①$$

となる。

(1) $P(x)=2x^3+7x^2+10x+5$，
$S(x)=x^2+4x+7$ について，

・$S(x)=0$ の解は，

$1\cdot x^2+4x+7=0$ より，

（$a=1$，$2b'=4$，$c=7$）　$x=\dfrac{-b'\pm\sqrt{b'^2-ac}}{a}$

$x=-2\pm\sqrt{2^2-1\cdot 7}$

$=-2\pm\sqrt{-3}=-2\pm\sqrt{3}\,i$

である。………(答)(コサ，シ)

・$P(x)$ を $S(x)$ で割ると，

$$\begin{array}{r|l} & 2x-1 \quad (T(x)) \\ x^2+4x+7 & 2x^3+7x^2+10x+5 \\ & 2x^3+8x^2+14x \\ \hline & -x^2-4x+5 \\ & -x^2-4x-7 \\ \hline & 12 \quad (U(x)) \end{array}$$

よって，$T(x)=2x-1$，$U(x)=12$

………(答)(ス，セ，ソタ)

(2) $S(x)=0$ が異なる2解 α，β をもつとき，すなわち，$S(\alpha)=S(\beta)=0$ のとき，$P(x)$ を $S(x)$ で割った余りが定数となる条件を求める。

(i) 余りが定数のとき，$U(x)=k$（定数）とおくと，①は，

$P(x)=S(x)\cdot T(x)+k$…①′となり，

$S(\alpha)=S(\beta)=0$ より，

①′に $x=\alpha$ と β を代入すると，

$P(\alpha)=\underbrace{S(\alpha)}_{0}\cdot T(\alpha)+k=k$

$P(\beta)=\underbrace{S(\beta)}_{0}\cdot T(\beta)+k=k$

より，

$P(\alpha)=P(\beta)=k$ が導かれる。

∴③　………………(答)(チ)

①　………………(答)(ツ)

(ii) 逆に $P(\alpha)=P(\beta)$ が成り立つとき，余り $U(x)$ が定数となることを導いてみる。2次式 $S(x)$ で割った余りが $U(x)$ より，

$U(x)=mx+n$ ……②

（m，n：定数）とおける。①より，

$P(x)=S(x)\cdot T(x)+\underbrace{mx+n}_{U(x)}$…①″

となる。∴①……(答)(テ)

ここで，$S(\alpha)=S(\beta)=0$ より，

①″に $x=\alpha$ と β を代入すると，

$P(\alpha)=\underbrace{S(\alpha)}_{0}\cdot T(\alpha)+m\alpha+n$

$=m\alpha+n$

$P(\beta)=\underbrace{S(\beta)}_{0}\cdot T(\beta)+m\beta+n$

$=m\beta+n$

∴①　………………(答)(ト)

ここで，$P(\alpha)=P(\beta)$ で，

かつ $\alpha\neq\beta$ より，

$m\alpha+n=m\beta+n$，$m(\alpha-\beta)=0$

ここで，$\alpha-\beta\neq 0$

よって，$m=0$ より，

$U(x)=n$（定数）となる。

∴③　………………(答)(ナ)

(3) $P(x)=x^{10}-2x^9-px^2-5x$，

$S(x)=x^2-x-2=(x-2)(x+1)$

（$S(x)=0$ は，異なる2解 $x=2$ と -1 をもつ）

であり，余り $U(x)=n$（定数）のとき，①より，

$P(x)=(x-2)(x+1)\cdot T(x)+n$ となる。

これに $x=2$ と -1 を代入して，

$P(2)=n$，$P(-1)=n$ より，

$$\begin{cases} 2^{10}-2\cdot 2^9-4p-10=n & \leftarrow P(2)=n\text{より} \\ \underbrace{(-1)^{10}}_{1}-\underbrace{2\cdot(-1)^9}_{+2}-p+5=n & \leftarrow P(-1)=n\text{より} \end{cases}$$

$-4p-10=n$…③，$-p+8=n$…④

③，④より，$-4p-10=-p+8$，$3p=-18$

∴$p=-6$　これを④に代入して，

$n=14$ ……(答)(ニヌ，ネノ)

第２問（必答問題）（配点　30）

m を $m>1$ を満たす定数とし，$f(x)=3(x-1)(x-m)$ とする。また，$S(x)=\int_0^x f(t)dt$ とする。関数 $y=f(x)$ と $y=S(x)$ のグラフの関係について考えてみよう。

(1)　$m=2$ のとき，すなわち，$f(x)=3(x-1)(x-2)$ のときを考える。

(i) $f'(x)=0$ となる x の値は $x=\dfrac{\boxed{ア}}{\boxed{イ}}$ である。

(ii) $S(x)$ を計算すると

$$S(x)=\int_0^x f(t)dt=\int_0^x\left(3t^2-\boxed{ウ}\,t+\boxed{エ}\right)dt$$

$$=x^3-\frac{\boxed{オ}}{\boxed{カ}}x^2+\boxed{キ}\,x \text{ であるから}$$

$x=\boxed{ク}$ のとき，$S(x)$ は極大値 $\dfrac{\boxed{ケ}}{\boxed{コ}}$ をとり

$x=\boxed{サ}$ のとき，$S(x)$ は極小値 $\boxed{シ}$ をとることがわかる。

(iii) $f(3)$ と一致するものとして，次の⓪～④のうち，正しいものは $\boxed{ス}$ である。

$\boxed{ス}$ の解答群

⓪ $S(3)$
① 2点 $(2,\ S(2))$，$(4,\ S(4))$ を通る直線の傾き
② 2点 $(0,\ 0)$，$(3,\ S(3))$ を通る直線の傾き
③ 関数 $y=S(x)$ のグラフ上の点 $(3,\ S(3))$ における接線の傾き
④ 関数 $y=f(x)$ のグラフ上の点 $(3,\ f(3))$ における接線の傾き

(2)　$0\leqq x\leqq 1$ の範囲で，関数 $y=f(x)$ のグラフと x 軸および y 軸で囲まれた図形の面積を S_1，$1\leqq x\leqq m$ の範囲で，関数 $y=f(x)$ のグラフと x 軸で囲まれた図形の面積を S_2 とする。このとき，$S_1=\boxed{セ}$，$S_2=\boxed{ソ}$ である。

$S_1=S_2$ となるのは タ $=0$ のときであるから，$S_1=S_2$ が成り立つような $f(x)$ に対する関数 $y=S(x)$ のグラフの概形は チ である。また，$S_1>S_2$ が成り立つような $f(x)$ に対する関数 $y=S(x)$ のグラフの概形は ツ である。

セ，ソ の解答群（同じものを繰り返し選んでもよい。）

⓪ $\int_0^1 f(x)dx$	① $\int_0^m f(x)dx$	② $\int_1^m f(x)dx$
③ $\int_0^1 \{-f(x)\}dx$	④ $\int_0^m \{-f(x)\}dx$	⑤ $\int_1^m \{-f(x)\}dx$

タ の解答群

⓪ $\int_0^1 f(x)dx$	① $\int_0^m f(x)dx$
② $\int_1^m f(x)dx$	③ $\int_0^1 f(x)dx-\int_0^m f(x)dx$
④ $\int_0^1 f(x)dx-\int_1^m f(x)dx$	⑤ $\int_0^1 f(x)dx+\int_0^m f(x)dx$
⑥ $\int_0^m f(x)dx+\int_1^m f(x)dx$	

チ，ツ については，最も適当なものを，次の⓪～⑤のうちから一つずつ選べ。ただし，同じものを繰り返し選んでもよい。

⓪
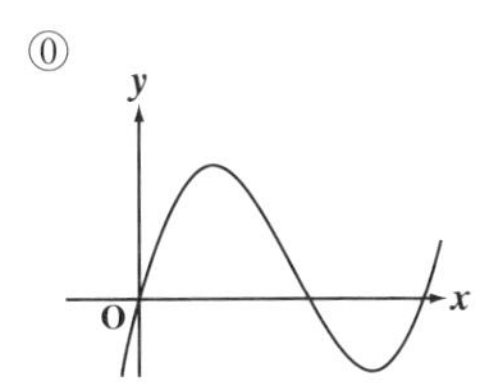

①
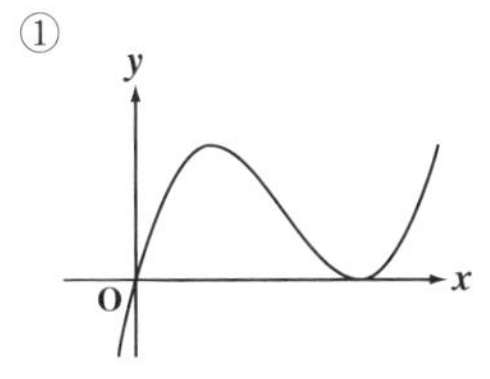

②
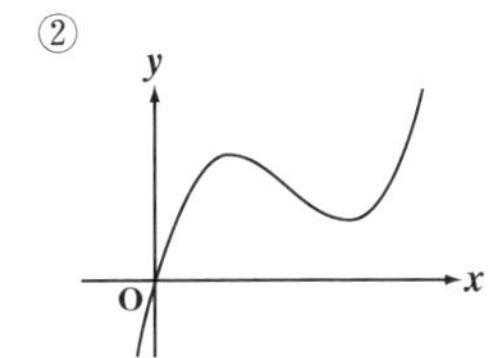

③
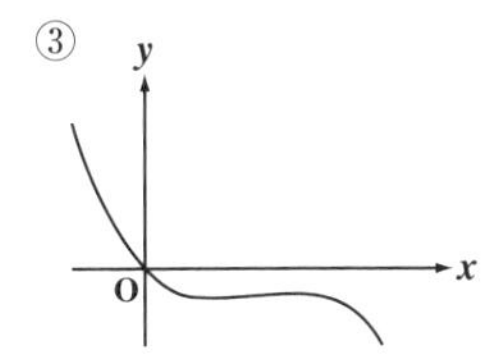

④
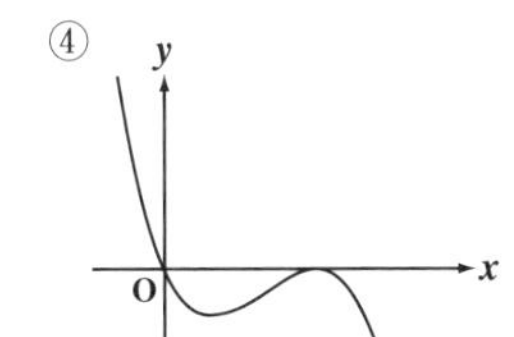

⑤
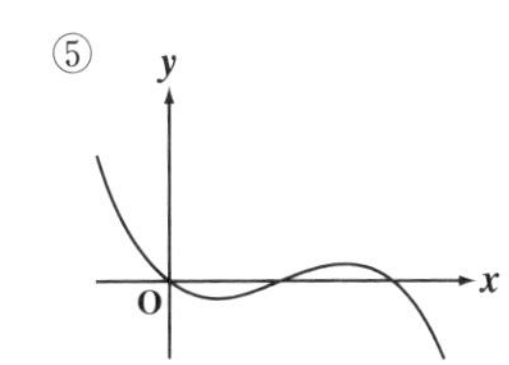

(3) 関数 $y=f(x)$ のグラフの特徴から関数 $y=S(x)$ のグラフの特徴を考えてみよう。

関数 $y=f(x)$ のグラフは直線 $x=$ [テ] に関して対称であるから，すべての正の実数 p に対して $\int_{1-p}^{1} f(x)dx=\int_{m}^{[ト]} f(x)dx$ ……① が成り立ち，

$M=$ [テ] とおくと $0<q\leqq M-1$ であるすべての実数 q に対して

$\int_{M-q}^{M} \{-f(x)\}dx=\int_{M}^{[ナ]} \{-f(x)\}dx$ ……② が成り立つことがわかる。

すべての実数 α，β に対して，$\int_{\alpha}^{\beta} f(x)dx=S(\beta)-S(\alpha)$ が成り立つことに注意すれば，①と②はそれぞれ

$S(1-p)+S($[ト]$)=$ [ニ]

$2S(M)=$ [ヌ] となる。

以上から，すべての正の実数 p に対して，2点 $(1-p,\ S(1-p))$，([ト]，$S($[ト]$)$) を結ぶ線分の中点についての記述として，後の⓪～⑤のうち，最も適当なものは [ネ] である。

[テ] の解答群

⓪ m	① $\frac{m}{2}$	② $m+1$	③ $\frac{m+1}{2}$

[ト] の解答群

⓪ $1-p$	① p	② $1+p$
③ $m-p$	④ $m+p$	

[ナ] の解答群

⓪ $M-q$	① M	② $M+q$
③ $M+m-q$	④ $M+m$	⑤ $M+m+q$

ニ の解答群

⓪ $S(1)+S(m)$　① $S(1)+S(p)$　② $S(1)-S(m)$
③ $S(1)-S(p)$　④ $S(p)-S(m)$　⑤ $S(m)-S(p)$

ヌ の解答群

⓪ $S(M-q)+S(M+m-q)$　① $S(M-q)+S(M+m)$
② $S(M-q)+S(M)$　③ $2S(M-q)$
④ $S(M+q)+S(M-q)$　⑤ $S(M+m+q)+S(M-q)$

ネ の解答群

⓪ x 座標は p の値によらず一つに定まり，y 座標は p の値により変わる。
① x 座標は p の値により変わり，y 座標は p の値によらず一つに定まる。
② 中点は p の値によらず一つに定まり，関数 $y=S(x)$ のグラフ上にある。
③ 中点は p の値によらず一つに定まり，関数 $y=f(x)$ のグラフ上にある。
④ 中点は p の値によって動くが，つねに関数 $y=S(x)$ のグラフ上にある。
⑤ 中点は p の値によって動くが，つねに関数 $y=f(x)$ のグラフ上にある。

ヒント！ 2 次関数 $f(x)=3(x-1)(x-m)$ の定積分 $S(x)=\int_0^x f(t)dt$ $(S'(x)=f(x))$ の問題であるが，積分計算はほとんどなく，$y=f(x)$ や $y=S(x)$ のグラフなどについて，考察する問題になっている。導入は与えられているので，この流れに沿ってグラフを描きながら，解いていけばいいんだね。制限時間 18 分で出来るだけ解いてみよう。

解答＆解説

関数 $y=f(x)=3(x-1)(x-m)$

$=3\{x^2-(m+1)x+m\}$ …① $(m>1)$

と，関数 $S(x)=\int_0^x f(t)dt$ …②について，

(1) $m=2$ のとき，

(i) $f(x)=3(x^2-3x+2)$ より，

$f'(x)=3(2x-3)=0$ のとき，

$x=\frac{3}{2}$ となる。……(答)(ア，イ)

(ii) $S(x)$ を計算すると，

$$S(x)=\int_0^x f(t)dt$$

$$=\int_0^x (3t^2-9t+6)dt$$

……(答)(ウ，エ)

$$=\left[t^3-\frac{9}{2}t^2+6t\right]_0^x$$

$$=x^3-\frac{9}{2}x^2+6x$$

……(答)(オ，カ，キ)

となる。

$S(x)=x^3-\frac{9}{2}x^2+6x$ より，

$S'(x)=f(x)$

$=3(x-1)(x-2)$

よって，

$S'(x)=0$

のとき，

$x=1,\ 2$

となり，

右図より，

・$x=1$ のとき，

極大値

$S(1)=1-\frac{9}{2}+6=\frac{5}{2}$ をとり，

……(答)(ク，ケ，コ)

・$x=2$ のとき，

極小値 $S(2)=8-18+12=2$

をとる。…………(答)(サ，シ)

(ⅲ) $f(3)=S'(3)$ より，$f(3)$ は曲線 $y=S(x)$ 上の点 $(3,\ S(3))$ における接線の傾きである。

∴③……………………(答)(ス)

(2) $y=f(x)=3(x-1)(x-m)$

について，

2つの面積

S_1 と S_2 を

右図に示す。

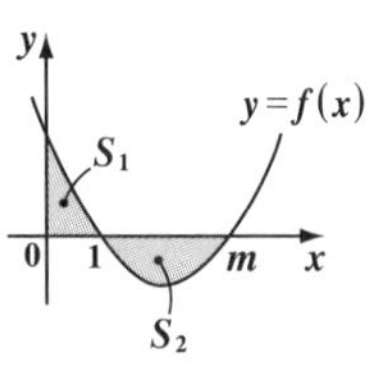

よって，

・$S_1=\int_0^1 f(x)dx$ より，

∴⓪……………………(答)(セ)

・$S_2=\int_1^m \{-f(x)\}dx$

∴⑤……………………(答)(ソ)

・よって，$S_1=S_2$ のとき，

$$S_1-S_2=\int_0^1 f(x)dx-\int_1^m\{-f(x)\}dx$$

$$=\int_0^1 f(x)dx+\int_1^m f(x)dx$$

$$=\underbrace{\int_0^m f(x)dx}_{S(m)}=0$$ となる。

∴①……………………(答)(タ)

$S'(x)=f(x)=3(x-1)(x-m)$ より，

$S'(x)=0$ のとき，$x=1,\ m$ である。

よって，$S(x)$ は，

$x=1$ のとき，極大値 $S(1)$ をとり，

$x=m$ のとき，極小値 $S(m)=0$ をとる。

∴ $S_1=S_2$ のとき，

$y=S(x)$ の

グラフは，

右のように

なる。よって，

∴① ……(答)(チ)

・$S_1>S_2$ のとき，

極小値 $S(m)=S_1-S_2>0$ より，

$y=S(x)$ の

グラフは，

右のように

なる。よって，

∴②……(答)(ツ)

(3) $y=f(x)$ のグラフは，

軸 $x=\frac{m+1}{2}$ に関して対称なので，右図より，

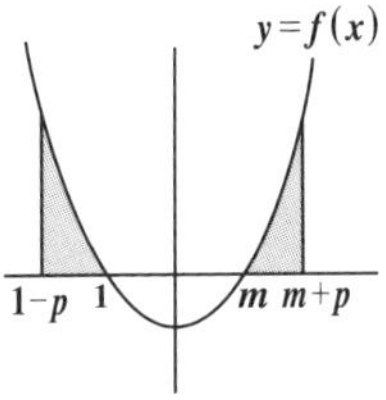

$\int_{1-p}^{1} f(x)dx$

$=\int_{m}^{m+p} f(x)dx$ …①

となる。

∴③…(答)(テ)　∴④…(答)(ト)

$M=\frac{m+1}{2}$ とおくと，$0<q\leqq M-1$ をみたす q について，右図より，

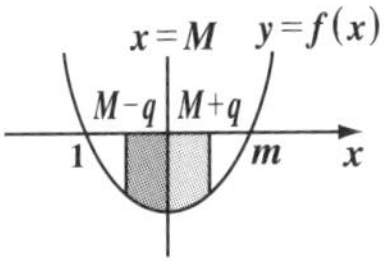

$\int_{M-q}^{M}\{-f(x)\}dx$

$=\int_{M}^{M+q}\{-f(x)\}dx$

…② となる。

∴②　………………………(答)(ナ)

・①より，$[S(x)]_{1-p}^{1}=[S(x)]_{m}^{m+p}$

$S(1)-S(1-p)=S(m+p)-S(m)$

$\therefore S(1-p)+S(m+p)$

$=S(1)+S(m)$ ……①′

となる。∴⓪……………(答)(ニ)

・②より，$-[S(x)]_{M-q}^{M}=-[S(x)]_{M}^{M+q}$

両辺に -1 をかけて，

$S(M)-S(M-q)=S(M+q)-S(M)$

$\therefore 2S(M)=S(M+q)+S(M-q)$

……②′

となる。∴④……………(答)(ヌ)

以上①′，②′より，2点 $(1-p,\ S(1-p))$ と $(m+p,\ S(m+p))$ を結ぶ線分の中点を Q とおくと，

$Q\left(\frac{1-p+m+p}{2},\ \frac{S(1-p)+S(m+p)}{2}\right)$

$\frac{1+m}{2}=M$　　$\frac{S(1)+S(m)}{2}$ (①′より)

$\therefore Q\left(\frac{1+m}{2},\ \frac{S(1)+S(m)}{2}\right)$ となる。

よって，右図より，この2点を結ぶ線分の中点 Q は，$y=S(x)$ のグラフの極大点 $(1,\ S(1))$ と極小点 $(m,\ S(m))$ を結ぶ線分の中点と一致する。

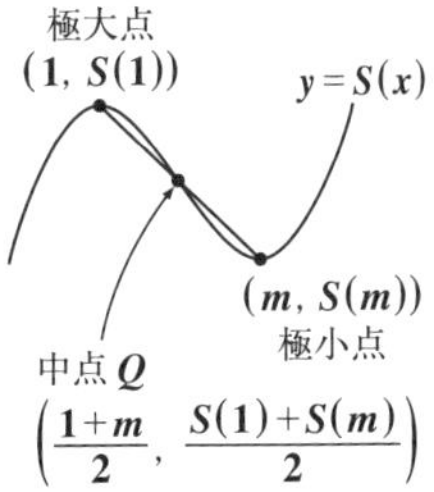

よって，この中点 Q は，p の値に関わらず定まり，曲線 $y=S(x)$ 上の点(変曲点)になる。

∴②　………………………(答)(ネ)

第３問（選択問題）（配点　20）

以下の問題を解答するにあたっては，必要に応じて **61** ページの正規分布表を用いてもよい。また，ここでの**晴れ**の定義については，気象庁の天気概況の「快晴」または「晴」とする。

(1)　太郎さんは，自分が住んでいる地域において，日曜日に**晴れ**となる確率を考えている。

晴れの場合は **1**，**晴れ**以外の場合は **0** の値をとる確率変数を X と定義する。また，$X=1$ である確率を p とすると，その確率分布は表 **1** のようになる。

表 **1**

X	0	1	計
確　率	$1-p$	p	1

この確率変数 X の平均（期待値）を m とすると，$m=$ [ア] となる。

太郎さんは，ある期間における連続した n 週の日曜日の天気を，表 **1** の確率分布をもつ母集団から無作為に抽出した大きさ n の標本とみなし，それらの X を確率変数 $X_1, X_2, \cdots, X_n$ で表すことにした。そして，その標本平均 $\overline{X}$ を利用して，母平均 m を推定しようと考えた。実際に $n=$ **300** として**晴れ**の日数を調べたところ，表 **2** のようになった。

表 **2**

天　気	日　数
晴れ	75
晴れ以外	225
計	300

母標準偏差を σ とすると，$n=300$ は十分に大きいので，標本平均 $\overline{X}$ は近似的に正規分布 $N\left(m,\ \boxed{イ}\right)$ に従う。

一般に，母標準偏差 σ がわからないとき，標本の大きさ n が大きければ，σ の代わりに標本の標準偏差 S を用いてもよいことが知られている。S は

$$S=\sqrt{\frac{1}{n}\left\{(X_1-\overline{X})^2+(X_2-\overline{X})^2+\cdots+(X_n-\overline{X})^2\right\}}$$

$$=\sqrt{\frac{1}{n}(X_1{}^2+X_2{}^2+\cdots+X_n{}^2)-\boxed{ウ}}$$

で計算できる。ここで，$X_1{}^2 = X_1$，$X_2{}^2 = X_2$，…，$X_n{}^2 = X_n$ であることに着目し，右辺を整理すると，$S = \sqrt{\boxed{エ}}$ と表されることがわかる。

よって，表 2 より，大きさ $n = 300$ の標本から求められる母平均 m に対する信頼度 95% の信頼区間は $\boxed{オ}$ となる。

$\boxed{ア}$ の解答群

⓪ p	① p^2	② $1-p$	③ $(1-p)^2$

$\boxed{イ}$ の解答群

⓪ σ	① σ^2	② $\dfrac{\sigma}{n}$	③ $\dfrac{\sigma^2}{n}$	④ $\dfrac{\sigma}{\sqrt{n}}$

$\boxed{ウ}$，$\boxed{エ}$ の解答群 (同じものを繰り返し選んでもよい。)

⓪ $\overline{X}$	① $(\overline{X})^2$	② $\overline{X}(1-\overline{X})$	③ $1-\overline{X}$

$\boxed{オ}$ については，最も適当なものを，次の⓪～⑤のうちから一つずつ選べ。

⓪ $0.201 \leqq m \leqq 0.299$	① $0.209 \leqq m \leqq 0.291$
② $0.225 \leqq m \leqq 0.250$	③ $0.225 \leqq m \leqq 0.275$
④ $0.247 \leqq m \leqq 0.253$	⑤ $0.250 \leqq m \leqq 0.275$

(2) ある期間において，「ちょうど 3 週続けて日曜日の天気が**晴れ**になること」がどのくらいの頻度で起こり得るのかを考察しよう。以下では，連続する k 週の日曜日の天気について，(1) の太郎さんが考えた確率変数のうち $X_1, X_2, \cdots, X_k$ を用いて調べる。ただし，k は 3 以上 300 以下の自然数とする。

$X_1, X_2, \cdots, X_k$ の値を順に並べたときの 0 と 1 からなる列において，「ちょうど三つ続けて 1 が現れる部分」を A とし，A の個数を確率変数 U_k で表す。例えば，$k = 20$ とし，$X_1, X_2, \cdots, X_{20}$ の値を順に並べたとき

$$1, 1, 1, 1, 0, \underbrace{1, 1, 1}_{\text{A}}, 0, 0, 1, 1, 1, 1, 1, 0, 0, \underbrace{1, 1, 1}_{\text{A}}$$

であったとする。この例では，下線部分は A を示しており，1 が四つ以上続く部分は A とはみなさないので，$U_{20} = 2$ となる。

$k=4$ のとき，X_1, X_2, X_3, X_4 のとり得る値と，それに対応した U_4 の値を書き出すと，表3のようになる。

表3

X_1	X_2	X_3	X_4	U_4
0	0	0	0	0
1	0	0	0	0
0	1	0	0	0
0	0	1	0	0
0	0	0	1	0
1	1	0	0	0
1	0	1	0	0
1	0	0	1	0
0	1	1	0	0
0	1	0	1	0
0	0	1	1	0
1	1	1	0	1
1	1	0	1	0
1	0	1	1	0
0	1	1	1	1
1	1	1	1	0

ここで，U_k の期待値を求めてみよう。(1)における p の値を $p=\frac{1}{4}$ とする。$k=4$ のとき，U_4 の期待値は $E(U_4)=\frac{\boxed{カ}}{128}$ となる。

$k=5$ のとき，U_5 の期待値は $E(U_5)=\frac{\boxed{キク}}{1024}$ となる。

4以上の k について，k と $E(U_k)$ の関係を詳しく調べると，座標平面上の点 $(4, E(U_4))$，$(5, E(U_5))$，$\cdots$，$(300, E(U_{300}))$ は一つの直線上にあることがわかる。この事実によって，$E(U_{300})=\frac{\boxed{ケコ}}{\boxed{サ}}$ となる。

正 規 分 布 表

次の表は，標準正規分布の分布曲線における右図の灰色部分の面積の値をまとめたものである。

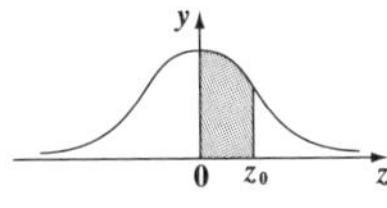

z_0	0.00	0.01	0.02	0.03	0.04	0.05	0.06	0.07	0.08	0.09
0.0	0.0000	0.0040	0.0080	0.0120	0.0160	0.0199	0.0239	0.0279	0.0319	0.0359
0.1	0.0398	0.0438	0.0478	0.0517	0.0557	0.0596	0.0636	0.0675	0.0714	0.0753
0.2	0.0793	0.0832	0.0871	0.0910	0.0948	0.0987	0.1026	0.1064	0.1103	0.1141
0.3	0.1179	0.1217	0.1255	0.1293	0.1331	0.1368	0.1406	0.1443	0.1480	0.1517
0.4	0.1554	0.1591	0.1628	0.1664	0.1700	0.1736	0.1772	0.1808	0.1844	0.1879
0.5	0.1915	0.1950	0.1985	0.2019	0.2054	0.2088	0.2123	0.2157	0.2190	0.2224
…	………	………	………	………	………	………	………	………	………	………
1.6	0.4452	0.4463	0.4474	0.4484	0.4495	0.4505	0.4515	0.4525	0.4535	0.4545
1.7	0.4554	0.4564	0.4573	0.4582	0.4591	0.4599	0.4608	0.4616	0.4625	0.4633
1.8	0.4641	0.4649	0.4656	0.4664	0.4671	0.4678	0.4686	0.4693	0.4699	0.4706
1.9	0.4713	0.4719	0.4726	0.4732	0.4738	0.4744	0.4750	0.4756	0.4761	0.4767
2.0	0.0359	0.4778	0.4783	0.4788	0.4793	0.4798	0.4803	0.4808	0.4812	0.4817
…	………	………	………	………	………	………	………	………	………	………

ヒント！ 前半は，母平均 m の95%信頼区間の問題なので，公式 $\overline{X}-1.96\frac{S}{\sqrt{n}} \leqq m \leqq \overline{X}+1.96\frac{S}{\sqrt{n}}$ $(\sigma \fallingdotseq S)$ を用いて解けばいいんだね。後半は，二項分布（反復試行の確率）の応用問題となっている。例によって，12分で解くには，冗長な文章と分かりづらい内容なので，完答は難しいけれど，できるだけ解いて，制限時間になったら，スグ次の易しい問題に取りかかることだね。今回は，数列やベクトルの方がずっと解きやすい問題なんだね。

解答＆解説

(1) T（太郎）の地域で，日曜の晴れの日を $X=1$，そうでない日を $X=0$ として，それぞれの確率を p と $1-p$ とおく。

表1　X の確率分布

X	0	1
確率	$1-p$	p

このとき，X の平均 m は，

$m=0\times(1-p)+1\times p=p$ となる。

∴⓪ ……………………（答）（ア）

この地域の $n=300$ 週の日曜における晴れと，それ以外の日数のデータ（表2）より，確率変数 X_k $(k=1, 2, \cdots, 300)$ とおくと，この内，75個が1であり，225個が0である。

表2　$n=300$ の標本データ

天気	日数
晴れ	75
晴れ以外	225
計	300

この標本平均 $\overline{X}$ を用いて，母平均 m を推定する。

$n=300$ は十分に大きな数と考えると，$\overline{X}$ は近似的に正規分布 $N\left(m, \frac{\sigma^2}{n}\right)$ に従う。

∴③ ……………………（答）（イ）

また，$n=300$ は十分に大きいので，母標準偏差 σ は，標本標準偏 S で近似できる。

よって，

$$S=\sqrt{\frac{1}{n}(X_1{}^2+X_2{}^2+\cdots+X_n{}^2)-(\overline{X})^2}$$

ここで，$X_k{}^2=X_k\,(k=1,2,\cdots,n)$ より，

$$S=\sqrt{\underbrace{\frac{1}{n}(X_1+X_2+\cdots+X_n)}_{\overline{X}}-(\overline{X})^2}$$

$$=\sqrt{\overline{X}-(\overline{X})^2}=\sqrt{\overline{X}(1-\overline{X})}$$

∴① …(答)(ウ)，　② …(答)(エ)

ここで，$\overline{X}=\frac{1}{300}\underbrace{(X_1+X_2+\cdots+X_{300})}_{1\times75+0\times225=75}$

300 個 $X_k\,(k=1,2,\cdots,300)$ の内，75 個が 1，225 個が 0 だね。

$\therefore\ \overline{X}=\frac{75}{300}=\frac{1}{4}$，$1-\overline{X}=\frac{3}{4}$

よって，$S=\sqrt{\overline{X}\cdot(1-\overline{X})}$

$$=\sqrt{\frac{1}{4}\times\frac{3}{4}}=\frac{\sqrt{3}}{4}$$

これから，母平均 m の 95% 信頼区間は，

$\underbrace{\overline{X}}_{0.25}-\underbrace{1.96\frac{S}{\sqrt{n}}}\leqq m\leqq\overline{X}+1.96\frac{S}{\sqrt{n}}$ より，

$1.96\times\frac{\sqrt{3}}{4}\times\frac{1}{\sqrt{300}}=1.96\times\frac{1}{40}=0.049$

$$0.25-0.049\leqq m\leqq0.25+0.049$$

$0.201\leqq m\leqq0.299$ となる。

∴⓪ ……………………(答)(オ)

σ が未知のとき，母平均 m について，

(i) 95% 信頼区間

$$\overline{X}-1.96\cdot\frac{S}{\sqrt{n}}\leqq m\leqq\overline{X}+1.96\cdot\frac{S}{\sqrt{n}}$$

(ii) 99% 信頼区間

$$\overline{X}-2.58\cdot\frac{S}{\sqrt{n}}\leqq m\leqq\overline{X}+2.58\cdot\frac{S}{\sqrt{n}}$$

(2) $X_1, X_2, \cdots, X_k$ の内，1 が丁度 3 つ続く箇所の個数を U_k とおく。

(i) $k=4$ のとき，表 3 より，1 が 3 つ続く箇所の個数 U_4 は，

$U_4=0$ または 1 で，

X_1	X_2	X_3	X_4	U_4
1	1	1	0	1
0	1	1	1	1

$U_4=1$ となるのは，右上の 2 つの場合のみで，他の場合はすべて $U_4=0$ となる。

ここで，$X_k=1$ となる確率を $p=\frac{1}{4}$，$X_k=0$ となる確率を $q=1-p=\frac{3}{4}\,(k=1,2,3,4)$ とおくと，$U_4=1$ となる確率を Q_1 とおけば，

$$Q_1=\underbrace{2}_{}\times\underbrace{\left(\frac{1}{4}\right)^3}_{}\times\underbrace{\frac{3}{4}}_{}=\frac{2\times3}{4^4}=\frac{3}{2^7}$$

$U_4=1$ となるのは 2 通り　1 が 3 つ　0 が 1 つ

$$=\frac{3}{128}$$ となる。よって，

$U_4=0$ となる確率を Q_0 とおくと，

$Q_0=1-Q_1=\frac{125}{128}$ ← 本当はこれは不要

よって，求める U_4 の期待値 $E(U_4)$ は，

U_4 の確率分布

U_4	0	1
確率	$\frac{125}{128}$	$\frac{3}{128}$

右の確率分布表より，

$$E(U_4)=0\times\frac{125}{128}+1\times\frac{3}{128}$$

$=\frac{3}{128}$ ………(答)(カ)

(ⅱ) $k=5$ のとき，$U_5=0$ または 1 であり，$U_5=1$ となるときの $X_1, X_2, \cdots, X_5$ の表を下に示す。

X_1	X_2	X_3	X_4	X_5	U_5
1	1	1	0	0	1
0	1	1	1	0	1
0	0	1	1	1	1
1	0	1	1	1	1
1	1	1	0	1	1

（上3行：$3\times p^3\times q^2$，下2行：$2\times p^4\times q$）

よって，$U_5=0$，1 となる確率をそれぞれ Q_0，Q_1 とおくと，

Q_1 は上の表より，

$$Q_1=3\times p^3\times q^2+2\times p^4\times q$$
$$=p^3q(3q+2p)$$
$$=\left(\frac{1}{4}\right)^3\cdot\frac{3}{4}\left(3\cdot\frac{3}{4}+2\cdot\frac{1}{4}\right)$$
$$=\frac{3}{4^4}\times\frac{9+2}{4}=\frac{33}{4^5}=\frac{33}{1024}$$

（4^5：$2^{10}=1024$）

よって，

求める U_5 の期待値 $E(U_5)$ は，右の確率分布表より，

U_5 の確率分布

U_5	0	1
確率	Q_0	$\frac{33}{1024}$

（Q_0：これは不要）

$$E(U_5)=0\times Q_0+1\times\frac{33}{1024}$$
$$=\frac{33}{1024}$$ となる。

………(答)(キク)

・$(4, E(U_4)), (5, E(U_5)), \cdots, (300, E(U_{300}))$ は

（$E(U_4)=\frac{3}{128}$，$E(U_5)=\frac{33}{1024}$）

同一直線上にあるとのことなので，（何？この設定？）

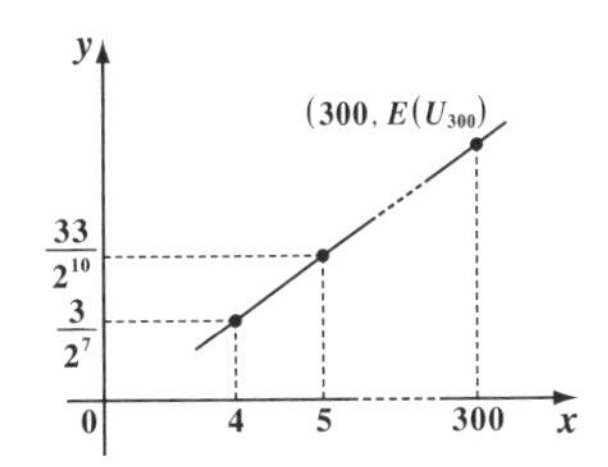

$\left(4,\ \frac{3}{2^7}\right)$ と $\left(5,\ \frac{33}{2^{10}}\right)$ を通る直線の式は，

$$y=\frac{\frac{33}{2^{10}}-\frac{3}{2^7}}{5-4}(x-4)+\frac{3}{2^7}$$
$$=\frac{33-24}{2^{10}}(x-4)+\frac{3}{2^7}$$
$$=\frac{9}{2^{10}}(x-4)+\frac{3}{2^7}\quad\cdots\cdots①$$

①に $x=300$ を代入すると，$y=E(U_{300})$ となるとのことなので，

$$E(U_{300})=\frac{9}{2^{10}}(300-4)+\frac{3}{2^7}$$
$$=\frac{9\times296}{2^{10}}+\frac{3}{2^7}$$
$$=\frac{9\times37+3}{2^7}$$

（$2)\underline{296}$，$2)\underline{148}$，$2)\underline{74}$，37）

$$=\frac{336}{128}$$
$$=\frac{21}{8}$$

（$2)\underline{128\quad336}$，$2)\underline{64\quad168}$，$2)\underline{32\quad84}$，$2)\underline{16\quad42}$，$8\quad21$）

……(答)(ケコ，サ)

第４問（選択問題）（配点　20）

(1) 数列 $\{a_n\}$ が $a_{n+1}-a_n=14$ $(n=1,\ 2,\ 3,\ \cdots)$ を満たすとする。

$a_1=10$ のとき，$a_2=\boxed{\text{アイ}}$，$a_3=\boxed{\text{ウエ}}$ である。

数列 $\{a_n\}$ の一般項は，初項 a_1 を用いて

$a_n=a_1+\boxed{\text{オカ}}(n-1)$ と表すことができる。

(2) 数列 $\{b_n\}$ が $2b_{n+1}-b_n+3=0$ $(n=1,\ 2,\ 3,\ \cdots)$ を満たすとする。

数列 $\{b_n\}$ の一般項は，初項 b_1 を用いて

$b_n=\left(b_1+\boxed{\text{キ}}\right)\left(\dfrac{\boxed{\text{ク}}}{\boxed{\text{ケ}}}\right)^{n-1}-\boxed{\text{コ}}$ と表すことができる。

(3) 太郎さんは，$(c_n+3)(2c_{n+1}-c_n+3)=0$ $(n=1,\ 2,\ 3,\ \cdots)$ ……①

を満たす数列 $\{c_n\}$ について調べることにした。

(i)・数列 $\{c_n\}$ が①を満たし，$c_1=5$ のとき，$c_2=\boxed{\text{サ}}$ である。

・数列 $\{c_n\}$ が①を満たし，$c_3=-3$ のとき，$c_2=\boxed{\text{シス}}$，$c_1=\boxed{\text{セソ}}$ である。

(ii) 太郎さんは，数列 $\{c_n\}$ が①を満たし，$c_3=-3$ となる場合について考えている。$c_3=-3$ のとき，c_4 がどのような値でも，

$(c_3+3)(2c_4-c_3+3)=0$ が成り立つ。

・数列 $\{c_n\}$ が①を満たし，$c_3=-3$，$c_4=5$ のとき

$c_1=\boxed{\text{セソ}}$，$c_2=\boxed{\text{シス}}$，$c_3=-3$，$c_4=5$，$c_5=\boxed{\text{タ}}$ である。

・数列 $\{c_n\}$ が①を満たし，$c_3=-3$，$c_4=83$ のとき

$c_1=\boxed{\text{セソ}}$，$c_2=\boxed{\text{シス}}$，$c_3=-3$，$c_4=83$，$c_5=\boxed{\text{チツ}}$ である。

(iii) 太郎さんは(i)と(ii)から，$c_n=-3$ となることがあるかどうかに着目し，次の**命題A**が成り立つのではないかと考えた。

> **命題A** 数列 $\{c_n\}$ が①を満たし，$c_1\neq-3$ であるとする。このとき，すべての自然数 n について $c_n\neq-3$ である。

命題 A が真であることを証明するには，**命題 A** の仮定を満たす数列 $\{c_n\}$ について，[テ] を示せばよい。

実際，このようにして**命題 A** が真であることを証明できる。

[テ] については，最も適当なものを，次の⓪～④のうちから一つずつ選べ。

⓪ $c_2 \neq -3$ かつ $c_3 \neq -3$ であること

① $c_{100} \neq -3$ かつ $c_{200} \neq -3$ であること

② $c_{100} \neq -3$ ならば $c_{101} \neq -3$ であること

③ $n=k$ のとき $c_n \neq -3$ が成り立つと仮定すると，$n=k+1$ のときも $c_n \neq -3$ が成り立つこと

④ $n=k$ のとき $c_n=-3$ が成り立つと仮定すると，$n=k+1$ のときも $c_n=-3$ が成り立つこと

(iv) 次の (Ⅰ)，(Ⅱ)，(Ⅲ) は，数列 $\{c_n\}$ に関する命題である。

(Ⅰ) $c_1=3$ かつ $c_{100}=-3$ であり，かつ①を満たす数列 $\{c_n\}$ がある。

(Ⅱ) $c_1=-3$ かつ $c_{100}=-3$ であり，かつ①を満たす数列 $\{c_n\}$ がある。

(Ⅲ) $c_1=-3$ かつ $c_{100}=3$ であり，かつ①を満たす数列 $\{c_n\}$ がある。

(Ⅰ)，(Ⅱ)，(Ⅲ) の真偽の組合せとして正しいものは [ト] である。

[ト] の解答群

	⓪	①	②	③	④	⑤	⑥	⑦
(Ⅰ)	真	真	真	真	偽	偽	偽	偽
(Ⅱ)	真	真	偽	偽	真	真	偽	偽
(Ⅲ)	真	偽	真	偽	真	偽	真	偽

ヒント！ **(1)** は，等差数列の漸化式，**(2)** は，等比関数列型の漸化式なので，スグに解けるはずだ。**(3)** は，変わった形の漸化式で，論証系の問題になっている。$c_n=-3$ ならば，$c_1=c_2=c_3=\cdots=c_{n-1}=-3$ となることに気付けばいいんだね。頑張ろう！

解答＆解説

(1) $a_1=10$，$a_{n+1}=a_n+14$ $(n=1, 2, \cdots)$ は，初項 $a_1=10$，公差 $d=14$ の等差数列より，

$a_2=10+14=24$，$a_3=24+14=38$ ……(答)(アイ，ウエ)

一般項 a_n は，

$a_n=a_1+14(n-1)$ となる。 ……(答)(オカ)

(2) $b_{n+1}=\frac{1}{2}b_n-\frac{3}{2}$ …㋐ $(n=1, 2, \cdots)$

について，この特性方程式は，

$x=\frac{1}{2}x-\frac{3}{2}$ より，これを解いて，

$\frac{1}{2}x=-\frac{3}{2}$ $\therefore x=-3$

よって，これを用いて㋐を変形すると，

$b_{n+1}-(-3)=\frac{1}{2}\{b_n-(-3)\}$

$b_{n+1}+3=\frac{1}{2}(b_n+3)$

$\left[F(n+1)=\frac{1}{2}F(n)\right]$ ← 等比関数列型漸化式

$b_n+3=(b_1+3)\cdot\left(\frac{1}{2}\right)^{n-1}$ （アッ！という間）

$\left[F(n)=F(1)\cdot\left(\frac{1}{2}\right)^{n-1}\right]$

∴一般項 b_n は，

$b_n=(b_1+3)\cdot\left(\frac{1}{2}\right)^{n-1}-3$ となる。

……(答)(キ，ク，ケ，コ)

> $a_{n+1}=pa_n+q$ …㋐´ (p, q：定数)
> について，特性方程式：
> $x=px+q$ を解いて，解を α とおくと，
> ㋐´は，次のように変形できる。
> $a_{n+1}-\alpha=p(a_n-\alpha)$
> $[F(n+1)=p\cdot F(n)]$
> $a_n-\alpha=(a_1-\alpha)p^{n-1}$
> $[F(n)=F(1)\cdot p^{n-1}]$
> $\therefore a_n=(a_1-\alpha)\cdot p^{n-1}+\alpha$ となる。
> この解法パターンを知らない方は，
> **「初めから始める数学B」**で勉強しよう！

(3) $(c_n+3)(2c_{n+1}-c_n+3)=0$ ……①

$(n=1, 2, 3, \cdots)$ について，

(i)・$c_1=5$ のとき，$n=1$ を①に代入して，

$(c_1+3)\cdot(2c_2-c_1+3)=0$

（$c_1+3=5+3=8$，$-c_1+3=-5+3=-2$）

$8(2c_2-2)=0$

$\therefore c_2=1$ ………………(答)(サ)

・$c_3=-3$ のとき，$n=2$ を①に代入して，

$(c_2+3)\cdot(2c_3-c_2+3)=0$

（$2c_3=2\cdot(-3)=-6$）

$(c_2+3)(-c_2-3)=0$

両辺に -1 をかけて，

$(c_2+3)^2=0$ より，

$c_2=-3$ …………(答)(シス)

・$n=1$ を①に代入して，

$(c_1+3)(2c_2-c_1+3)=0$

（$c_2=-3$）

同様に，$(c_1+3)^2=0$ より，

$c_1=-3$ …………(答)(セソ)

> これから，$c_3=-3$ のとき，
> $c_1=c_2=-3$ となる。
> 同様に，$c_5=-3$ のとき，
> $c_1=c_2=c_3=c_4=-3$ となる。
> つまり，一般論として，
> $c_n=-3$ のとき，
> これより前の項はすべて，
> $c_1=c_2=\cdots=c_{n-1}=-3$
> となるんだね。

(ii) $c_3=-3$ のとき，$n=3$ を①に代入すると，

$(c_3+3)(2c_4-c_3+3)=0$

（$c_3+3=-3+3=0$，$-c_3=+3$）

$0\cdot(2c_4+6)=0$

c_4 がどんな値でも成り立つ

・$c_3=-3$，$c_4=5$ のとき，

$c_1=c_2=c_3=-3$，$c_4=5$ より，

$n=4$ を①に代入すると，

$(c_4+3)(2c_5-c_4+3)=0$

（$c_4+3=8$，$c_4=5$）

両辺を 8 で割って，

$2c_5-2=0$

$\therefore c_5=1$ ………………（答）（タ）

・$c_3=-3$，$c_4=83$ のとき，

$c_1=c_2=c_3=-3$，$c_4=83$ より，

$n=4$ を①に代入すると，

$(c_4+3)(2c_5-c_4+3)=0$

（$c_4+3=86$，$c_4=83$）

両辺を 86 で割って，

$2c_5-80=0$

$\therefore c_5=40$ …………（答）（チツ）

(iii) ここで，次の命題 A について考える。

命題 A：「①を満たす数列 $\{c_n\}$ について，

$c_1\neq-3 \Rightarrow c_n\neq-3$」

これを示すためには一般に，

$c_k\neq-3 \Rightarrow c_{k+1}\neq-3$ ……(*)

$(k=1,\ 2,\ \cdots)$ を示せばよい。

∴ ③ ………………………（答）（テ）

(*) の証明は，(*) の対偶命題

$c_{k+1}=-3 \Rightarrow c_k=-3$ ……(*)′

を示せばいい。

これは，$n=k$ を①に代入して，

$c_{k+1}=-3$ とおくと，

$(c_k+3)(2c_{k+1}-c_k+3)=0$

（$2c_{k+1}$ … $c_{k+1}=-3$）

これを変形して，$(c_k+3)^2=0$

$\therefore c_k=-3$ となるので，

(*)′，すなわち (*) は成り立つ。

(iv) よって，

(Ⅰ) $c_1=3$ かつ $c_{100}=-3$ は，偽

（$\because c_{100}=-3 \Rightarrow$
$c_1=c_2=\cdots c_{99}=-3$
となる。）

(Ⅱ) $c_1=-3$ かつ $c_{100}=-3$
はあり得る。∴真

(Ⅲ) $c_1=-3$ かつ $c_{100}=3$
はあり得る。∴真

（例えば，$c_{99}=-3$ のとき，
$c_1=c_2=c_3=\cdots=c_{98}=-3$
となるが，c_{100} の値は自由に決められるので，$c_{100}=3$
としてもよい。）

以上より，④…………（答）（ト）

第5問（選択問題）（配点　20）

点 O を原点とする座標空間に 4 点 A(2, 7, −1), B(3, 6, 0), C(−8, 10, −3), D(−9, 8, −4) がある。A, B を通る直線を l_1 とし，C, D を通る直線を l_2 とする。

(1)　$\overrightarrow{AB}=($ ア , イウ , エ $)$

であり，$\overrightarrow{AB}\cdot\overrightarrow{CD}=$ オ である。

(2)　花子さんと太郎さんは，点 P が l_1 上を動くとき，$|\overrightarrow{OP}|$ が最小となる P の位置について考えている。

P が l_1 上にあるので，$\overrightarrow{AP}=s\overrightarrow{AB}$ を満たす実数 s があり，$\overrightarrow{OP}=$ カ が成り立つ。

$|\overrightarrow{OP}|$ が最小となる s の値を求めれば P の位置が求まる。このことについて，花子さんと太郎さんが話をしている。

花子：$|\overrightarrow{OP}|^2$ が最小となる s の値を求めればよいね。
太郎：$|\overrightarrow{OP}|$ が最小となるときの直線 OP と l_1 の関係に着目してもよさそうだよ。

$|\overrightarrow{OP}|^2=$ キ s^2- クケ $s+$ コサ である。

また，$|\overrightarrow{OP}|$ が最小となるとき，直線 OP と l_1 の関係に着目すると シ が成り立つことがわかる。

花子さんの考え方でも，太郎さんの考え方でも，$s=$ ス のとき $|\overrightarrow{OP}|$ が最小となることがわかる。

カ の解答群

⓪ $s\overrightarrow{AB}$
① $s\overrightarrow{OB}$
② $\overrightarrow{OA}+s\overrightarrow{AB}$
③ $(1-2s)\overrightarrow{OA}+s\overrightarrow{OB}$
④ $(1-s)\overrightarrow{OA}+s\overrightarrow{AB}$

シ の解答群

⓪ $\overrightarrow{OP}\cdot\overrightarrow{AB}>0$	① $\overrightarrow{OP}\cdot\overrightarrow{AB}=0$
② $\overrightarrow{OP}\cdot\overrightarrow{AB}<0$	③ $\lvert\overrightarrow{OP}\rvert=\lvert\overrightarrow{AB}\rvert$
④ $\overrightarrow{OP}\cdot\overrightarrow{AB}=\overrightarrow{OB}\cdot\overrightarrow{AP}$	⑤ $\overrightarrow{OB}\cdot\overrightarrow{AP}=0$
⑥ $\overrightarrow{OP}\cdot\overrightarrow{AB}=\lvert\overrightarrow{OP}\rvert\lvert\overrightarrow{AB}\rvert$	

(3) 点 P が l_1 上を動き，点 Q が l_2 上を動くとする。このとき，線分 PQ の長さが最小になる P の座標は（セソ，タチ，ツテ），Q の座標は（トナ，ニヌ，ネノ）である。

ヒント！ 空間ベクトルの基本問題で，点と直線，および，それぞれの位置にある 2 直線の距離の最小問題なんだね。12 分で十分完答可能なので，頑張ろう！

解答＆解説

座標空間上に，4 点 A(2, 7, −1)，B(3, 6, 0)，C(−8, 10, −3)，D(−9, 8, −4) があり，直線 AB を l_1，直線 CD を l_2 とおく。

(1) $\overrightarrow{OA}=(2,7,-1)$，$\overrightarrow{OB}=(3,6,0)$，$\overrightarrow{OC}=(-8,10,-3)$，$\overrightarrow{OD}=(-9,8,-4)$ より，

$\overrightarrow{AB}=\overrightarrow{OB}-\overrightarrow{OA}$ ← 引き算形式のまわり道の原理

$=(3,6,0)-(2,7,-1)$

$=(1,-1,1)$ ……(答)(ア，イウ，エ)

$\overrightarrow{CD}=\overrightarrow{OD}-\overrightarrow{OC}$

$=(-9,8,-4)-(-8,10,-3)$

$=(-1,-2,-1)$

よって，求める内積は，

$\overrightarrow{AB}\cdot\overrightarrow{CD}=1\times(-1)+(-1)\times(-2)+1\times(-1)$

$=-1+2-1=0$ …(答)(オ)

(2) 直線 l_1 上の動点を P とおくと，右図より，

$\overrightarrow{OP}=\overrightarrow{OA}+\overrightarrow{AP}$ （$\overrightarrow{AP}=s\overrightarrow{AB}$） ← たし算形式のまわり道の原理

$=\overrightarrow{OA}+s\overrightarrow{AB}$

(s：媒介変数)

となる。 ∴② ……………(答)(カ)

ここで，$\lvert\overrightarrow{OP}\rvert$ の最小値を求める。

$\overrightarrow{OP}=(2,7,-1)+s(1,-1,1)$

$=(s+2,-s+7,s-1)$ より，

$\lvert\overrightarrow{OP}\rvert^2=(s+2)^2+(-s+7)^2+(s-1)^2$

$=s^2+4s+4+s^2-14s+49+s^2-2s+1$

$=3s^2-12s+54$ ……(答)(キ，クケ，コサ)

$=3(s^2-4s+4)+54-12$ （2 で割って 2 乗）

$=3(s-2)^2+42$ （平方完成）

$|\overrightarrow{OP}|^2 = 3(s-2)^2 + 42$ より，

$s=2$ のとき，$|\overrightarrow{OP}|$ は最小値 $\sqrt{42}$ をとる。

または，右図のように，

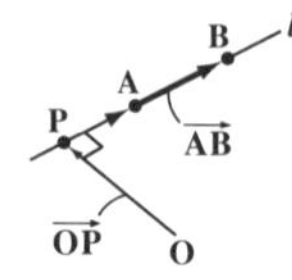

$\overrightarrow{OP} \perp \overrightarrow{AB}$ より，

$\overrightarrow{OP} \cdot \overrightarrow{AB} = 0$

だから，同様の結果を導ける。

$\therefore$ ① …(答)(シ)，$s=2$ …(答)(ス)

> $\begin{cases} \overrightarrow{AB} = (1,\ -1,\ 1) \\ \overrightarrow{OP} = (s+2,\ -s+7,\ s-1) \end{cases}$
>
> $\overrightarrow{OP} \perp \overrightarrow{AB}$ より，$\overrightarrow{AB} \cdot \overrightarrow{OP} = 0$ となる。
>
> よって，
>
> $\overrightarrow{AB} \cdot \overrightarrow{OP} = 1\cdot(s+2) - 1\cdot(-s+7) + 1\cdot(s-1)$
>
> $= s+2+s-7+s-1$
>
> $= \boxed{3s-6=0}$ より，$s=2$ となる。
>
> (もちろん，試験では，この確認は不要です!)

(3) ・点 P は直線 l_1 上の動点より，

$\overrightarrow{OP} = (s+2,\ -s+7,\ s-1)$

・点 Q は直線 l_2 (直線 CD) 上の動点より，

$\overrightarrow{OQ} = \overrightarrow{OC} + t\overrightarrow{CD}$

(t：媒介変数，$\overrightarrow{CQ} = t\overrightarrow{CD}$)

$= (-8,\ 10,\ -3) + t(-1,\ -2,\ -1)$

$= (-t-8,\ -2t+10,\ -t-3)$

ここで，線分 PQ の長さ，すなわち $|\overrightarrow{PQ}|$ が最小になるとき，右図に示すように，

(i) $\overrightarrow{PQ} \perp \overrightarrow{AB}$ かつ

(ii) $\overrightarrow{PQ} \perp \overrightarrow{CD}$ となるので，

(i) $\overrightarrow{AB} \cdot \overrightarrow{PQ} = 0$ かつ

(ii) $\overrightarrow{CD} \cdot \overrightarrow{PQ} = 0$ となる。

ここで，

$\overrightarrow{PQ} = \overrightarrow{OQ} - \overrightarrow{OP}$

$= (-t-8,\ -2t+10,\ -t-3)$

$\quad - (s+2,\ -s+7,\ s-1)$

$= (-s-t-10,\ s-2t+3,\ -s-t-2)$

となる。

(i) $\overrightarrow{AB} = (1,\ -1,\ 1) \perp \overrightarrow{PQ}$ より，

$1\cdot(-s-t-10) - (s-2t+3) + 1\cdot(-s-t-2) = 0$

$-3s-15=0 \quad \therefore s=-5$

(ii) $\overrightarrow{CD} = (-1,\ -2,\ -1) \perp \overrightarrow{PQ}$ より，

$-1\cdot(-s-t-10) - 2(s-2t+3) - 1\cdot(-s-t-2) = 0$

$6t+6=0 \quad \therefore t=-1$

よって，$s=-5$ より，

$\overrightarrow{OP} = (-5+2,\ 5+7,\ -5-1)$

$= (-3,\ 12,\ -6)$

$t=-1$ より，

$\overrightarrow{OQ} = (1-8,\ 2+10,\ 1-3)$

$= (-7,\ 12,\ -2)$

$\therefore$ P$(-3,\ 12,\ -6)$

……(答)(セソ，タチ，ツテ)

Q$(-7,\ 12,\ -2)$

……(答)(トナ，ニヌ，ネノ)

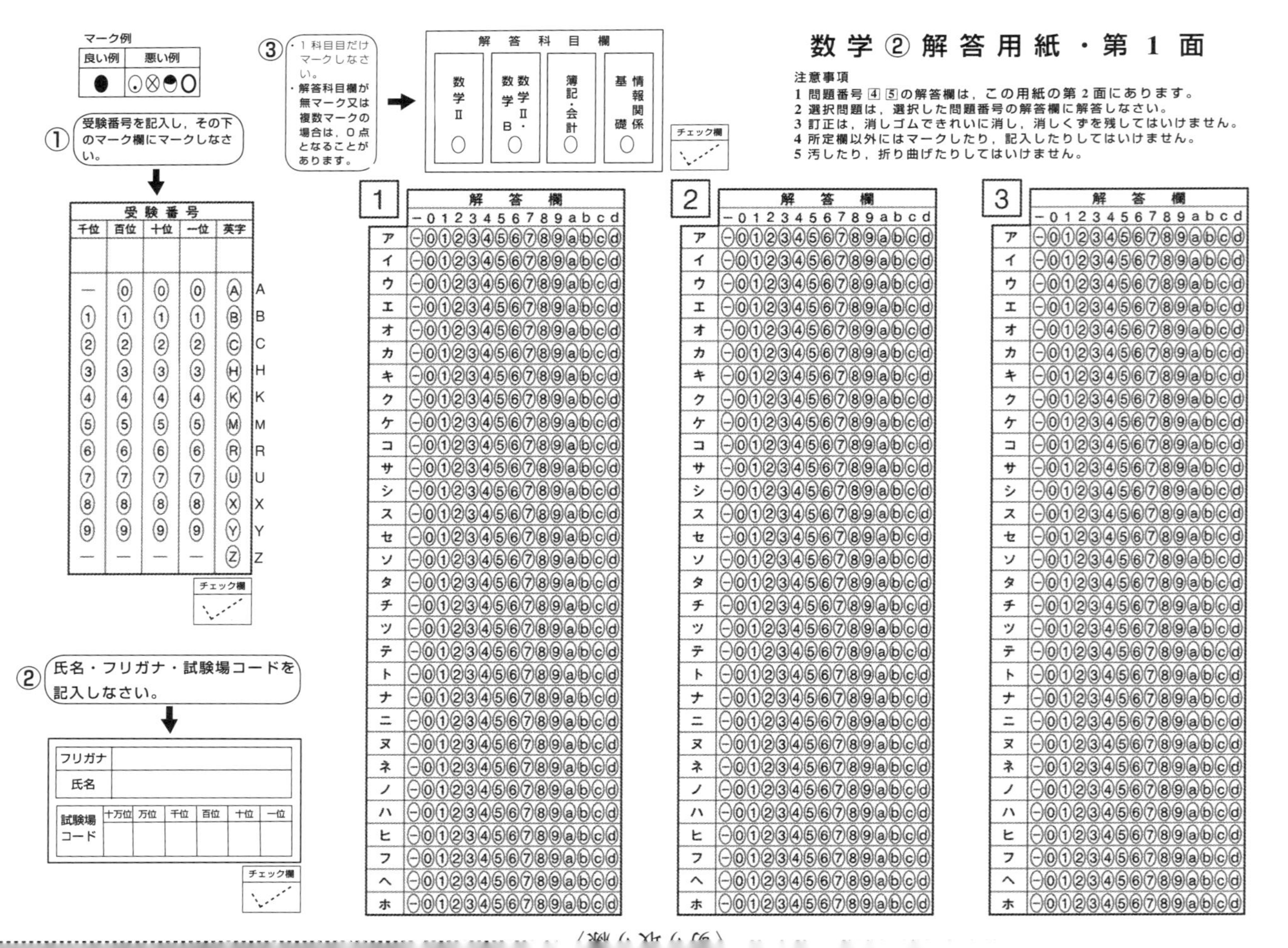

数学②解答用紙・第1面

注意事項
1 問題番号 4 5 の解答欄は，この用紙の第2面にあります。
2 選択問題は，選択した問題番号の解答欄に解答しなさい。
3 訂正は，消しゴムできれいに消し，消しくずを残してはいけません。
4 所定欄以外にはマークしたり，記入したりしてはいけません。
5 汚したり，折り曲げたりしてはいけません。

マーク例

良い例	悪い例
●	⊙ ⊗ ◓ ○

① 受験番号を記入し，その下のマーク欄にマークしなさい。

受験番号				
千位	百位	十位	一位	英字
—	⓪	⓪	⓪	Ⓐ A
①	①	①	①	Ⓑ B
②	②	②	②	Ⓒ C
③	③	③	③	Ⓗ H
④	④	④	④	Ⓚ K
⑤	⑤	⑤	⑤	Ⓜ M
⑥	⑥	⑥	⑥	Ⓡ R
⑦	⑦	⑦	⑦	Ⓤ U
⑧	⑧	⑧	⑧	Ⓧ X
⑨	⑨	⑨	⑨	Ⓨ Y
—	—	—	—	Ⓩ Z

チェック欄

② 氏名・フリガナ・試験場コードを記入しなさい。

フリガナ						
氏名						
試験場コード	十万位	万位	千位	百位	十位	一位

チェック欄

③ ・1科目だけマークしなさい。
・解答科目欄が無マーク又は複数マークの場合は，0点となることがあります。

解答科目欄			
数学Ⅱ ○	数学Ⅱ・数学B ○	簿記・会計 ○	情報関係基礎 ○

チェック欄

1 / 2 / 3（各解答欄共通）

	解答欄
	− 0 1 2 3 4 5 6 7 8 9 a b c d
ア	⊖⓪①②③④⑤⑥⑦⑧⑨ⓐⓑⓒⓓ
イ	⊖⓪①②③④⑤⑥⑦⑧⑨ⓐⓑⓒⓓ
ウ	⊖⓪①②③④⑤⑥⑦⑧⑨ⓐⓑⓒⓓ
エ	⊖⓪①②③④⑤⑥⑦⑧⑨ⓐⓑⓒⓓ
オ	⊖⓪①②③④⑤⑥⑦⑧⑨ⓐⓑⓒⓓ
カ	⊖⓪①②③④⑤⑥⑦⑧⑨ⓐⓑⓒⓓ
キ	⊖⓪①②③④⑤⑥⑦⑧⑨ⓐⓑⓒⓓ
ク	⊖⓪①②③④⑤⑥⑦⑧⑨ⓐⓑⓒⓓ
ケ	⊖⓪①②③④⑤⑥⑦⑧⑨ⓐⓑⓒⓓ
コ	⊖⓪①②③④⑤⑥⑦⑧⑨ⓐⓑⓒⓓ
サ	⊖⓪①②③④⑤⑥⑦⑧⑨ⓐⓑⓒⓓ
シ	⊖⓪①②③④⑤⑥⑦⑧⑨ⓐⓑⓒⓓ
ス	⊖⓪①②③④⑤⑥⑦⑧⑨ⓐⓑⓒⓓ
セ	⊖⓪①②③④⑤⑥⑦⑧⑨ⓐⓑⓒⓓ
ソ	⊖⓪①②③④⑤⑥⑦⑧⑨ⓐⓑⓒⓓ
タ	⊖⓪①②③④⑤⑥⑦⑧⑨ⓐⓑⓒⓓ
チ	⊖⓪①②③④⑤⑥⑦⑧⑨ⓐⓑⓒⓓ
ツ	⊖⓪①②③④⑤⑥⑦⑧⑨ⓐⓑⓒⓓ
テ	⊖⓪①②③④⑤⑥⑦⑧⑨ⓐⓑⓒⓓ
ト	⊖⓪①②③④⑤⑥⑦⑧⑨ⓐⓑⓒⓓ
ナ	⊖⓪①②③④⑤⑥⑦⑧⑨ⓐⓑⓒⓓ
ニ	⊖⓪①②③④⑤⑥⑦⑧⑨ⓐⓑⓒⓓ
ヌ	⊖⓪①②③④⑤⑥⑦⑧⑨ⓐⓑⓒⓓ
ネ	⊖⓪①②③④⑤⑥⑦⑧⑨ⓐⓑⓒⓓ
ノ	⊖⓪①②③④⑤⑥⑦⑧⑨ⓐⓑⓒⓓ
ハ	⊖⓪①②③④⑤⑥⑦⑧⑨ⓐⓑⓒⓓ
ヒ	⊖⓪①②③④⑤⑥⑦⑧⑨ⓐⓑⓒⓓ
フ	⊖⓪①②③④⑤⑥⑦⑧⑨ⓐⓑⓒⓓ
ヘ	⊖⓪①②③④⑤⑥⑦⑧⑨ⓐⓑⓒⓓ
ホ	⊖⓪①②③④⑤⑥⑦⑧⑨ⓐⓑⓒⓓ

〈切り取り線〉

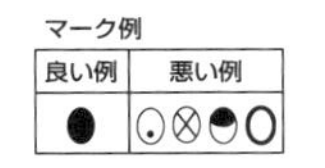

数学②解答用紙・第２面

注意事項
1 問題番号[1] [2] [3]の解答欄は，この用紙の第２面にあります。
2 選択問題は，選択した問題番号の解答欄に解答しなさい。
3 訂正は，消しゴムできれいに消し，消しくずを残してはいけません。
4 所定欄以外にはマークしたり，記入したりしてはいけません。
5 汚したり，折り曲げたりしてはいけません。

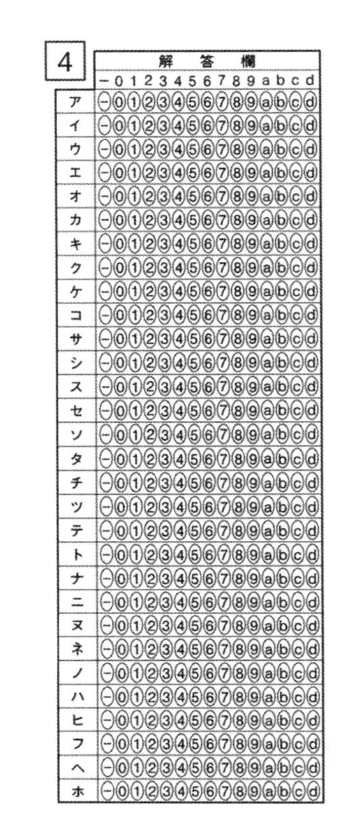

4

	解	答	欄												
	−	0	1	2	3	4	5	6	7	8	9	a	b	c	d
ア	−	0	1	2	3	4	5	6	7	8	9	a	b	c	d
イ	−	0	1	2	3	4	5	6	7	8	9	a	b	c	d
ウ	−	0	1	2	3	4	5	6	7	8	9	a	b	c	d
エ	−	0	1	2	3	4	5	6	7	8	9	a	b	c	d
オ	−	0	1	2	3	4	5	6	7	8	9	a	b	c	d
カ	−	0	1	2	3	4	5	6	7	8	9	a	b	c	d
キ	−	0	1	2	3	4	5	6	7	8	9	a	b	c	d
ク	−	0	1	2	3	4	5	6	7	8	9	a	b	c	d
ケ	−	0	1	2	3	4	5	6	7	8	9	a	b	c	d
コ	−	0	1	2	3	4	5	6	7	8	9	a	b	c	d
サ	−	0	1	2	3	4	5	6	7	8	9	a	b	c	d
シ	−	0	1	2	3	4	5	6	7	8	9	a	b	c	d
ス	−	0	1	2	3	4	5	6	7	8	9	a	b	c	d
セ	−	0	1	2	3	4	5	6	7	8	9	a	b	c	d
ソ	−	0	1	2	3	4	5	6	7	8	9	a	b	c	d
タ	−	0	1	2	3	4	5	6	7	8	9	a	b	c	d
チ	−	0	1	2	3	4	5	6	7	8	9	a	b	c	d
ツ	−	0	1	2	3	4	5	6	7	8	9	a	b	c	d
テ	−	0	1	2	3	4	5	6	7	8	9	a	b	c	d
ト	−	0	1	2	3	4	5	6	7	8	9	a	b	c	d
ナ	−	0	1	2	3	4	5	6	7	8	9	a	b	c	d
ニ	−	0	1	2	3	4	5	6	7	8	9	a	b	c	d
ヌ	−	0	1	2	3	4	5	6	7	8	9	a	b	c	d
ネ	−	0	1	2	3	4	5	6	7	8	9	a	b	c	d
ノ	−	0	1	2	3	4	5	6	7	8	9	a	b	c	d
ハ	−	0	1	2	3	4	5	6	7	8	9	a	b	c	d
ヒ	−	0	1	2	3	4	5	6	7	8	9	a	b	c	d
フ	−	0	1	2	3	4	5	6	7	8	9	a	b	c	d
ヘ	−	0	1	2	3	4	5	6	7	8	9	a	b	c	d
ホ	−	0	1	2	3	4	5	6	7	8	9	a	b	c	d

5

	解	答	欄												
	−	0	1	2	3	4	5	6	7	8	9	a	b	c	d
ア	−	0	1	2	3	4	5	6	7	8	9	a	b	c	d
イ	−	0	1	2	3	4	5	6	7	8	9	a	b	c	d
ウ	−	0	1	2	3	4	5	6	7	8	9	a	b	c	d
エ	−	0	1	2	3	4	5	6	7	8	9	a	b	c	d
オ	−	0	1	2	3	4	5	6	7	8	9	a	b	c	d
カ	−	0	1	2	3	4	5	6	7	8	9	a	b	c	d
キ	−	0	1	2	3	4	5	6	7	8	9	a	b	c	d
ク	−	0	1	2	3	4	5	6	7	8	9	a	b	c	d
ケ	−	0	1	2	3	4	5	6	7	8	9	a	b	c	d
コ	−	0	1	2	3	4	5	6	7	8	9	a	b	c	d
サ	−	0	1	2	3	4	5	6	7	8	9	a	b	c	d
シ	−	0	1	2	3	4	5	6	7	8	9	a	b	c	d
ス	−	0	1	2	3	4	5	6	7	8	9	a	b	c	d
セ	−	0	1	2	3	4	5	6	7	8	9	a	b	c	d
ソ	−	0	1	2	3	4	5	6	7	8	9	a	b	c	d
タ	−	0	1	2	3	4	5	6	7	8	9	a	b	c	d
チ	−	0	1	2	3	4	5	6	7	8	9	a	b	c	d
ツ	−	0	1	2	3	4	5	6	7	8	9	a	b	c	d
テ	−	0	1	2	3	4	5	6	7	8	9	a	b	c	d
ト	−	0	1	2	3	4	5	6	7	8	9	a	b	c	d
ナ	−	0	1	2	3	4	5	6	7	8	9	a	b	c	d
ニ	−	0	1	2	3	4	5	6	7	8	9	a	b	c	d
ヌ	−	0	1	2	3	4	5	6	7	8	9	a	b	c	d
ネ	−	0	1	2	3	4	5	6	7	8	9	a	b	c	d
ノ	−	0	1	2	3	4	5	6	7	8	9	a	b	c	d
ハ	−	0	1	2	3	4	5	6	7	8	9	a	b	c	d
ヒ	−	0	1	2	3	4	5	6	7	8	9	a	b	c	d
フ	−	0	1	2	3	4	5	6	7	8	9	a	b	c	d
ヘ	−	0	1	2	3	4	5	6	7	8	9	a	b	c	d
ホ	−	0	1	2	3	4	5	6	7	8	9	a	b	c	d

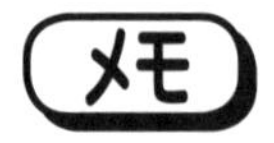
メモ

メモ

スバラシク得点できる数学Ⅱ・B(・C)
共通テスト 数学Ⅱ・B(・C)過去問題集
2025年度版 快速！解答

マセマ

著　者　馬場 敬之
発行者　馬場 敬之
発行所　マセマ出版社

〒 332-0023 埼玉県川口市飯塚 3-7-21-502
TEL 048-253-1734　FAX 048-253-1729
Email：info@mathema.jp
https://www.mathema.jp

編　集　七里 啓之
校閲・校正　高杉 豊　馬場 貴史　秋野 麻里子
制作協力　久池井 茂　栄 瑠璃子　真下 久志
瀬口 訓仁　迫田 圭介　川口 祐己
小泉 壮太　河野 達也　下野 俊英
町田 朱美　間宮 栄二
カバーデザイン　馬場 冬之
ロゴデザイン　馬場 利貞
印刷所　中央精版印刷株式会社

平成 27 年 7 月 27 日 初版 4 刷
平成 29 年 6 月 13 日 2018 年度版 4 刷
平成 30 年 6 月 9 日 2019 年度版 4 刷
令和 元 年 6 月 9 日 2020 年度版 4 刷
令和 2 年 6 月 11 日 2021 年度版 4 刷
令和 3 年 6 月 16 日 2022 年度版 4 刷
令和 4 年 6 月 17 日 2023 年度版 4 刷
令和 5 年 6 月 14 日 2024 年度版 4 刷
令和 6 年 8 月 8 日 2025 年度版 初版発行

ISBN978-4-86615-347-6 C7041
落丁・乱丁本はお取りかえいたします。